Gerard van Vliet & Dadi Rafnsson

HET ICESAVE-DRAMA

Hoe een handvol IJslanders
de financiële wereld uitkleedde

De hebberige bankiers, de falende politici en
de getergde slachtoffers

TERRA

© 2010 Uitgeverij Terra Lannoo B.V.
Postbus 614, 6800 AP Arnhem
info@terralannoo.nl
www.terralannoo.nl
Uitgeverij Terra maakt deel uit van de Lannoo-groep, België

Tekst: Gerard van Vliet en Dadi Rafnsson
Vertaling: Miriam Bouwens, De RedactieBalie, Nijmegen
Redactie: Inez Veneberg, Redactiebureau Veneberg, Groningen
Opmaak: Scriptura, Westbroek
Omslagontwerp: Studio Jan de Boer, Amsterdam
Druk- en bindwerk: HooibergHaasbeek, Meppel

ISBN 978-90-8989-295-9
NUR 320

Inhoudsopgave

Voorwoord   *7*

Leeswijzer   *9*

1. The Dirty Thirty: hoe IJsland werd verkwanseld   *13*

2. Het begin: de Geysercrisis   *42*

3. Hoe zit met het Icesave in Engeland?   *73*

Uitstapje 1. De beste manier om een bank te beroven
is er een te bezitten   *85*

4. Landsbanki in Nederland: ijskoud de beste bedriegers?   *89*

5. DNB en Icesave, 'De Transparante Bank'   *105*

Uitstapje 2. Wat heeft de pers gedaan?   *115*

6. De chaos in IJsland na 6 oktober   *126*

7. De kater in Nederland na 6 oktober   *164*

8. De lessen: morgen ú?   *197*

Met dank aan   *207*

Over de auteurs   *209*

Bijlage 1. Icesave in het kort   *217*

Bijlage 2. IJsland, feiten en cijfers   *223*

E-MAIL VAN ICESAVE AAN ICESAVE-LID:

-----Original Message-----
From: klantenservice@icesave.nl [mailto:klantenservice@icesave.nl]
Sent: donderdag 2 oktober 2008 13:20
To:
Subject: Vragen Icesave

Geachte heer B,
Naar aanleiding van uw telefonisch contact met onze klantenservice sturen wij u deze ema
Wij stellen uw vragen op prijs en hieronder volgende de antwoorden.
Over uw vraag betreffende het Europees vangnet voor spaarders en banken kunnen wij u
hetvolgende melden:

Minister-president Jan Peter Balkenende bespreekt vandaag met de Franse president Nicc
Sarkozy een plan voor een gezamenlijke Europese aanpak van de financiele crisis. Het is
echter nog niet bekend of de landen uit de EER hier aan mee zullen werken. Op dit momer
hebben wij hierover niet meer informatie. Ontwikkelingen hieromtrent zullen in de kranten te
lezen zijn. Over Landsbanki zelf kunnen we zeggen dat de bank een sterke solvabiliteit hee
en over 8 miljard euro aan liquide middelen beschikt. De bank staat er dus sterk voor.

Betreffende het artikel uit De Telegraaf kunnen wij u het volgende melden:

De verkoop van Landsbanki's buitenlandse corporate finance- en brokersactiviteiten is
een transactie vanuit strategisch oogpunt. Landsbanki wil zich meer gaan richten op
kernactiviteiten, waarvan Icesave een belangrijk onderdeel uitmaakt. Deze verkoop heeft
absoluut geen gevolgen voor Icesave spaarders. Voor Landsbanki betekent deze verkoop
echter dat de solvabiliteit versterkt wordt en dat de bank door het verkoopbedrag van 385
miljoen euro meer geld in kas heeft. Daardoor staat Landsbanki er nu nog sterker voor. Tev
heeft Landsbanki geen belangen in de sub-prime hypotheken in de Verenigde Staten. Hierc
loopt Landsbanki geen additioneel risico als gevolg van deze kredietcrisis. Op de website v
Landsbanki vindt u een factsheet waarin de belangrijkste cijfers en ratio's van Landsbanki
worden weergegeven.

Over uw vraag betreffende het depositogarantiestelsel kunnen wij u het volgende melden:

Landsbanki is genotificeerd door De Nederlandsche Bank voor het voeren van een bijkantc
in Nederland. Alle activiteiten van Landsbanki in Nederland vallen volledig onder toezicht va
de IJslandse toezichthouder FME. Daarnaast voert De Nederlandsche bank liquiditeitstoez
op de activiteiten van Landsbanki in Nederland.

Buitenlandse banken die in EU-landen of de Europees Economische Ruimte gevestigd
zijn, vallen onder de deposito garantieregeling van dat betreffende land. Daarnaast neemt
Landsbanki deel aan het Nederlandse deposito garantiestelsel.

Het IJslandse garantiestelsel (Icelandic Guarantees and Investor-Compensation Scheme)
garandeert aan Icesave rekeninghouders bescherming tot minimaal € 20.887 van het totale
bedrag op de spaarrekening. Naast deze bescherming door het IJslandse garantiestelsel
garandeert het Nederlands depositogarantiestelsel het bedrag tussen de € 20.887 en €
40.000. Voor de aanvullende bescherming vanuit het Nederlands depositogarantiestelsel
geldt een eigen risico van 10%. De vergoeding die van de depositogarantiestelsels verkreg
kan worden kan dus niet meer bedragen dan € 38.000 per persoon ongeacht het aantal
rekeningen.

Wij vertrouwen erop u hiermee voldoende geïnformeerd te
hebben.
Met vriendelijke groet,
Icesave Klantenservice

Icesave
PO Box 87598
1080 JN Amsterdam
Telephone: 0900-0242
klantenservice@icesave.
Disclaimer

Voorwoord

Depositogarantiestelsel of DGS? Systeembanken? Home State? Topping up? Rating Agencies? CDS-spreads? In augustus 2008 hadden we er als 'gewone spaarders' geen weet van en wilden we er ook geen weet van hebben! Simpel sparen, dat wilden we; geen risico's, beetje rente. Al was het alleen maar omdat de Belastingdienst ons verplicht om minimaal 4% rendement te halen uit dat spaargeld, de inflatie ons inhaalt en we dat spaargeld zuur hebben verdiend. Geen teakfonds, geen piramidespel, geen Dubai-rekening, geen ritjes naar Luxemburg om zwart geld 'veilig' op te potten. Simpel sparen. En dat kon, in Nederland. Dachten we.

Prinsjesdag, 16 september 2008, een dag nadat Lehman Brothers in Amerika in z'n eigen zwaard was gevallen, spreekt koningin Beatrix nog bemoedigende woorden, vol zelfvertrouwen: "Nederland kan zelfbewust en met vertrouwen inspelen op de hoge eisen die momenteel aan ons worden gesteld." Lehman Brothers' management had bakken geld verdiend met het verpakken en doorverkopen van waardeloze hypotheken uit Amerika. Een soort van wereldwijd geldvirus had zich daarmee diep genesteld in het financiële systeem. Zij die het zagen gebeuren, hielden hun mond. Ze profiteerden er zelf van mee of vonden 'het systeem' belangrijker dan de onafwendbare schade voor de consument. Eind september worden de eerste scheuren zichtbaar in het trotse IJslandse Geld-Kasteel. Miljarden euro's smelten in uren weg als sneeuw voor de zon. William Black, schrijver van het boek *The Best Way to Rob a Bank is to Own One* citeert te pas en te onpas de uitspraak 'The best desinfectant is the sunlight', doelend op volkomen transparantie als dé remedie voor uit de hand gelopen hebzucht van bankiers. Want dat is in essentie de kern van de crisis waarin we nu nog steeds verkeren: de hebzucht van enkelingen.

Dit boek gaat over het ultieme voorbeeld van hebzucht van enkelingen en de slachtoffers daarvan: de Icesave-affaire. Op 6 oktober 2008 kunnen honderdduizenden spaarders in Engeland en Nederland ineens niet meer bij het spaargeld dat ze hadden ondergebracht op een Icesaverekening van de IJslandse bank Landsbanki te Reykjavik, eigenaar van Icesave. De Engelse spaarders krijgen een dag later, op 7 oktober, te horen dat ze ál hun geld van de Engelse regering terug zullen krijgen, ongeacht de hoogte van het bedrag. In Nederland kondigt minister Bos diezelfde dag aan dat spaarders het verloren bedrag tót € 100.000,- terug zullen krijgen; een gevolg van nieuwe Europese afspraken. Het leven van de 350 Nederlanders met meer dan € 100.000,- op hun spaarrekening verandert vanaf dat moment drastisch, net als het leven van velen in IJsland. Van die 350 Nederlandse spaarders strijden ruim 250 gezamenlijk via de vereniging Icesaving al bijna twee jaar voor het terugkrijgen van hun spaargeld bóven de € 100.000,-. Die 250 hebben met elkaar nog 25 miljoen euro tegoed. Het is een ongelijke strijd van consumenten tegen toezichthouders, politiek, regeringen, Europese regels en vooroordelen – met als voornaamste vooroordeel dat het gaat om 'rijke stinkerds'. Niets is minder waar, het zijn hardwerkende Nederlanders die al hun vertrouwen stelden in het oer-Hollandse sparen.

De lessen die wij in dit boek aanreiken, zijn belangrijker dan de vele verbijsterende feiten (die zich voordeden in IJsland, Engeland en Nederland) die erin staan. Voor het eerst zijn ze op een rijtje gezet en door ons in een bepaald perspectief geplaatst en gereconstrueerd. Wat het ons vooral leert, is dat sparen nooit meer onschuldig zal zijn, en dat de onschuld van spaarders definitief tot het verleden behoort. Ons spaargeld is nergens meer veilig. Hebzucht is alom. Met dit boek willen wij duidelijk maken dat een Icesave-affaire zich op elk moment kan herhalen.

Dit boek is tot stand gekomen dankzij de inspanningen van velen. We hebben een enorme hoeveelheid aan informatie doorgenomen, voornamelijk afkomstig uit IJsland, Engeland en Nederland. We hebben veel mensen gesproken over hun beleving van de feiten. In een aantal gevallen voeren we anonieme bronnen op. Deze mensen willen niet bij naam worden genoemd, deels omdat ze dan als 'slachtoffer' door hun omgeving bestempeld worden, deels omdat ze zich als 'klokkenluider' onbeschermd voelen. Met name in IJsland, waar het met 313.000 mensen zo is dat bijna iedereen iedereen kent, speelt dit een grote rol.

Op de website www.remember-icesave.com die we hebben opgezet, vind je alle algemene documenten terug die we als basis hebben gebruikt. Je kunt ze naar hartenlust doornemen en er desgewenst je eigen commentaar aan toevoegen. Op deze site is ook van alles te vinden wat we in dit boek niet hebben kunnen opschrijven, plus verwijzingen, updates en downloads van belangrijke documenten.

Gerard van Vliet, Amersfoort, Nederland
Dadi Rafnsson, Reykjavik, IJsland

P.S. De essentie van de onschuld en verontwaardiging van de spaarder en die van ons als schrijvers, komt prima tot uiting in de episode *Margaritaville* van South Park, te bekijken op internet: http://www.southpark.nl/episodes/1303.

Leeswijzer

'Icesave', een naam die een hele generatie niet snel zal vergeten. Maar wat heeft er nu allemaal toe geleid dat het zover kon komen? Om te begrijpen hoe en waarom het Icesave-drama zo gemakkelijk kon gebeuren, kijken we allereerst naar de omstandigheden in IJsland voorafgaand aan het moment van de val van Icesave, 6 oktober 2008. We maken kennis met *The Dirty Thirty*, de dertig mensen die verantwoordelijk zijn voor het IJsland dat een ongekende groei doormaakt (op papier in ieder geval), en dat ten slotte vrijwel failliet gaat. Wat waren hun beweegredenen, waar stonden ze voor, hoe zijn ze met elkaar verbonden?

In IJsland is politiek de verbindende factor. De politiek heeft een ongekende invloed op het bedrijfsleven en vriendjespolitiek is er heel normaal. Zo kunnen we de grootste partij, de Independence Party, bijna als regisseur beschouwen van wat er gebeurde bij Landsbanki, de IJslandse bank die Icesave in de markt zette. Dat het juist in IJsland zover heeft kunnen komen is, achteraf gezien, geen wonder. Al in 2006 worden de eerste scheuren zichtbaar in het IJslandse GeldKasteel, als de Geysercrisis zich openbaart. Hoe zag IJsland eruit in die periode, tot aan de val van Icesave, en hoe kon het dat iedereen het liet gebeuren?

De wortels van internetspaarbank Icesave liggen in Engeland, waar het in oktober 2006 veelbelovend start. Icesave is niets anders dan een naam van een spaarrekening van Landsbanki. Daarmee spaart een rekeninghouder van Icesave feitelijk in Reykjavik en niet in het eigen land. De bank groeit in Engeland op die manier snel naar ongekende hoogte, met op 1 januari 2008 vijf miljard pond aan spaargeld, en wint prijs na prijs als innovatieve internetbank. In Engeland ontstaat echter al begin 2008 ernstige kritiek op IJsland en Icesave. Met als resultaat dat spaarders 1 miljard pond aan spaargeld opnemen in de periode februari-april 2008 (net voordat op 29 mei 2008 Icesave in Nederland van start gaat). We geven weer waarom en hoe de Engelse pers zich dit jaar voluit op Landsbanki stort.

De uitspraak 'De beste manier om een bank te beroven is er eigenaar van te zijn', dateert niet van na Icesave, maar bestaat al veel langer. We laten dit zien aan de hand van een uitstapje naar de overduidelijke feiten en de daaruit getrokken lessen, gebaseerd op het grote aantal faillissementen in jaren tachtig van de vorige eeuw – in Amerika bij de Savings & Loans-banken. Tientallen banken gingen er failliet doordat hun bankiers maar één doel hadden: het vullen van de eigen zakken. Dit gebeurde ruim voordat de IJslandse banken ook maar hun financiële vleugels uitsloegen, wat de vraag rechtvaardigt waarom men aan die lessen uit de jaren tachtig geen enkele aandacht besteedde.

Had De Nederlandsche Bank (DNB) nu wel of niet Icesave moeten toelaten in Nederland, voordat ze op 29 mei 2008 in Nederland spaarders ging werven? Welke waarschuwingen waren er allemaal en had DNB die waarschuwingen serieus moeten en kunnen nemen? Wij presenteren er dertien om over na te denken.

Stof tot nadenken biedt de korte periode (29 mei-6 oktober 2008) waarin Icesave in Nederland spaargeld aantrekt. Binnen enkele weken paait men 100.000 spaarders voor een totaal van 1 miljard euro aan spaargeld. Uiteindelijk worden 130.000 mensen voor een totaal van 1,7 miljard euro aan spaargeld de dupe. Op 6 oktober 2008 blijkt dat ze niet meer bij hun spaargeld kunnen komen. Wij vragen ons af waarom DNB niet ingreep. Was een bankrun nu echt niet te vermijden geweest, zoals Nout Wellink, de president van De Nederlandsche Bank, achteraf beweert?

De vraag naar de onverklaarbare houding van DNB is voor ons de reden voor ons tweede uitstapje, naar de rol van de Nederlandse pers. Hoe kan het dat zoveel media, doorgaans kritisch, Icesave zo positief hebben neergezet? Veel kritische media lijken Icesave te hebben gebruikt om het falen van de grootbanken te benadrukken, die immers met lage renten immense winsten maakten. Hoe komt het dat de kritische benadering van de pers (en de politiek) in Engeland niet in Nederland is doorgedrongen?

Na 6 oktober 2008 staat IJsland op z'n kop. Duizenden mensen protesteren tegen de, in hun ogen, nalatige regering. Nieuwe verkiezingen brengen een nieuwe regering, die alles anders zal gaan doen. Maar nog steeds zien we alle verschijnselen van de oude cultuur, waar traditionele belangen doorslaggevend zijn. Waardoor het bijvoorbeeld mogelijk is dat er (op het moment van totstandkoming van dit boek, augustus 2010) bijna twee jaar na het Icesave-drama nog steeds geen deal is tussen IJsland, Nederland en Engeland over de befaamde depositogarantiegelden die IJsland moet betalen.

Maar ook in Nederland houdt Icesave de gemoederen knap bezig na 6 oktober 2008. Centraal staat de niet-aflatende strijd van (toenmalig) minister van Financiën Bos om – al manipulerend – 'zijn' 1,3 miljard euro van Icesave terug te krijgen. Dit geld was voorgeschoten aan IJsland omdat het IJsland ontbrak aan het benodigde geld in het eigen depositogarantiestelsel. Voor dit geld ontbreekt, zoals gezegd, nog steeds een overeenkomst. Ook kijken we naar de periode van Icesaving, de vereniging van de ruim 250 gedupeerde Icesave-spaarders die meer dan € 100.000 op hun rekening hadden staan. We volgen hun strijd om erkend te worden als gewone, hardwerkende spaarders in plaats van beschouwd te worden als 'rijke stinkerds'; als misleid, in plaats van 'dom'. De strijd van de Icesavers draait niet alleen om aandacht, erkenning en steun in de media, maar heeft vooral het onvermogen van de gewone consument als onderwerp. Hun strijd toont hun onvermogen om in IJsland voet aan de grond te krijgen, ondanks het fundamentele vertrouwen dat Wouter Bos in juni 2009 uitspreekt in het IJslandse rechtssysteem. Een rechtssysteem waar elke rechter wel een familielid heeft dat betrokken is (en was) bij de Icesave-perikelen. Verhalen van zulke Icesavers, Nederlandse en IJslandse, staan verspreid door dit boek.

Ten slotte kijken we naar nieuwe kennis en inzichten, nieuwe lessen, die voor zowel IJsland als Nederland van betekenis zijn. Pers, politici, banken en toezichthouders kunnen hier wellicht nog wat van opsteken. Maar we willen vooral dat de spaarders hier lering uit trekken. Juist de spaarders – want dat is onze uiteindelijke conclusie – kunnen en mogen niet meer vertrouwen op de eerder genoemde pers, politici, bankiers of toezichthouders. De onschuld van de spaarder is niet meer.

Tussen de hoofdstukken door staan persoonlijke verhalen van mensen in IJsland en Nederland, getroffen door de gevolgen van het IJslandse drama en het Icesave-drama. Persoonlijke verhalen die duidelijk maken dat achter een 'systeem' en een 'bankrekening' heel normale mensen zitten, die meestal keihard voor hun geld moeten werken.

1. The Dirty Thirty:
hoe IJsland werd verkwanseld

Het leven van deze man en zijn familie leest als een avonturenroman en is net zo groots als onze grootste sagen. Is het niet ironisch dat zijn lot bepaald werd door zijn alcoholprobleem aan de ene kant en zijn blikjesfabriek aan de andere kant? Om dan onmetelijk rijk te worden met het bottelen van sterke drank in blik… En is het niet bemoedigend dat hij, in de roerige economische wateren van vandaag, de Eimskips, de stoomboten, maakte tot Hafskips, oceaanschepen, die veranderden in onderzeeërs? Die onderzeeërs die nu feitelijk onder controle staan van de favoriete zoon van onze natie: Bjorgolfur. Hij die ons redt en voor ons allen zorgt.

Jakob Frimann Magnusson, IJslands musicus, bij het uitreiken van een ereprijs aan Bjorgolfur Gudmundsson tijdens de Iceland Music Awards in 2008.

De voornaamste eigenaar van Landsbanki, Bjorgolfur Gudmundsson, leek dankbaar en nederig toen Jakob Frimann Magnusson lovende woorden uitsprak tijdens de toekenning van de prijs. Iemand uit het publiek vond hem er desondanks gespannen uitzien. 2008: het jaar van de apocalyps van Bjorgolfurs turbulente leven, vanwege het grootste persoonlijke bankfaillissement uit de geschiedenis en een daarmee gepaard gaande onherstelbare reputatieschade. Een enorme val voor iemand die de *Financial Times* bestempelde als IJslands meest invloedrijke zakenman. De bankier in zijn krijtstreeppakken en met zijn brede grijns op elke foto, die door andere IJslandse banken wel werd aangeduid als Sinterklaas, vanwege zijn bereidheid kunst- en sportprojecten te financieren en zijn gulle gaven aan liefdadigheidsinstellingen.

Bjorgolfur werd geboren in Reykjavik op 2 januari 1941. Hij was al jong sociaal actief: hij maakte deel uit van de YMCA en voetbalde tot zijn zeventiende bij zijn geliefde club KR. Na zijn afstuderen in 1962 aan het IJslandse Commercial College studeerde hij twee jaar rechten aan de Universiteit van IJsland, waar hij zijn studie niet afmaakte; hij vertrok zonder zijn graad te hebben behaald. Tijdens zijn studie werd hij lid van de Independence Party en zat hij drie jaar in het bestuur van Heimdallur, de jongerenafdeling van de partij. Zijn eerste belangrijke baan was die van CEO bij The Can Factory (Dósaverksmiðjunnar). In een interview met *Morgunbladid* (2003) zei hij dat een zakelijke omgeving meer zijn habitat was dan een universiteit.

Het verdoezelen van de naziconnectie

In 1963 trouwde Bjorgolfur met Thora Hallgrimsson en in 1967 kreeg het echtpaar samen een zoon: Bjorgolfur Thor. Thora was eerder getrouwd geweest met George Lincoln Rockwell, de grondlegger van de Amerikaanse nazipartij. In 2005 gebruikte Bjorgolfur zijn invloed als eigenaar van Edda Publishing om publicatie van The Wealthy Thor Clan *te voorkomen, over Thora's familie. Een hoofdstuk over Thora's huwelijk met Rockwell was blijkbaar onwelgevallig voor vader en zoon Bjorgolfur, in 2002 meerderheidsaandeelhouders in Landsbanki. Bjorgulfur claimde dat het boek onrechtvaardig was: "Ze probeerden de relatie van mijn vrouw met haar eerste man centraal te stellen. Zij trouwden vijftig jaar geleden, ik bedoel, zoiets doe je niet bij onschuldige mensen. Dit boek zou haar hele familie beschrijven maar plotseling werd zij de focus. Haar eerdere huwelijk heeft niets te maken met het verhaal van dit boek." Uiteindelijk ging de schrijver akkoord met een aanpassing: hij zou Thora's eerste huwelijk slechts kort benoemen.*

Tijdperk Hafskip-schandaal, het ontstaan van Islandsbanki

Scheepvaartmaatschappij Hafskip was in 1958 opgericht als tegenhanger van Eimskip, dat tot dan toe het monopolie bezat over het goederenvervoer van en naar IJsland. De grootste kredietverstrekker van Hafskip was Utvegsbanki, The Fisheries Bank of Iceland, destijds een overheidsinstelling. Toen eind jaren zeventig Hafskip schulden maakte, wilde het bedrijf Bjorgolfur als directeur. Zoals gebruikelijk had Bjorgolfur ambitieuze plannen voor het bedrijf. De competitie met Eimskip nam toe toen het Amerikaanse leger een basis in IJsland in gebruik nam, een factor van vitaal belang voor de IJslandse scheepvaartmaatschappijen. Hafskip breidde haar activiteiten uit richting de trans-Atlantische route. Deze beslissing bleek later een keerpunt. Voor de jaarlijkse vergadering in 1985 verschenen er persberichten dat het bedrijf belaagd werd door claims van klanten, en dat het verlies over 1984 200 miljoen kronen bedroeg (15 miljoen euro). Het leek erop dat Hafskip zichzelf ruimschoots had overschat en The Fisheries Bank in het gevaar met zich meetrok.

Krona/de kroon

IJsland heeft een eigen munt, de krona. Het is een raadsel dat een land dat zo internationaal is georiënteerd, nog altijd een eigen munt heeft. De 313.000 IJslanders kunnen er in het buitenland niks mee. De kroon heeft de laatste jaren een grillig bestaan geleid, met veel koerswisselingen. In eerste instantie zorgde dat voor grote welvaart, je kon er veel voor krijgen, de laatste twee jaar is het een bron van ellende. Het maakt het moeilijk om in de loop der jaren de relatieve waarde van de kroon te vertalen naar onze euro. Waar mogelijk is het in dit boek wel gebeurd, om een idee te geven van de grootte van de bedragen.

Ook in de jaren tachtig nog was in IJsland de grens tussen politiek en commercie schimmig: Albert Gudmundsson van de Independence Party, in 1983 benoemd tot minister van Financiën en Economische Zaken, was van 1981-1983 gelijktijdig voorzitter van de raad van bestuur bij Hafskip en bij Utvegsbanki. Gedurende zijn hele bestuurscarrière werd Albert (een voormalig AC-Milanvoetballer) door de ene groep fel bekritiseerd vanwege de politieke gunsten die hij verleende, maar om diezelfde reden was hij ongekend populair in andere kringen. Bjorgolfur was een van Alberts vurigste aanhangers en lid van zijn zogeheten geheime leger, dat steeds zijn invloed in de IJslandse gemeenschap en politiek probeerde te vergroten. Albert op zijn beurt had Bjorgolfurs positie bij Hafskip verzekerd.

Politiek gezien waren Hafksips financiële moeilijkheden een godsgeschenk voor de rivalen van Albert Gudmundsson en de Independence Party. Onder hen het linkse kamerlid van de Althingi en de latere president van IJsland, Olafaur Ragnar Grimsson. Toen de publieke druk toenam, lichtte de politie Bjorgolfur en een aantal managers op een vroege morgen in mei 1986 van hun bed. De meeste IJslanders waren gechoqueerd bij de aanblik van mannen in pakken die naar de gevangenis werden gesleept; tot 2008 was dit het grootste witteboordenschandaal in de IJslandse geschiedenis. De aanklagers zetten Bjorgolfur voor 28 dagen gevangen en klaagden hem en zijn managers aan voor valse boekhoudkundige aangiften. Ze beschuldigden Bjorgolfur zelf ook nog van verduistering van Hafskip-gelden.

Hafskip probeerde nog een doorstart en zelfs nog een fusie met Eimskip. Maar uiteindelijk nam The Fisheries Bank de boedel over en verkocht deze met fors verlies aan Eimskip, wat de speculaties voedde dat de hele affaire politiek gestuurd was. Daarop ging de bank zelf failliet. Met wat overbleef werd in 1990 samen met een paar andere financiële instellingen een nieuwe bank gevormd: Islandsbanki. Albert Gudmundsson werd niet vervolgd, maar nam ontslag als minister na druk van zijn partij wegens een belastingschandaal in 1987. (Hij vormde een nieuwe rechtse partij die bij de volgende parlementsverkiezingen ruim tien procent van de stemmen won.) Terwijl veertien mensen van Hafskip en The Fisheries Bank in 1990 werden vrijgesproken, werd Bjorgolfur veroordeeld tot twaalf maanden gevangenisstraf en twee jaar voorwaardelijk voor 450 verschillende vergrijpen. Bjorgulfur junior, Bjorgolfur Thor Bjorgolfsson, was duidelijk aangeslagen toen hij zijn vader door de politie in het holst van de nacht weggevoerd zag worden. Toen hij later miljardair was, citeerde hij nog vaak een oude IJslandse spreuk: 'Macht en geld zijn slechts de weg naar respect. Geld verdwijnt een keer, vrienden overlijden, ook jijzelf gaat dood maar je reputatie is wat rest.'

Even wennen: 'son' en 'dottir'

In IJsland krijgen de zonen de voornaam van hun vader mee als achternaam, met de toevoeging 'son' of, als het dochters zijn, 'dottir'. In het geval van Bjorgolfur Gudmundsson (de zoon van Gudmund) kreeg zijn zoon dus de naam Bjorgolfur Thor Bjorgolfsson (de zoon van Bjorgolf).

De drank

Alcohol, in verschillende vormen, is een constante factor in Bjorgolfurs leven. Wat begon als zijn persoonlijke verslaving, resulteerde in 1997 in de oprichting van de SAA, een gerespecteerde IJslandse afkickorganisatie in de verslavingszorg. Het leidde hem later naar postcommunistisch Rusland, waar hij – paradoxaal genoeg – zijn fortuin vergaarde met het verkopen van sterke drank. Bjorgolfur was zeer betrokken bij de IJslandse AA; eerst als deelnemer aan het rehabiliteringsprogramma en later bij het werven van fondsen voor de organisatie, waarvoor hij groot respect oogstte. Hij verloochende zijn ondernemersbloed niet, en in de jaren tachtig richtte hij een afkickcentrum op in Denemarken, de Von Veritas. Dit deed hij samen met andere bekende IJslandse AA-leden, zoals Johannes Jonsson, toekomstig icoon van de investeringsmaatschappij Baugur. Mede-oprichter Palmi Benediktsson: "Ik werd benaderd door bekende afgekickte IJslanders die me vroegen of ik mee wilde doen met dit spannende plan. Ik heb toen gezegd dat zoiets met grote voorzichtigheid opgestart moest worden. De groep was echter zo vastberaden en doortastend dat ik overstag ben gegaan. Zij wilden per se beginnen, al was het maar met slechts een paar patiënten. Het project mocht wat kosten en werd geheel betaald met geleend geld. Von Veritas liet later een spoor van onbetaalde rekeningen en wrok in Denemarken achter."

Tijdperk affaire-Bravo

Nadat hij zijn straf had uitgezeten, trok Bjorgolfur in de jaren negentig vooral de aandacht als voorzitter van de voetbalclub KR, IJslands oudste en meest prestigieuze sportclub. Tijdens zijn voorzitterschap was het doel het herwinnen van de IJslandse kampioensbeker, wat sinds 1968 niet meer was gelukt. Geld speelde geen rol: grote spelers en coaches werden aangetrokken. Onder leiding van Borussia Dortmund-speler Atli Edvalsson werd KR uiteindelijk kampioen. Het jaar daarna herhaalde de voormalige Feyenoordspits Petur Petursson dezelfde truc. Achter de schermen was Bjorgolfur druk bezig met het aantrekken van sponsors en beroemdheden. De betrokkenheid bij KR deed Bjorgolfurs imago goed. In 2009 ervoer hij waarschijnlijk zijn meest trotse moment, toen kleinzoon Bjorgolfur Takefusa het befaamde zwart/witte shirt aantrok en topscoorder werd van de IJslandse competitie in 2009.

De hyperactieve Bjorgolfur was niet alleen aan het hobbyen met voetbal: aan het eind van de jaren tachtig en begin jaren negentig was hij beroepsmatig woonachtig in Kopenhagen en Londen. In Denemarken had hij een bedrijf dat uit Japan snelontwikkelaars voor foto's importeerde; dat bedrijf verkocht hij later aan een Zweed. In Londen werkte hij als consultant, tot hij in 1991 terugkeerde naar IJsland. Hij overwoog de mogelijkheid naar Zuid-Afrika te verhuizen, maar kreeg toen een baan als CEO bij de Gosan and Viking Breweries, de drankenafdeling van de IJslandse farmaceut Pharmaco. Op dit punt in zijn leven werd de kiem gelegd voor Landsbanki. Zoon Bjorgolfur Thor Bjorgolfsson kwam na een studie aan de New York University weer thuis en werd CEO bij Viking Breweries in de stad Akureyri, gelegen in het noorden van IJsland. Vriend Magnus Thorsteinsson werd zijn manager. Toen Pharmaco de interesse in de drankenbranche verloor, was het aan deze drie mannen om een koper te vinden voor de werkloze machines. Die vonden ze in het postcommunistische Rusland. Het avontuur van dit trio in Rusland nam mythische proporties aan, maar een artikel over hun Russische zaken dat in 2002 in *Euromoney* verscheen werd echter in IJsland niet opgemerkt. Volgens die publicatie nam Bjorgolfur senior contact op met Ingimar Haukur Ingimarsson. Deze landgenoot boekte in Rusland wat kleine successen met zijn in Leningrad gevestigde bedrijfje PeterStar, dat – in samenwerking met de Engelse effectenhandelaar Bernard Lardner – internationaal telefoneren aanbood. Ingimarsson zou, samen met Lardner, de fabrieksinboedel van de bottelarijen naar Sint-Petersburg brengen om daar een brouwerij te beginnen. Het leek een gat in de markt, want de Russen waren op dat moment compleet afhankelijk van dure import, inferieure of zelfgestookte drank. Samen startten ze in 1993 de Baltic Bottling Plant: 75% kwam in het bezit van Ingimar en Lardner via hun bedrijf BGL en

25% kwam in handen van RMZ, een lokaal nieuw bedrijf dat een fabriek aan de rand van de stad ter beschikking stelde. Ingimar werd directeur en Bjorgolfur Gudmundsson kreeg – als sleutelfiguur en leverancier aan wie het bedrijf grote sommen geld schuldig was – een zetel in de raad van bestuur.

De maffiaconnectie

De Russische maffia beschouwde drank als hun voornaamste werkterrein. Als je dus iets met drank wilde doen, met name in Sint-Petersburg, had je rekening te houden met de maffia. Volgens uitgebreid onderzoek van Deense journalisten kon je maar beter niet actief zijn zonder die connectie. Zo werden bij Baltic – oorspronkelijk opgericht door Bjorgolfur, maar later zijn grootste concurrent – in 2000 achtereenvolgens de directeuren Weismann en Chochiev vermoord. Een andere grote concurrent van Bjorgolfur zag zijn fabriek tot aan de grond toe afbranden.

Bravo, het drankbedrijf dat het succes bracht aan vader en zoon Bjorgolfur, was op Cyprus gevestigd, in Limasol. Het had in totaal zes aandeelhouders; welke, is onbekend. Wel bekend is dat Vladimir Poetin – precies op het moment dat de IJslanders Rusland betraden en er hun brouwerij vestigden – voorzitter was van het comité voor buitenlandse betrekkingen van Sint-Petersburg.

Bjorgolfur Thor en zijn vriend Magnus Thorsteinsson vertrokken, direct nadat pa Bjorgolfur de weg had voorbereid, naar Rusland om hun posities als respectievelijk verkoop- en algemeen directeur in te nemen. In 1994 verving Bjorgolfur Thor Magnus als algemeen directeur. De eerste jaren waren zwaar voor de Baltic Bottling Plant. Ingimar en Lardner waren ontevreden over de kwaliteit van de machines, terwijl Bjorgolfur Thor en zijn vader volhielden dat de fabriek zélf te wensen overliet door storingen in de leverantie van water en elektriciteit. Daarbij beweerden ze dat Ingimar en Lardner de markt compleet overschatten. Maar toen BGL in 1995 nieuwe apparatuur aanschafte en de licentie verkreeg voor het bottelen van Pepsi-Cola, waren de problemen van de baan. Pepsi werd de nieuwe eigenaar. Vader en zoon Bjorgolfur schreven in maart 1995 al het bedrijf Bravo in bij de Kamer van Koophandel in Sint-Petersburg. Kennelijk waren ze toen al bezig hun eigen belangen voorop te stellen. Onder de naam Bravo produceerde het bedrijf in 1996 *alcopops* – alcoholhoudende dranken in blik. Bravo werkte samen met drankmerken als Johnnie Walker en Gordon's Gin. In 1998 had Bravo een omzet van 20 miljoen dollar en werd een investering gedaan om het biermerk Botchkarov (The Barrel Family) in de markt te zetten. Bravo financierde een enorme reclamecampagne die het bedrijf 3% van de aandelen opleverde van de 2,5 miljard Amerikaanse dollar grote markt in het Rusland van 2002.

Volgens BGL, het bedrijf van Ingimar en Lardner, had Bjorgolfur Gudmundsson in 1995 gezegd dat dankzij hun inspanningen hij en Bjorgolfur Thor aandeelhouders in de Baltic Bottling Plant hadden kunnen worden. In dat licht was het onbegrijpelijk dat in september 1995 op een bestuursvergadering twee contracten tevoorschijn werden getoverd, ondertekend door blijkbaar Ingimar namens BGL, waarbij voor 500.000 dollar 32,5% van het bedrijf aan Bjorgolfur Gudmundsson en 32,5% aan de IJslandse Viking Brewery werd overgedaan. Ingimar en Lardner waren op die aandeelhoudersvergadering niet aanwezig en claimden dat, in tegenspraak tot wat de documenten beschreven, er tijdens de jaarlijkse vergadering in maart nooit zoiets was besproken. Een clausule in het contract bepaalde dat de handtekeningen tot 25 september niet onthuld mochten worden, de datum waarop de deal geldig zou worden. In oktober 1995 werden Bjorgolfur en Viking bij de Kamer van Koophandel in Sint-Petersburg ingeschreven als de nieuwe aandeelhouders. Gewapende uitsmijters ontzegden Ingimar en Lardner daarna de toegang tot het bedrijfsterrein van de Baltic Bottling Plant, die werd verkocht aan Pepsi.

Het werd een jarenlange rechtszaak. Lardner en Ingimar gingen in 1995 op zoek naar kopers en dachten veel meer te kunnen krijgen dan de 500.000 dollar die in het contract stonden. Een analist van Société General Strauss Turnbull Securities schatte de waarde van het bedrijf op 15 à 20 miljoen dollar. Lardner hield vol dat hij voor dat bedrag in onderhandeling was geweest met een potentiële Zweedse koper. De beide Bjorgolfurs bleven erbij dat Ingimar de documenten zelf had ondertekend, omdat hij zijn vertrouwen in het bedrijf had verloren maar dat hij niet had gewild dat Lardner dat te weten kwam. BGL won alle zaken maar werd door de Russische mede-eigenaar RMZ vervolgens weer voor de rechtbank gedaagd, omdat zij de oprichtingsakte van de Baltic Bottling Plant ongeldig oordeelden. Toen Ingimar en Lardner in maart 1997 de fabriek bezochten, was het terrein verlaten en waren de kantoren leeg. Het hele bedrijf was van de aardbodem verdwenen. Ingimar bracht uiteindelijk de zaak naar de rechtbank van Reykjavik, want het betwiste contract viel onder de IJslandse wet. Er werden nooit originele documenten overlegd en de rechtbank oordeelde dat Ingimar niet gemachtigd was geweest de aandelen van de Baltic Bottling Plant over te dragen, zoals hij beweerde. Het contract werd nietig verklaard, maar er volgde geen straf omdat de zaak alleen was aangespannen om de geldigheidsvraag te beantwoorden...

Ondertussen hadden Bjorgolfur Thor en zijn partners veel succes behaald met het bottelen van drankjes en het brouwen van bier onder het merk Bravo. Belangrijkste financiers van het bedrijf waren de Deutsche

Bank en het IFC, de afdeling van de Wereldbank die geld leent aan de private sector, en die Bravo hun beste Russische investering ooit noemde. Bjorgolfur Gudmundsson en Bjorgolfur Thor Bjorgolfsson ontwikkelden een vriendschap met Vladimir Jakovlev, de machtige politicus en gouverneur van Sint-Petersburg. In februari 2002 kwam de Nederlandse grootbrouwer Heineken in beeld die Bravo voor 330 miljoen Amerikaanse dollar kocht. De verkoop kreeg massale aandacht in IJsland en het land vierde één van de grootste zakelijke successen die de IJslanders ooit hadden behaald. Het Russische succes van het trio werd vaak in verband gebracht met verhalen over corruptie en banden met de maffia. Hoe hadden die naïeve IJslanders zo'n grote winst weten binnen te slepen uit het postcommunistische Rusland? Bjorgolfurs ontmoetingen met delegaties Russen in de duurste hotels van Reykjavik droeg er bepaald niet aan bij die geruchten de kop in te drukken. Bij deze wonderbaarlijke herrijzenis en bewieroking van Bjorgolfur kwam dan ook nog eens het feit dat hij en zijn zoon – verenigd in de Samson-holding – bij terugkeer in IJsland in 2002 de grootste aandeelhouders werden bij de privatisering van Landsbanki, IJslands oudste en meest gerespecteerde bank.

Later, in 2005, beweerde de Deense krant *Ekstra Bladet* dat het geld voor de miraculeuze groei van de IJslandse banken uit Rusland afkomstig was, en dat de IJslandse economische explosie gefinancierd was met geld uit het oosten dat was witgewassen op onder andere de Caribische eilanden. Deze bewering werd toen grotendeels afgedaan als Deense jaloezie jegens de IJslanders...

Lan(d)sbanki(nn)?
Wij kennen de eigenaar van Icesave als Landsbanki of Landsbankinn.
De IJslanders schrijven het als Lansbankinn. In dit boek gebruiken we de
naam die de Nederlandse pers voornamelijk hanteert: Landsbanki.

Landsbanki, de republiek IJsland en Bjorgolfur

De naam IJsland verscheen in 1771 voor het eerst, samen met de namen van Groenland en de Faroer-eilanden, op een (Deense) munt, de *pjaster*. De pjaster gaf de status van de drie landen aan: overzeese gebieden van het Deense koninkrijk. Vanaf 1815 lagen de rechten voor het uitgeven van IJslandse valuta bij de Deense Nationale Bank, maar bij de start van een eigen ministerie van Financiën in 1871 werden de IJslandse financiën losgemaakt van die van Denemarken. In 1885 verleende Denemarken de IJslandse regering toestemming om een eigen munt te gaan voeren; de basis voor het eerste financiële instituut van IJsland. Op 1 juli 1886 opende Landsbanki, inmiddels dus een overheidsbank, haar deuren. Haar opdracht was het monetaire systeem te steunen en aan te moedigen, en de industrie van het land te helpen ontwikkelen. De eerste algemeen directeur was Tryggvi Gunnarsson, lid van de Althingi voor de Home Rule-partij. Hij moest vanuit het niets een bank opzetten. De activiteiten van Landsbanki beperkten zich in het begin tot het traditionele sparen, leningen en hypotheken. Langzaamaan breidden de activiteiten zich uit met kredieten aan de groeiende visbedrijven, werden er filialen in het hele land geopend en obligaties uitgegeven in eigen land en in Denemarken.

Het particuliere Islandsbanki verscheen in 1904 op het toneel en werd door de Althingi geautoriseerd om eigen bankbiljetten uit te geven die door goud werden gedekt.

Beide IJslandse banken groeiden snel en de roep om onafhankelijkheid van Denemarken werd luider. Op 1 december 1918 trad de Act of the Union in werking, een wet op basis waarvan IJsland de vijfentwintig jaar daarna als een soevereine staat functioneerde, onder toezicht van de koning van Denemarken. De IJslandse onafhankelijkheidsbeweging richtte zich in het begin bijna alleen op zelfbestuur, en het land verzocht Denemarken om het buitenlandse beleid te behartigen. Toen Denemarken in 1940 door de nazi's werd bezet, kondigde de Althingi aan de verantwoordelijkheden van Denemarken, inclusief het buitenlandse beleid, over te nemen. In mei van dat jaar bezette het Britse leger IJsland om te voorkomen dat de nazi's hun macht uitbreidden richting het noordelijke deel van de Atlantische Oceaan. Een jaar later accepteerde het Amerikaanse leger een uitnodiging van IJsland om haar verdediging op zich te nemen. Op 17 juni 1944 werd de republiek IJsland uitgeroepen. Landsbanki in de financiële sector en Eimskip in het transport werden speerpunten van de IJslandse omwenteling van een agrarische naar een moderne samenleving. Deze sectoren werden gevoed met nationale trots en symboliseerden het betere leven dat IJsland haar inwoners kon geven.

In 1927 was de positie van Landsbanki in de onafhankelijkheidsbeweging zo verstevigd, dat ze zich de rol van een centrale bank aanmat en zich het monopolie toe-eigende van het drukken van bankbiljetten. Ze behield die rol tot 1961, toen de IJslandse Centrale Bank werd opgericht. Tryggvi Gunnarsson bleef, namens de Home Rule-partij, de algemeen directeur, maar werd ontslagen toen er een nieuwe regering aantrad die geleid werd door de Independence Party. Daar kwam hevige kritiek op, maar het was wel een teken aan de wand: gebaseerd op de verdeling van de macht in de politiek kreeg Landsbanki drie directeuren die werden aangesteld door de politieke partijen. Toezicht op en bestuur van de bank waren in die tijd dus in dezelfde politieke hand.

IJsland en Amerika

Na de Tweede Wereldoorlog zorgde de strategische positie van IJsland tussen Moskou en Washington D.C. voor een vruchtbaar verbond met Amerika. IJsland profiteerde flink van het Marshallplan, en dat terwijl het land nauwelijks oorlogsschade had geleden. Amerika bracht IJsland het politieke platform dat het nodig had om haar industrie en infrastructuur op te bouwen. Als tegenprestatie garandeerde de legerbasis buiten Kevlavik de VS een strategische locatie ten tijde van de Koude Oorlog. IJsland was door dit alles een afhankelijke bondgenoot van Amerika geworden bij nieuw te vormen internationale organisaties als de VN, NAVO en het systeem van Bretton Woods. De komst van de Amerikaanse strijdkrachten en de bouw en het onderhoud van de NAVO- basis in Kevlavik werd een grote bron van inkomsten en macht voor ondernemende IJslanders.

De politieke lijnen verdeelden zich na de Tweede Wereldoorlog over vier partijen: de Independence Party (Sjalfstaedisflokkurinn) aan de rechterzijde, de Centre Party (Framsoknarflokkurinn) met wortels in de agrarische sector, de sociaaldemocraten van de People's Party (Althyduflokkurinn) en aan de linkerkant de People's Alliance (Althydubandalagid). Al snel werd *helmingaskipti* – dat iets betekent als 'we helpen elkaar' – in de IJslandse politiek de gewoonte. De partij die op dat moment aan de macht was, verdeelde en beheerste de strak gecontroleerde economie en het zakelijk klimaat. Ministers huurden bankmanagers in die hun partij gunstig gezind waren en namen zelf zitting in de besturen van de belangrijkste bedrijven. Nepotisme was normaal in die zakencultuur en werd als legaal beschouwd, maar de relatie tussen Bjorgolfur Gudmundsson en Haukur Heidar (zie ook kader) was dat zeker niet. Zeven jaar lang nam Haukur als manager van Landsbanki geld op bij de bank; vervolgens leende hij dat dan weer uit aan bedrijven van Bjorgolfur of maakte het over naar rekeningen in Zwitserland. Bjorgolfur betaalde Haukur terug in contanten, met rente. Bjorgolfur werd daar later niet voor aangeklaagd omdat Haukur had gezegd dat hij Bjorgolfur, zonder diens medeweten, had gebruikt om geld aan de bank te onttrekken. Bjorgolfur en Haukur hadden ook binnen Landsbanki met elkaar te maken. Bjorgolfur verklaarde dat hij Haukur niet als zijn vriend beschouwde maar als een kennis, en dat het geld dat Haukur aan hem leende Haukurs eigen geld was. Een getuige die werkzaam was op de betreffende afdeling, zei daarentegen dat Bjorgolfur een regelmatige bezoeker was geweest bij Haukur en vaak lange tijd bij hem op kantoor had gezeten. Een andere medewerker vertelde dat Haukur alleen Bjorgolfur en nog een andere klant persoonlijk kende. Bjorgolfur en Haukur konden zich niet herinneren hoe de leningen waren terugbetaald, tegen welke rente of wanneer. Haukur zei dat Bjorgolfur zijn kantoor een keer binnen was komen lopen met een verzegelde envelop, waarin 3 miljoen kronen aan contanten zat. Privé leende Bjorgolfur ook nog 6,5 miljoen van Haukur. Uiteindelijk werd Haukur tot twee en half jaar gevangenisstraf veroordeeld.

Bjorgolfur Gudmundsson en Haukur Heidar

In 1978 beschreef de linkse krant Thjodviljinn *hoe Bjorgolfur, toen CEO van het vervoersbedrijf Hafskip en voorzitter van Vordur – een invloedrijke afdeling van de Independence Party – had geprofiteerd van persoonlijke leningen die aan hem verstrekt waren door een van fraude beschuldigde manager van Landsbanki: Haukur Heidar. Haukur zou de bank en enkele van haar klanten voor tientallen miljoenen kronen hebben opgelicht door geld uit te lenen aan hem goedgezinden. Bjorgolfur – in die tijd hoofd van een comité dat een kandidatenlijst moest samenstellen voor de Independence Party voor de aanstaande verkiezingen van Althingi, het IJslandse parlement – verklaarde: "Ik heb nooit gedacht dat de persoonlijke leningen van de manager op welke manier dan ook verbonden waren met zijn zakelijke betrekkingen bij de bank of met zaken van haar cliënten."*

Thrainn Bertelsson – schrijver en filmregisseur en in 2009 gekozen als lid van Althingi – bestudeerde deze zaak door en door. Hij vindt het ongelofelijk dat Bjorgolfur nooit ergens officieel van is beschuldigd, hoewel Bjorgolfurs aandeel in deze witwasserij overduidelijk was. Ergens had er een moment geweest moeten zijn waarop Bjorgolfurs verleden met Landsbanki (en Hafskip) tot serieuze vragen had moeten leiden over de capaciteiten van deze man, die het Samson Investment Team leidde – het team dat de helft van Landsbanki kocht na de privatisering in 2002. Ook Bjorgolfurs voormalige Russische zakenpartner Ingimar Haukur Ingimarsson trok aan de bel: hij alarmeerde de Financial Authority (FME) over de onenigheden rondom de Russische brouwerij en de, in zijn ogen, malversaties. Maar ook met zijn waarschuwing werd nooit iets gedaan.

Vrijdenkers en privatisering

In de jaren zeventig was IJsland een relatief gesloten gemeenschap met een streng gecontroleerde economie. Tot 1977 schaarden de Verenigde Naties IJsland nog onder de ontwikkelingslanden. Het gesloten IJsland zonder bier, geen tv op donderdagen en de hele maand juli, een staat die de media beheerste en weinig onderscheid maakte tussen de private en de publieke sector, was een natuurlijke voedingsbodem voor een jeugdoppositie die door de jaren heen werd beïnvloed door The Beatles en The Beats, en buitenlandse, voornamelijk rechts georiënteerde economen en politici. David Oddsson was de ster van zo'n groep jonge vrijdenkers. Tijdens hun studiejaren gaven zij het blad *The Locomotive* uit en David was hun voorman bij de opmerkelijke klim van de 'boys' op de IJslandse maatschappelijke ladder.

The Locomotive Boys

Een groepje jonge vrijdenkers wilde dat de Independence Party het voortouw zou nemen in de strijd tegen de bovenmatige bemoeienis van de regering met de economie. Ze werden beïnvloed door de Amerikaanse econoom Milton Friedman en hun geesten werden verder gesleept door mensen als Friedrich Hayek, James M. Buchanan, Ronald Reagan en Margaret Thatcher. Leden waren onder meer David Oddsson, Thorsteinn Palsson, Geir Haarde (de latere premier van IJsland), Jon Steinar Gunnlaugsson (later rechter bij de Hoge Raad), Hannes Holmsteinn Gissurarson (later professor politicologie aan de Universiteit van IJsland en een persoonlijke vriend van Milton Friedman, wiens bezoek aan IJsland in 1984 werd omschreven als een scheidslijn in de IJslandse politiek), Brynjolfur Bjarnason (later CEO van enkele van IJslands grootste en invloedrijkste bedrijven) en Kjartan Gunnarsson (het grootste deel van de eerste tien jaar van deze eeuw zowel directeur van de Independence Party als voorzitter van de raad van bestuur van Landsbanki). Dit groepje gaf van 1972-1975 het tijdschrift The Locomotive *(Eimreidin) uit.*

De leden van dit groepje jonge vrijdenkers waren exemplarisch voor de door hen voorgestane maatschappijvisie en ook behoorlijk kritisch aangaande hun eigen partij. David Oddsson werd in 1974 gekozen als gemeenteraadslid in Reykjavik voor de Independence Party en in 1982 werd hij burgemeester van de hoofdstad. Onmiddellijk verkocht hij de schatten van zijn stad, waaronder een belang in een van 's lands grootste visbedrijven. Na privatisering werd Brynjolfur Bjarnason (lid van de groep rond *The Locomotive*) CEO van Grandi, de naam van het nieuwe bedrijf. Ondanks luide protesten over verspilling werden onder Oddssons burgemeesterschap in Reykjavik veel grote projecten gebouwd, zoals het Perlan, de City Hall en Kringlan, het eerste winkelcentrum van IJsland. Eind jaren tachtig was David Oddsson zijn status als burgemeester ontgroeid en in 1989 werd hij gekozen tot vicepresident van zijn partij. De Independence Party had haar plaats in een driepartijencoalitie verspeeld, maar Thorsteinn Palsson, ook een voormalige *Locomotive*-man, weigerde ondanks grote druk zijn ontslag in te dienen. David werd aangemoedigd om de strijd met Thorsteinn aan te gaan en in 1991 werd hij de nieuwe partijleider. In de parlementsverkiezingen van dat jaar kwam de partij sterk terug en vormde samen met de People's Party een coalitie. De leider van de People's Party, Jon Baldvin Hannibalsson, voelde zich door de Centre Party en de People's Alliance verraden bij zijn gesprekken met de European Economic Area (EEA) en zocht iemand met wie hij de EEA-zaak (waarbij IJsland toegang kreeg tot de Europese markt) door de Althingi kon loodsen. David Oddsson was de juiste man voor die job; en zo vormde hij met Jon Baldvin zijn eerste regering en werd hij minister-president tijdens een ceremonie op het eiland Videy, net voor de kust van Reykjavik. In 1995 viel de coalitie uiteen en formeerde David een nieuwe regering samen met Halldor Asgrimsson van de Centre Party. Die twee bleven tien jaar lang de baas en privatiseerden het land met hun verdeel-en-heerspolitiek.

Oorspronkelijk was het de bedoeling de staatsbanken te privatiseren met meerdere eigenaren, om op die manier te voorkomen dat ze in handen vielen van een paar zakenlui of conglomeraten. De staat had in 1998 FBA geprivatiseerd, een investeringsbank die later opging in Islandsbanki. Geen enkele investeerder mocht meer dan 4% van de aandelen in handen krijgen, zodat de banken zo onafhankelijk mogelijk konden zijn tegenover de industrie van IJsland. Een machtsstrijd achter de schermen van de coalitie van de Independence Party en de Centre Party veranderde alles.

De privatiseringscommissie (speciaal aangesteld om alles in goede banen te leiden), was van plan de resterende aandelen van de staat in Bunadarbankinn en Landsbanki in 2002 te verkopen. Eén telefoontje van Bjorgolfur Gudmundsson aan David Oddsson bracht voor een bedrag van 12,3 miljard kronen (ongeveer 140 miljoen euro) 45,1% van de aandelen in handen van Samson, de beheersmaatschappij van Bjorgolfur Gudmundsson en zijn partners in het Bravo-avontuur: zoon Bjorgolfur Thor en Magnus Thorsteinsson. Professionele liberalisering bleek een lastige zaak. Aangetrokken door de grote buit verwierven de geldwolven achter de schermen grote invloed en weer stak *helmingaskipti,* de vriendjespolitiek, de kop op. Later verdedigde David Oddsson de verkoop aan Samson als een manier om afstand te scheppen tussen de politici en de bank. Ze beloofden Kjartan Gunnarsson, de directeur van de Independence Party en voormalige *Locomotive*-man, een plaats in het bestuur. Bunadarbankinn werd verkocht aan de S-Group, een stel investeerders van de Centre Party, waaronder Finnur Ingolfsson. Finnur was de minister van Financiën van die partij die in 1998 het privatiseringsplan introduceerde, een jaar later ontslag nam, korte tijd een directeurspost bekleedde bij IJslands Centrale Bank en toen opdook met een nieuwe geprivatiseerde bank op zak. De voorzitter van de privatiseringscommissie, Steingrimur Ari Arason nam ontslag voordat de beslissingen over de verkoop van de banken definitief werden en zei dat hij nog nooit zo'n amateurisme had meegemaakt. Baldur Gudlaugsson, de *Locomotive*-man die de privatisering begeleidde namens de regering, was de man die Arason verving.

De S-Group kocht in 2002 45,8% in Bunadarbankinn voor een bedrag van 11,9 miljard kronen (circa 135 miljoen euro). De groep maakte bekend dat ze samenwerkte met een internationaal instituut waarvan de naam niet bekend mocht worden, maar velen dachten dat het om Société Général ging. Toen echter aan het licht kwam dat de provinciale Duitse privébank Hauck & Aufhauser de partner was, weerhield dat de minister van Handel, Valdergur Sverisdottir er niet van de deal te ondertekenen omdat zij aanbevelingen kreeg van regeringsadviseurs van de internationale investeringsbank HSBC. Sigurjon Th. Arnason – toenmalige CEO van de Bunadarbankinn – zei dat de Duitse bank Hauck & Aufhauser, die het aanbod van de S-Group wilde aanvaarden, net zo goed een ijskar hadden kunnen kopen: "Het is absoluut onmogelijk dat deze bank zoveel geld kan ophoesten en daarom ben ik ervan overtuigd dat dit alleen een façade is." Toen in 2008 de economie in elkaar klapte, werd bekendgemaakt dat Samson en de S-Group elkaar onderling geld hadden geleend, via de aangekochte banken, om de eigen bank te kunnen kopen. Sigurjon en Elin Sigfusdottir die de lening van Landsbanki (aan Samson) bij de Bunadarbankinn hadden goedgekeurd, werkten toen al lang en breed bij Landsbanki.

De vrijdenkers van weleer maakten IJsland tot een oligarchie à la Rusland. De banken waren simpelweg geprivatiseerd en in handen gekomen van de Independence Party en de Centre Party.

Valse groei, forse beloningen en de grote drie: Kaupthing, Landsbanki en Glitnir Bank

Mijn droom is dat IJsland in de toekomst wereldwijd bekend zal zijn als een internationaal financieel centrum.
Halldor Asgrimsson, 2005

Sinds IJslands lidmaatschap van de Europese Economische Ruimte (1993), had het land toegang tot de Europese markten. Maar ondanks de mogelijkheden die de IJslandse zakenwereld nu had, waren de binnenlandse economische strategie en het fiscale management stuurloos. IJsland kopieerde klakkeloos de EU-richtlijnen voor financiële instellingen, zonder die aan te passen aan de lokale omstandigheden. De Financial Authority (FME) was onderbemand en het ontbrak aan kennis om met de explosieve groei van de banken om te gaan. Voor IJslands mededingingsautoriteit gold hetzelfde. Waar waren deze diensten, toen Transparancy International (de organisatie die de corruptiegraad van landen elk jaar bekendmaakt) IJsland in 2008 het minst corrupte land ter wereld noemde?

Europese kaders

Europa bestaat niet alleen uit de Europese Unie, waar Nederland onderdeel van is. Europese landen die ervoor gekozen hebben er geen deel van uit te maken, hebben andere keuzen. Ze kunnen bijvoorbeeld lid worden van de European Free Trade Association (EFTA), die samen met de EU de European Economic Area (EEA) vormen. De EFTA-leden zijn: Noorwegen, Liechtenstein en IJsland. Door de Europese richtlijnen te implementeren, kunnen EFTA-leden toegang krijgen tot de mogelijkheden die de EU-landen ook hebben. Zo heeft IJsland ervoor gekozen de financiële richtlijnen van de EU te volgen en kan een IJslandse bank op dezelfde manier zaken doen met de Europese banken, zoals Nederland dat kan in de andere Europese landen. IJsland ontloopt met die keuze de strijd om de visserijrechten, maar profiteert wel van de bancaire mogelijkheden binnen Europa. Als het om de visserijrechten gaat, is IJsland als de dood dat men die moet delen met andere EU-landen als IJsland lid zou worden van de EU. De meeste weerstand tegen de EU komt dan ook vanuit de visserijlobby.

Toen David Oddsson de Independence Party als winnaar van de ideologische oorlog uitriep in 1993, was zijn regering een sociaal experiment gestart dat van IJsland het meest vrije land op aarde moest maken. Hannes Gissurarson publiceerde juichend zijn artikel 'Hoe IJsland het rijkste land ter wereld kan worden', waarin hij de kwaliteiten van IJsland ophemelde, zoals het steeds weer verlagen van de belastingen en andere lastenverlagende maatregelen. Van 2004 tot 2007 leek het er inderdaad op dat IJsland de opbrengsten van de politiek van de Independence Party en de Centre Party kon oogsten. De IJslandse Kamer van Koophandel die zichzelf op de borst klopte dat de regering 90% van hun voorstellen in wetten omzette, voorspelde dat IJsland tegen 2015 het meest vrije land ter wereld zou zijn, met nauwelijks regels die de IJslandse handel belemmerden. De Kamer stelde ook voor dat IJsland zou stoppen zichzelf te vergelijken met de Scandinavische buren omdat 'we hen in bijna alle opzichten overtreffen'.

In mei 2003 werd Bunadarbankinn overgenomen door Kaupthing, IJslands belangrijkste beursmakelaar. Met de ambitieuze voorzitter van de raad van bestuur Sigurdur Einarsson deed Kaupthing tien jaar lang overnames en aankopen, met als gevolg dat het bedrijf jaarlijks in grootte verdubbelde, tot het in 2007 tot de 600 grootste bedrijven ter wereld behoorde. Nog nooit eerder stond een IJslandse bank in die lijst, maar nu schoten Landsbanki, Glitnir en Kaupthing alledrie naar de bovenste helft van die ranking. Expats en pasafgestudeerde academici stroomden toe en kregen bij de banken interessante banen plus hoge salarissen, in een kosmopolitische omgeving. Er gebeurden dingen die in het kleine IJsland nog nooit eerder waren voorgekomen.

Al in 2002 sprak Joseph Stiglitz (Nobelprijswinnaar en professor Economie aan de Columbia University) zijn zorgen uit over de mogelijkheid van een forse inflatie, dat de IJslandse economie oververhit zou kunnen raken wat zou resulteren in het krimpen van de markt. Ondanks deze waarschuwingen gingen de opeenvolgende regeringen van IJsland gewoon door met het privatiseren van de twee banken en begon in het oosten van het land de bouw van de Karahnjukar Dam, het grootste bouwproject uit IJslands geschiedenis. De waterkrachtcentrale zou stroom leveren voor een nieuwe aluminiumsmelterij in Reydarfjordur. Tegelijkertijd verlaagde men de hypotheekgrens – door de mogelijkheid tot 90% te kunnen lenen op huizen – en werden de inkomstenbelastingen tot ver onder het gemiddelde van de andere Scandinavische en Europese landen verlaagd. De speciale onderzoekscommissie (aangesteld door de Althingi in december 2008 om de oorzaak van de crisis te achterhalen) concludeerde na de economische crisis dat de twee regeringspartijen al hun verkiezingsbeloften tegelijkertijd wilden inlossen. Geir Haarde, die toen minister van Financiën was, gaf later toe dat hij tegen beter weten in had gehandeld. Het land was praktisch zonder buitenlandse schuld; toch was de situatie bij de Centrale Bank en de schatkist zwak. In het eerste decennium van de 21e eeuw gingen de rentetarieven steeds verder omhoog en buitenlands kapitaal stroomde vrijelijk het land binnen. Het kwam de waarde van de kroon ten goede, maar creëerde een irreële koopkracht.

Het web van bedrijfseigendomsrechten van de drie grootste machtsblokken, de S-Group, Samson en Baugur, draaide om hun controle over de banken. IJslandse politici beloonden zichzelf vorstelijk met bedragen die ze voorheen onvoorstelbaar achtten. De Coalition of Young Independence Party Members (SUS), was verbaasd toen het rapport van de speciale onderzoekscommissie onthulde dat zij 33,7 en 8 miljoen kronen zouden hebben ontvangen van respectievelijk Landsbanki en Kaupthing in de periode 2005-2007. De voorzitter van de SUS in die tijd was Borgar Thor Einarsson, Geir Haarde's stiefzoon… Wat was er met dat geld gebeurd?

CEO's vroegen megabonussen en ontvingen salarissen waar een gemiddelde IJslander in zijn hele leven nog niet eens van droomde. Bjarni Armanssons contract als CEO van Glitnir Bank vervijfvoudigde in drie jaar tijd van 9 miljoen naar 50 miljoen kronen (500.000 euro) per maand(!) in 2004 en 2005. Het contract van zijn opvolger Larus Welding, met daarin beschreven dat hij vijf miljoen euro per jaar ging verdienen, werd in een half uurtje gesloten. Hreidar Mar Sigurdsson van Kaupthing was de belastingkoning van Reykjavik. Sigurdur Einarsson schreef in een e-mail naar Magnus Gudmundsson, CEO van Kaupthing Luxemburg: "Hi Magnus, we hebben nog geen bonus vastgelegd voor het afgelopen jaar. Ik stel 1 miljoen euro. Wat denk je daarvan? Rgds. Se." Magnus antwoordde: "Dank, dat is meer dan genoeg J." Bij vijf van Kaupthings meest risicovolle leningen in Luxemburg waren de grootaandeelhouders van de banken betrokken. De bankmanagers leenden geld bij de bank om aandelen van diezelfde bank te kopen en IJslandse zakenlui investeerden stevig in het buitenland met geleend geld van de banken die ze via allerlei constructies zelf beheerden. Een groot deel van de leningen had weinig tot geen dekking. Soms alleen de aandelen zelf. Glitnirs afdeling Risicobeoordeling had geen toetsing toegepast bij de twintig grootste debiteuren en had niet in de gaten dat een van die twintig, Ingibjorg Palmadottir, een relatie had met Jon Asgeir Johannesson (grootaandeelhouder van Glitnir Bank via de Baugur Group) – ze was nota bene zijn vrouw. In Engeland verkreeg investeerder Baugur (de voornaamste eigenaar van Glitnir) eerst een groot aandeel in Philip Greens kledingwinkelimperium Arcadia, waar veel grote en dure consumentenmerken onder vielen. Daarna werd de naam Baugur genoemd als serieuze mededinger voor de overname van het Britse Marks & Spencer. In Denemarken betaalden de IJslanders voor het vooraanstaande hotel D'Angleterre en het warenhuis Magasin du Nord veel meer dan andere investeerders hadden geboden. Andere buitenlandse investeerders stopten met bieden als de IJslanders met hun contanten strooiden. Het was geen wonder dat de Britse krant *The Guardian* in 2005 stomverbaasd schreef over de IJslandse invasie en zich afvroeg waar het geld van deze nieuwe soort Viking vandaan kwam.

Thuis in IJsland oefenden nog steeds dezelfde almachtige blokken controle uit over alle zakelijke transacties. Het blok van Jon Asgeir had de controle over Glitnir Bank, op haar beurt weer een belangrijke crediteur van zijn telecombedrijf Og Vodafone, zijn verzekeringsmaatschappij Sjova, zijn mediabedrijf 365 en zijn licentie voor Apple-producten in IJsland, zijn drogisterijwinkels Lyf & Heilsa, zijn onroerendgoedbedrijf Landic, zijn hotel 101, zijn winkel Baugur enzovoort enzovoort. Bij de andere twee banken bestonden soortgelijke situaties. Iedereen die dacht in IJsland een vrije markt te betreden, betrad feitelijk een oligarchie. Het blok van Landsbanki bevatte het telecombedrijf Nova, de rederij Eimskip, de krant *Morgunbladid* en eigenlijk alles wat het team van vader en zoon Bjorgolfur ook maar beviel. Bij Kaupthing beheerde de groot-aandeelhouder Exista (van Olafur Olafsson) onder andere het telecombedrijf Siminn en de verzekeraar VIS. Jon Asgeir Johannesson, zijn familie en hun bedrijven konden letterlijk niet meer kapot toen ze de banken eind 2008 700 miljard kronen (ongeveer 5 miljard euro) schuldig waren. Hetzelfde kon gezegd worden van de Bjorgolfurs bij Landsbanki en van Olafur Olafsson bij Kaupthing. Als de banken hun leningen bij de holdings van deze personen hadden willen innen, zouden de consequenties desastreus zijn geweest. Hun controle was immens en in de praktijk namen zij dé belangrijke beslissingen bij de banken.

Glitnirs beleggingsfonds 'Fonds 9' groeide in 2007 hard toen de Baugur Groep een grote aandeelhouder van de bank werd. De investeringen groeiden met 400%, praktisch alleen door aandelen te nemen in bedrijven die een relatie hadden met Baugur. De aandelen van dat bedrijf kwamen eind 2008 dan ook in een vrije val. Een van de mensen achter Fonds 9 was het lid van de Independence Party en lid van de Althingi, Illugi Gunnarsson. Bjorgolfur Thor kreeg het voor elkaar om op 30 september 2008 nog 24 miljard kronen (ongeveer 180 miljoen euro) te lenen van Landsbanki – terwijl de bank feitelijk al gevallen was. Op dat moment was Glitnir al gevallen.

Ook persmensen waren de banken grote bedragen schuldig. Styrmit Gunnarsson, voormalig hoofdredacteur van *Morgunbladid*, had in 2007 bij Glitnir, Landsbanki en Kaupthing gezamenlijk een schuld van om en nabij de 100 miljoen kronen (1,1 miljoen euro). Oli Bjorn Karason, redacteur en later parlementslid voor de Independence Party, later publicist van boeken waarin hij het instorten van de economie toeschreef aan Baugur, de Social Democrats en de EU, had een schuld van 200 miljoen kronen (ongeveer 2,2 miljoen euro). Bjorn Ingi Hrafnsson, begonnen als gemeenteraadslid voor de Centre Party, daarna assistent van premier Halidor Asgrimsson en na de val host van een talkshow over economische en sociale zaken en uitgever van Pressan, had bij Kaupthing een schuld van maar liefst 536 miljoen kronen (circa 6 miljoen euro). Bjorn Ingi had de politiek van Reykjavik verlaten om een lucratieve deal te sluiten met de FL Group, het energiebedrijf van de stad dat op de rand van faillissement verkeerde, maar werd door zijn voormalige mederaadsleden gestopt.

De banden tussen de pers, de politici en de zakenmensen waren vaak schimmig. Birna Einarsdottir, bestuurder bij Glitnir, vertelde Styrmir Gunnarsson (van *Morgunbladid*): "Je hoort bij ons. Je moet de banken niet bekritiseren of hen vragen stellen, we verwachten van je dat je aan onze kant staat." IJslandse bedrijven betaalden tussen 2003 en 2009 een bedrag van 463 miljard kronen (zo'n 5,5 miljard euro) aan dividenden. Talloze bedrijven betaalden, ondanks verliezen en een negatieve balans, die dividenden uit. In 2007, het jaar dat de FL Group (een deel van de Baugur Group van Jon Asgeir Johansson) een recordverlies boekte van 67 miljard kronen (circa 900 miljoen euro) waren de operationele kosten 6,2 miljard kronen (circa 73 miljoen euro) geweest: er stonden dat jaar gemiddeld slechts 78 mensen op de loonlijst, maar de luxueuze levensstijl waaraan de IJslandse zakenmensen gewend waren geraakt, was dan ook niet goedkoop. De leidinggevenden bij Kaupthing konden gebruikmaken van een *toy box* waar ze konden kiezen uit dure auto's, sneeuwscooters en meer van dat soort speelgoed.

In 2006 sprak het Internationaal Monetair Fonds (IMF) zijn zorg uit over het IJslandse financiële systeem en verklaarde dat er internationaal bezorgd werd gesproken over de snelle groei van de IJslandse banken, die het financiële systeem van IJsland zo beïnvloeden. "Mogelijke kwetsbaarheden betreffen onder andere aanzienlijke noodzaak tot kortetermijnherfinanciering, de kwaliteit van de kredieten, de langetermijnbetrouwbaarheid van de banken als het gaat om hypotheken in de IJslandse markt en de onderlinge verwevenheid van de banken als het gaat om eigendom in elkaar." Niemand kon achteraf zeggen dat hij niet gewaarschuwd was.

The Dirty Thirty

Wie kunnen we achteraf aanwijzen als dé schuldigen van het hele proces? Wie waren de dertig IJslanders die zonder blikken of blozen IJsland hebben verkocht, alleen om hun eigen zakken te vullen? Er zijn al vaker pogingen ondernomen om een lijst op te stellen van degenen die schuldig lijken te zijn aan de IJslandse crisis. Vilhjalmur Bjarnason, docent aan de Universiteit van IJsland en voorzitter van de Independent Investors Association (een soort vereniging van aandeelhouders) vertelde aan de Duitse krant *Der Spiegel* dat hij een lijst had met namen van dertig mannen en drie vrouwen die het meest verantwoordelijk waren voor de economische val. Wij hebben onze eigen versie daarvan gemaakt. Het hadden er ook 33 of 35 kunnen zijn, maar wij houden ons aan het symbolische getal 30 (voor zoveel zilverlingen immers is eerder al eens verraad gepleegd), met als troost voor de afvallers een aantal *runners-up*.

De politici

1 David Oddsson
Was sinds de jaren tachtig achtereenvolgens burgemeester van Reykjavik, premier, minister van Buitenlandse Zaken en directeur van de Centrale Bank. Om te zeggen dat hij de meeste schuld heeft door zijn politieke roekeloosheid, minachting voor regels en flagrante vriendjespolitiek is

nog een understatement. *Time Magazine* schreef in september 2009 dat hij een van de 25 schuldigen is aan deze wereldcrisis. Na zijn uitzetting uit de Centrale Bank maakte de anti-EU vislobby hem eigenaar van *Morgunbladid*, hun propaganda-orgaan. Het Special Investigation Report van de Truth Commission, aangesteld door het IJslandse parlement om de waarheid achter de crisis te achterhalen, liet geen twijfel over wie de schuldigen waren: de bankiers, met Oddsson voorop. Hij legt zich niet neer bij zijn mindere rol in de Independence Party, de partij waar hij nog steeds grote invloed heeft. De visserijlobby zal hem blijven steunen om hun belangen zeker te stellen.

2 Halldor Asgrimsson

Vormde in 1995 een coalitieregering met David Oddsson, werd voorzitter van de Centre Party en gebruikte die positie om de rijkdommen van IJsland onder zijn aanhang te verdelen. Werd de meest progressieve minister van Buitenlandse Zaken met, voor een IJslander, een ongebruikelijke sterke focus op buitenlandse relaties. Maar zijn partij privatiseerde Bunadarbankinn en zorgde ervoor dat die in handen kwam van hun eigen achterban – die er onmetelijk rijk van werd. Was ook goed in onverantwoorde beloftes als 90%-hypotheken en bedenker van IJslands grootste bouwproject ooit: de Karahnjukar Dam. Werd in 2004 uiteindelijk premier, terwijl aanhangers van zijn partij en masse werden ontmaskerd bij corruptieschandalen. Is nu secretaris-generaal bij de Scandinavische ministerraad en woonachtig in Denemarken.

3 Geir Haarde

Handlanger van David Oddsson. Werd in 1998 minister van Financiën, kort daarna minister van Buitenlandse Zaken om vervolgens het hoogste ambt te gaan bekleden (was minister-president van 2006-2009). Zijn ingetogen stijl was een verademing na de luidruchtige David. Hij moest de consequenties van de roekeloze liberalisering te lijf gaan en hield daarbij koppig vol dat hij en zijn partij de enige waren die dat konden. Hij is bekend door zijn God Bless Iceland-speech en werd met potten en pannen uit de Althingi verdreven. Moest zijn post verlaten vanwege kanker, wordt uit de schijnwerpers gehouden tijdens zijn behandeling (in Nederland).

4 Valgerdur Sverrisdottir

Als minister van Handel en Industrie speelde ze een cruciale rol bij de privatisering van de banken en de controversiële bouw van de Karahnjukar Dam. Keurde de privatisering van Bunadarbankinn goed terwijl ze wist dat de koper met misleidende informatie was gekomen.

5 Ingibjorg Solrun Gisladottir

Leidde de oppositie tegen de niet-aflatende liberalisering van de Independence Party en werd daar doorlopend voor uitgescholden. Zorgde in 2007 voor een spectaculaire ommekeer door een coalitie met Geir Haarde aan te gaan. Sprak op buitenlandse seminars met bankiers en zakenmensen om het imago van IJsland net voor de val op te vijzelen. Maakte in 2007 de onervaren Bjorgvin G. Sigurdsson minister van Handel. Werd tijdens de val van de banken behandeld tegen kanker, kwam afgemat terug en zei bij een demonstratie tegen de bezorgde menigte dat zij, de demonstranten, niet het hele volk vertegenwoordigden. Droeg tijdens haar ziekte de leiding over aan sociaaldemocraat Johanna Sigurdardottir.

6 Finnur Ingolfsson

Minister van de Centre Party die president van de Centrale Bank werd en vervolgens miljardair door de privatisering van de banken.

De bureaucraat

7 Johannes Fr. Jonsson

De ongelukkige directeur van de Financial Authority wiens naam, in het Special Investigation Report, in verband werd gebracht met nalatigheid. Zoon van een voormalig kamerlid van de Independence Party.

De zakenmannen

8 Jon Asgeir Johannesson

Bouwde een winkel- en investeringsimperium met gemakkelijk verkregen geld. Hoofd van het kolossale familiebedrijf Baugur Group met budgetsupermarkten en detailhandel in Engeland. Had via CEO Larus Welding controle over Glitnir Bank. Woont nu in Londen en zal waarschijnlijk jaren nodig hebben om zich voor rechtbanken te verdedigen over zijn aandeel in de economische val.

9 Johannes Jonsson

De vader van Jon Asgeir (zie 8). Winkelier die in IJsland winkels à la Wall Mart introduceerde waar de lage prijzen een enorme aantrekkingskracht hadden en op de gesloten IJslandse markt voor de nodige competitie zorgden. Plukte ongetwijfeld de vruchten van zijn zoons inspanningen.

10 Kristin Johannesdottir

CEO van Baugur. Zus van Jon Asgeir (zie 8) en dochter van Johannes (zie 9).

11 Bjorgolfur Gudmundsson

De favoriet van de Independence Party. Beleefde een wederopstanding na een witteboordenschandaal in de jaren tachtig en werd succesvol in de Russische drankenindustrie. Verkreeg Landsbanki via de privatisering (d.m.v. Samson, de beheersmaatschappij van hem en zijn zoon Bjorgolfur Thor en diens vriend Magnus Thorsteinsson) en speelde vrijuit met het geld van de klanten. Zijn persoonlijk faillissement is een van de grootste in de geschiedenis. Woont in Reykjavik waar zijn reputatie aan flarden ligt.

12 Bjorgolfur Thor

Zoon van Bjorgolfur (zie 11) en eerste IJslander op *Forbes'* miljardairslijst. Werd na het succes in Rusland eigenaar van Landsbanki (via Samson, zie 11) en verkreeg daarmee immense invloed. Woont als investeerder van Novator in Londen. Heeft in april 2010 in een open brief zijn excuus aangeboden voor zijn aandeel in de affaire. Investeert nu met Verne Holdings in een databank in IJsland.

13 Palmi Haraldsson

Eigenaar van Fons Investments. Kon op de financiële ladder opklimmen door vennootschappen met Jon Asgeir Johanesson. Schuldig bevonden aan het maken van vaste prijsafspraken in de tijd dat hij aan het hoofd stond van een agrarische belangengroep. Klaagde in 2009 dat hij zich met zijn kinderen niet meer in IJsland in het openbaar kon vertonen.

14 & 15 Lydur Gudmundsson en Agust Gudmundsson

De broertjes die als eigenaren van een klein visbedrijf doorbraken door het doen van buitenlandse investeringen, hierbij financieel geholpen door hun trouwe vriend Sigurdur Einarsson, voorzitter van de raad van bestuur van Kaupthing. Werden een van Europa's grootste producenten van fastfood en eigenaren van de investeringsmaatschappij Exista die op haar beurt weer grote investeringen deed in Kaupthing en gelieerde bedrijven. Kochten het geprivatiseerde Iceland Telecom.

16 Hannes Smarason

Voorzitter van de FL Group die in 2007 het grootste verlies leed dat een IJslands bedrijf ooit had geboekt. Niet nader verklaarde overboekingen van de bedrijfsrekening, hoge overheadkosten en het opstappen van het bestuur en de CEO, riepen vragen op. Maakt deel uit van Jon Asgeir Johannessons investeringsnetwerk. Tegenwoordig woonachtig in Londen.

17 Karl Wernersson
Is van Milestone Investments die ongelimiteerde toegang tot de kas van Glitnir Bank leek te hebben. Ook ten behoeve van een vastgoedproject in Macau (Volksrepubliek China), waarvoor gelden van de verzekeringsmaatschappij Sjova werden gebruikt, waarvoor de staat zich later genoodzaakt zag de verliezen te compenseren. Een van de partners in dat avontuur was de opvolger van David Oddsson als leider van de Independence Party, Bjarni Benediktsson.

18 Olafur Olafsson
Een van de zakenmensen die de macht van de Centre Party hebben gebroken. Had vaste grond onder de voeten bij de S-Group die over Bunadarbankinn ging en werd korte tijd daarna miljardair door de fusie met Kaupthing. Ook grootaandeelhouder van Samskip, het scheepvaartbedrijf dat hij – na de val en het afschrijven van grote sommen geld – wist te behouden. Woont nu in Zwitserland. Is verdacht voor zijn aandeel in de manipulaties rondom Kaupthing waaronder de zaak met sjeik Al-Thani uit Quatar, die aandelen kocht in Kaupthing met geleend geld van… Kaupthing.

19 Erlendur Hjaltason
Directeur van Exista, dat aan Kaupthing verbonden was. Stapte in 2009 op als voorzitter van de IJslandse Kamer van Koophandel.

20 Sigurdur Valtysson
Directeur van Exista. Verhuisde in september 2008 al zijn aandelen Exista naar een beheersmaatschappij op de Caribische eilanden. Zoon van de officier van justitie Valtyr Sigurdsson die in diskrediet kwam wegens belangenverstrengeling met zaken over de economische val.

De bankiers

21 Sigurdur Einarsson
Voorzitter van de raad van bestuur van Kaupthing. Zoon van een Centre Party's minister die de grootse plannen van zijn vader met Kaupthing wilde overtreffen. Woont in Londen. Negeerde verzoeken van de openbaar aanklager om verhoord te worden, wat leidde tot een aanhoudingsbevel van Interpol.

22 Hreidar Mar Sigurdsson
CEO bij Kaupthing. Een selfmade-man die al op jonge leeftijd CEO werd en de agressieve groei van Kaupthing voor zijn rekening nam. Ging

na de val in Luxemburg wonen waar hij het consultingbureau Consolium oprichtte. In 2010 gearresteerd op verdenking van marktmanipulatie.

23 Sigurjon Th. Arnason
Over hem gaat de grap rond dat hij bij zijn examen een 10 voor wiskunde had en een 0 voor ethiek. Eerst de CEO van Bunadarbankinn en daarna bij Landsbanki. Noemde Icesave 'geniaal'. Zei in het Special Investigation Report dat hij er nooit van overtuigd was geweest dat de bankeigenaren ook de daadwerkelijke eigenaren waren.

24 Halldor J. Kristjansson
Assistent van Halldor Asgrimsson en daarna CEO van Landsbanki. Verhuisde na de val naar Canada en werkt daar voor een financiële instelling die microkredieten en particuliere leningen verstrekt.

25 Kjartan Gunnarsson
Vicevoorzitter van het bestuur van Landsbanki en uitvoerend bestuurder van de Independence Party. De partij wilde na de privatisering graag iemand bij de bank die 'binnen gehoorsafstand' stond. Dichterbij dan dit had ze niet kunnen komen.

26 Bjarni Armannsson
CEO van Islandsbanki/Glitnir. In vijf jaar tijd steeg zijn salaris tot meer dan 700 miljoen kronen. Berucht om zijn uitspraak van na de val dat het 'onverantwoordelijk' van hem zou zijn om geld te verspillen aan het betalen van schulden van één van zijn beheersmaatschappijen. Verhuisd naar Noorwegen waar hij wat flierefluit met investeringen.

27 Larus Welding
Werd op 27-jarige leeftijd algemeen directeur van Landsbanki Londen en was op zijn 31e topman bij Glitnir, waar hij Bjarni Armannsson opvolgde. Ging in 2009 naar Harvard om daar te studeren maar verhuisde naar Londen. Verklaarde in september 2008 op tv dat zijn bank niet zou vallen, maar boekte in diezelfde tijd wel grote sommen van zijn eigen geld over naar eigen rekeningen in Engeland.

28 Thorsteinn M Jonsson
Voorzitter van Glitnir Bank. Eigenaar van Vififell, licentiehouder van Coca-Cola IJsland. Zakenpartner van Jon Asgeir Johannesson.

29 Gudmundur Hauksson

Manager van SPRON, een IJslandse spaarbank die ook op de fles ging door malversaties. Was van plan SPRON met Kaupthing te fuseren. De mededingingsautoriteit ging hiervoor liggen maar de klanten van SPRON kwamen uiteindelijk toch bij Kaupthing terecht. Werd beschuldigd van het verkopen van aandelen SPRON net voor de beursgang, waarna de waarde van de aandelen snel kelderden.

30 Hildur Petersen

Voorzitter van de raad van bestuur van SPRON. Werd samen met Gudmundur (zie 29) en andere SPRON-managers beschuldigd van het verkopen van hun aandelen voordat die niets meer waard werden.

Zoals gebruikelijk zijn er heel wat mensen die een serieuze poging hebben gewaagd om ook op de lijst te komen. En dat heeft weinig gescheeld voor de hierna genoemde personen.

Ingimundur Fridriksson en Eirikur Gudnason

Samen met David Oddsson bestuurders van de Centrale Bank. Worden in het Special Investigation Report genoemd wegens nalatigheid.

Bjorgvin G. Sigurdsson

Eigenlijk het lulletje van de IJslandse politici. Spartelde in de aanloop naar de val als een vis op het droge. Als minister van Handel werd hij noch door de Independence Party noch door de Social Democrats vertrouwd en daarom werd hij buiten de belangrijkste besprekingen over het lot van het banksysteem gehouden. Terwijl hij daar toch verantwoordelijk voor was. Stapte op, stelde zich opnieuw beschikbaar, werd tot ieders verbazing herkozen maar stapte opnieuw op toen het Special Investigation Report hem van nalatigheid beschuldigde.

Hannes Holmsteinn Gissurarson

Kleurrijke figuur en één van de mannen rond *The Locomotive*. Werd – onder luid protest van de University of Iceland zelf – daar desondanks hoogleraar politicologie. Een vrijdenker en spindoctor die de tv-kijkers vertelde dat links geneigd was te veel na te denken terwijl de rechtervleugel van de Independence Party zich overdag vooral bezighield met geld verdienen en 's avonds ging barbecueën. Schrijver van het boek *How Can Iceland Become the Richest Country in the World?*, waarvan de conclusies neerkwamen op het verlagen van de belastingen en het versoepelen van de regels.

Styrmir Gunnarsson
Van 1972-2008, 36 jaar lang, hoofdredacteur van *Morgunbladid*. Bepaalde welke verhalen er wel en niet gepubliceerd werden. Na de val schreef hij het boek *The Siege* (*De Belegering*) waarin hij beweerde dat de hachelijke situatie van IJsland voor het grootste deel veroorzaakt was door jaloerse buitenlanders, die het op de rijkdommen van het land hadden voorzien. Zijn verborgen agenda was echter het land uit de EU te houden.

Olafur Ragnar Grimsson
Voormalig linkse politicus en minister die tot ieders verbazing de verkiezingen van 1996 won. Hervormde als populist het bestuur volgens zijn eigen goeddunken. Bracht een groot deel van zijn tijd door met de jetset, bankiers en zakenlui. De eerste IJslandse president die in 2004 zijn veto uitsprak over een wetsvoorstel, een truc die hij in 2010 herhaalde, wat leidde tot een referendum over Icesave.

En wie missen we dan nog?
Juist, de 'domme' accountants en de 'slimme' advocaten. KPMG en PwC (PricewaterhouseCoopers) waren de accountants die zonder enig probleem de geweldig ogende jaarverslagen van de IJslandse banken goedkeurden. Inclusief de leningen zonder enig onderpand. Logos is de naam van het IJslandse advocatenkantoor dat uitblonk in het bedenken van fraaie oplossingen en constructies. En vervolgens benoemd werd als afhandelaar van het faillissement van Baugur. Er werden invallen in het kantoor van Logos gedaan in verband met manipulaties bij de FL Group en aandelenmanipulatie bij Kaupthing. Verder zijn Sigurdur G. Gudjonsson (advocaat van Jon Asgeir Johannesson en de Baugur-clan, maar ook Arnason, de CEO van Landsbanki) en Asgeir Thoroddsen (die je als advocaat bij heel veel grote bedrijven in de raad van bestuur aantreft), namen die bij veel IJslanders tot opgetrokken wenkbrauwen leiden.

Mogen we het terug?
*De grootste **debiteuren** (mensen die nog geld schuldig zijn aan de banken) na de val bleken de volgende te zijn:*

		Miljard kronen
1.	*Robert Tchenguiz*	*113,4*
	Voorzitter bij Exista, investeerder in Engeland en een 'bar addict'	
2.	*Jon Asgeir Johannesson*	*102*
	Baugur, Glitnir, FL Group, Hamleys en andere speeltjes	
3.	*Olafur Olafsson*	*61,1*
	Kaupthing en Samskip	

4. Hannes Por Smarason   51,8
   Decode en FL Group
5. Asa K. Asgeirsdottir   50,8
   Moeder van Jon Asgeir Johannesson
6. Ingibjorg Stefania Palmadottir   50,7
   Vrouw van Jon Asgeir Johannesson en eigenaresse van 101 hotel
7. Johannes Jonsson   50,5
   Vader van Jon Asgeir Johannesson en oprichter van Bonus
8. Bjorgolfur Gudmundsson   47,3
   Samson Groep, eigenaar van Landsbanki
9. Palmi Haraldsson   39,9
   Partner van Jon Asgeir Johannesson, Fons, FL Group, Iceland Express
10. Bjorgolfur T. Bjorgolfsson   39,3
    Landsbanki, Actavis, Novator
11. Lyour Gudmundsson   36,5
    Bakkavor Brothers, Siminn, Exista, Kaupthing
12. Agust Gudmundsson   36,5
    Bakkavor Brothers, Siminn, Exista, Kaupthing
13. Johannes Kristinsson   35,4
    Fons, zakenpartner van Palmi Haraldsson
14. Magnus Kristinsson   31,4
    Koning van de visquota, Toyota IJsland, Domino's Pizza
15. Loa Skarphedinsdottir   28,4
    Vrouw van Magnus Kristinsson
16. Buitenlands fonds   28,3
    Een aantal mensen en bedrijven die zich verborgen houden
    achter een postbusadres
17. Jakup a Dul Jacobsen   27,9
    Zakenman van Rumfatalagerinn, afkomstig van de Faeröer.
    Bouwde het hoogste gebouw in IJsland.
18. Jon Helgi Gudmundsson   26,0
    Byko, Norvik
19. Karl Emil Wernersson   23,2
    Milestone, Glitnir, Lyf & Heilsa
20. Hreinn Loftsson   22,9
    Voormalige collega van Jon Asgeir Johannesson en voormalig
    assistent van David Oddsson
21. Kristin Johannesdottir   22,8
    Zus van Jon Asgeir Johannesson
22. Steingrimur Wernersson   22,1
    Broer van Karl Emil Wernersson
23. Gylfi Omar Hedinsson   18,3
    BYGG, Bouwondernemer

24. Kristjan V. Vilhelmsson   18,2
    Koning van de visquota, Samherji
25. Gudmundur Kristjansson   18,2
    Koning van de visquota, Brim
26. Gunnar Porlaksson   18,1
    BYGG, Bouwondernemer
27. Porsteinn Mar Baldvinsson   17,5
    Voormalig lid van de raad van bestuur bij Glitnir Bank,
    Koning van de visquota, Samherji
28. Benedikt Sveinsson   15,6
    Vader van Bjarni Benediktsson, voorzitter van de
    Independence Party
29. Porsteinn M. Jonsson   14,2
    Coca-Cola IJsland, FL Group
30. Gudjborg M. Matthiasdottir   13,8
    Koningin van de visquota, eigenaresse van Morgunbladid

Mag ik even vangen?
10 parlementsleden *die op eigen naam of die van hun wederhelft meer
dan 100 miljoen kronen (circa 600.000 euro) bij de banken hadden uitstaan:*

	Miljoen Kronen
Solveig Petursdottir	3.635
Voorzitter IJslandse parlement, lid van de Independence Party	
Thorgerdur Katrin Gunnarsdottir	1.683
Vicevoorzitter van de Independence Party, minister van Onderwijs	
Herdis Thordardottir	1.020
Independence Party	
Ludvik Bergvinsson	775
Social Democrats	
Jonina Bjartmarz	283
Progressive Party	
Arni Magnusson	265
Minister van Sociale Zaken, Progressive Party	
Armann Kr. Olafsson	248
Independence Party	
Bjarni Benediktsson	174
Voorzitter van de Independence Party	
Asta Moller	141
Independence Party	
Olof Nordal	11
Independence Party	

De boer

Astthor Skulason, een vanaf zijn middel verlamde boer, heeft speciale landbouwmachines en gereedschappen nodig om zijn boerderij te kunnen runnen. Tegen DV.is, een IJslandse site, zei hij: "Het ziet ernaar uit dat ik ze veel meer heb betaald dan ik heb geleend." Hij had het over Lysing, de financiële instelling die de machines had ingevorderd. Volgens Astthor heeft hij de machines niet alleen nodig om zijn werk te kunnen doen, maar laten ze hem ook de oefeningen doen die noodzakelijk zijn om met zijn handicap, die hij in 2003 opliep bij een auto-ongeluk, te kunnen leven.

Bij Lysing bleken ze ongevoelig voor de speciale omstandigheden van Astthor. De machines staan te wachten om verkocht te worden, maar zijn ongeschikt voor algemeen gebruik.

2. Het begin: de Geysercrisis

Als we naar de indicatoren kijken die een financiële crisis in een vroeg stadium opmerken, moeten we concluderen dat IJsland er slechter voorstaat dan Thailand voor haar crisis in 1997 en slechts een fractie beter dan Turkije voor de crisis van 2001.
Danske Bank, *Geyser Crisis Rapport*, 21 maart 2006

Tijdens een seminar op de University of Iceland in mei 2010 zei professor William K. Black tegen de verzamelde IJslanders dat ze nog van geluk mochten spreken dat de economische ineenstorting in 2008 gebeurde in plaats van in 2011 of 2012. Als de zeepbel meer tijd had gehad om te kunnen groeien, had dat beslist het definitieve einde van IJsland betekend. Maar aan de andere kant: wat zou de situatie geweest zijn als de waarschuwingen van het *Geyser Crisis Rapport* van Danske Bank wel ter harte waren genomen? Danske Bank verklaarde dat een rapport van hun hand over IJsland normaliter niet voor de hand had gelegen, maar dat dit speciale verslag was gemaakt vanwege de groeiende interesse in de IJslandse economie, de spectaculaire groei en de tekenen van veranderingen in marktmechanismen. Het rapport beschrijft de economie van IJsland als de meest oververhitte in de Organisation for Economic Co-operation and Development (OECD) en voorspelde toen al, dat er voor 2006 en 2007 een recessie werd verwacht van 5 tot 10%, met een oplopende inflatie van meer dan 10% door een waardevermindering van de IJslandse munt, de kroon. Net als een geiser stond de IJslandse economie onder hoge druk en op het punt van uitbarsten; vandaar de naam *Geysercrisis*.

Danske Bank stelde zelf al vast dat zij niet de enige waren die de alarmbellen lieten rinkelen. Het IMF en de OECD hadden beiden al rapporten uitgebracht over wat IJsland boven het hoofd hing. Ook Barclays, Merrill Lynch (een professioneel adviesbureau dat werkt voor banken), Credit Sights en Fitch Ratings, beide *ratings agencies* (die de betrouwbaarheid van banken aangeven), hadden in hun eigen rapporten al onheilspellende feiten gepubliceerd. Daarnaast was er nog het Financial Stability Rapport, geschreven in 2004-2005 van... jawel, de IJslandse Centrale Bank. Zelfs zij maakte zich zorgen over de snelle groei. Een scala aan onvolkomenheden zorgde ervoor dat de bnp-schuld zou oplopen van 237,6 tot 346,2 miljoen dollar tussen 2000 en 2005. De bruto buitenlandse schuld was in diezelfde periode gestegen van 104,2 naar 299,9 miljoen dollar. De kritiek in IJsland over deze cijfers was overweldigend, maar werd afgedaan als beschuldigingen ingegeven door jaloezie, gebrek aan kennis of beide. De voorzitter van de IJslandse effectenbeurs zei verbijsterd te zijn over het *Fitch Report*. Ingimundur Fridriksson, vicevoorzitter van de Centrale Bank, zei dat de cijfers zwaar overtrokken waren. Halldor J. Kristjansson, CEO van Landsbanki, sprak zijn twijfel uit over de kundigheid van degene die het rapport hadden geschreven, door te zeggen dat dit soort werk meestal werd gedaan door nieuwkomers in het veld en dat zij met deze analyses hun namen geen goed zouden doen. De IJslandse Kamer van Koophandel kon al deze rapporten niet onbeantwoord laten; zij liet een onderzoek uitvoeren door Tryggvi Thor Herbertsson, de voorzitter van het Economisch Instituut van de University of Iceland en professor Frederic Mishkin van de Columbia University. Dat rapport – getiteld *Financial Stability in Iceland* – concludeerde dat IJslands financiële fundamenten sterk waren en er geen reden was tot paniek. Tryggvi Thor kreeg twee miljoen kronen (zo'n 25.000 euro) voor zijn aandeel in het rapport en werd daarnaast nog in 2009 door de kiezers van de Independence Party beloond met een zetel in de Althingi. Mishkin kreeg 17 miljoen kronen (circa 200.000 euro) uitbetaald. Terwijl het duo daarna samen op rendieren ging jagen in Oost-IJsland, werd hun rapport gebruikt als tegenwicht voor alle negatieve kritiek die op IJslands kusten beukten.

Ondanks de gunstige voorstelling van zaken zeiden de banken de kritiek serieus te nemen. Vooral de kritiek op hun onconventionele financiering kreeg de aandacht. Ze zagen de noodzaak in om meer traditionele financiering te gaan aanboren. Hun groei was tot dan toe vooral afhankelijk geweest van het bieden van gunstige rentetarieven overzee, maar het werd steeds lastiger zich op deze manier te laten financieren. In de zomer van 2006 startten de drie belangrijkste IJslandse banken, Glitnir, Kaupthing en Landsbanki, campagnes die hun klanten moesten overhalen hun 'luie' spaargeld op spaarrekeningen en fondsen beter te investeren.

'Spannend' beleggen: de geboorte van Icesave

Binnen Kaupthing ontstond er onenigheid tussen de consumententak en de vermogensbeheerders van de bank. De eerste wilden het ouderwetse 'saaie' sparen promoten, terwijl de laatsten het accent wilden leggen op 'spannender' manieren, zoals beleggingen. Er werd besloten beide mogelijkheden te introduceren en de klant moest zelf maar kiezen. In de verkoopgesprekken die de IJslanders bij hun banken te horen kregen, werden de opbrengsten die het fondsbeleggen bood zo aantrekkelijk voorgespiegeld, dat velen ervoor vielen. Dat de medewerkers van de banken en callcentra hun advies die richting stuurden, werd mede ingegeven door de bonus van 1500 tot 2000 kronen (25 euro) voor elke klant die een spaarrekening opende met een maandelijkse afschrijving voor zo'n 'spannende' beleggingsvorm. Landsbanki adverteerde op billboards, in kranten en op tv met roze Post-It memo's die mensen eraan moesten herinneren om 'hun spaargeld over te boeken'. Deze campagnes waren een eclatant succes en later dat jaar lieten de banken weten dat ze de adviezen van het *Geyser Crisis Rapport* ter harte hadden genomen en hun verantwoordelijkheid waren gaan dragen door de manier waarop ze zichzelf financierden aan te passen, de informatievoorziening te verbeteren en te intensiveren en hun risico's meer te spreiden.

De Franse bank BNP Paribas rapporteerde in september 2006 dan ook dat het antwoord van de IJslandse banken afdoende was. Hun banksysteem zou nu goed op orde zijn en leek niet op de economieën van de nieuwe markten waarmee de criticasters hen hadden vergeleken. In augustus 2006 kreeg Landsbanki zelfs de zegen van de VS toen een lening van 2,25 miljard dollar werd goedgekeurd door de Bank of America, Citigroup en de Deutsche Bank; de grootste lening die een IJslandse bank ooit was verstrekt. Volgens Landsbanki bekrachtigde dit het vertrouwen dat investeerders in de langetermijnstrategie van de bank hadden. *Credit Magazine* noemde de lening één van de 'Deals of the Year'.

Uit deze sfeer, waarbij de IJslandse banken dachten de storm te hebben weerstaan, werd Icesave geboren. Op 10 oktober 2006 kondigde Landsbanki in een klein artikel op de website van *Morgunbladid* een nieuwe spaarmogelijkheid in Engeland aan: Icesave. Het artikeltje meldde verder nog dat die mogelijkheid spoedig zou worden uitgebreid met andere producten. Dit was een interessante stap die op dat moment briljant leek, want in die tijd waren online spaarrekeningen bijzonder populair bij de Engelse klant. Minder overheadkosten van de bank betekende immers dat ze hogere rentes konden bieden.

Onze eigen ING Direct had het voortouw genomen in deze markt en was daarmee heel succesvol. Landsbanki zag in deze manier een kans om minder afhankelijk te worden van de wispelturigheid van de zakelijke financiële markt. De bank moest zich onderscheiden van de concurrentie en deed dat door de hoogst mogelijke rentes aan te bieden, daarbij gebruikmakend van het vertrouwen dat het imago van IJsland bij bijvoorbeeld de Engelsen opriep. Icesave werd in Londen geïntroduceerd met de slogan 'Forged by fire, honed by ice' – 'Gesmeed door vuur, verstevigd door ijs' – met beelden van de kenmerkende ruige natuur van het Scandinavische land. De reacties waren overweldigend positief. In februari 2007 verscheen Sigurjon Th. Arnason, de CEO van Landsbanki, triomfantelijk in het businesskatern van *Frettabladid*, de andere IJslandse krant. Met op dat moment 220 miljard kronen (ongeveer 2,6 miljard euro) in Icesave was deze man uitgeroepen tot hét online genie van de spaarwereld. "Het enige wat ik moet doen is aan het einde van de dag te tellen hoeveel geld er is binnengekomen", zei hij tegen de verslaggever toen hij de telefoon opnam om de laatste cijfers door te krijgen. "Afgelopen vrijdag hadden we 50 miljoen pond", sprak hij trots.

De Engelse en IJslandse media prezen Landsbanki's innovatieve aanpak. In de zomer van 2007 stemden de lezers van *What Investment* voor Icesave als de beste online spaarrekening. En bij de enquête die *Frettabladid* aan het eind van dat jaar onder zakenmensen hield, noemde meer dan een derde van hen Icesave als business van het jaar. Geen wonder dus dat de IJslandse kranten het onstuitbare sprookje van de IJslandse banken vierden en dat de rivalen van Landsbanki hun versies van het succes planden: Kaupthing Edge en Glitnirs Save&Save werden in 2007 in de Scandinavische landen geïntroduceerd.

2007: De winning mood van de Viking-invallers

Hey you, looking at me, I'm talking to you
I'm Silvia Night shining in the light – I know you want me too
Born in Reykjavik in a different league – no damn eurotrashfreak
The vote is in, they say I win
Too bad for all the others

So congratulations I have arrived
I'm Silvia Night and I'm shining so bright
Eurovision nation your dreams will come true
You've been waiting forever
For me to save you
Wham bam boom
'Congratulations', door Silvia Night.
IJslands inzending voor het Eurovisie Songfestival 2006

De kleine IJslandse glamourbabe Silvia Night werd al weggehoond nog voordat ze haar act op het Eurovisie Songfestival in Athene in 2006 zelfs maar begonnen was. Vloekend en tierend was ze door de oude stad geraast, in de verwachting dat iedereen voor haar wensen zou buigen. Ze schokte het publiek thuis en in de zaal. Haar driftbui toen ze zich realiseerde dat ze te weinig punten had om door te gaan naar de finale, was een groteske vertoning. Europa schudde het hoofd. Haar optreden weerspiegelde prima de tijdgeest van IJsland van de jaren 2005-2007: niet realistisch en over het paard getild.

Nu de banken zo'n spectaculaire groei lieten zien, de IJslandse zaken elke maand maar groeiden en het werkloosheidspercentage maar 1% was, vloeide de champagne letterlijk aan de bars in Reykjavik. Deze bars werden tot dan toe slechts bezocht door Europese jongelui vanwege de wat rauwe maar sociale sfeer. Bij Oliver, dé hotspot van de stad, hoefden bankmedewerkers alleen maar de naam van hun werkgever te fluisteren om meteen door te kunnen lopen. Eenmaal binnen waren de beste tafels gereserveerd voor de vermogensbeheerders, met steevast een gevulde champagnekoeler. Range Rover richtte zich in advertenties op de top, en het gerucht ging dat er in IJsland meer van hun auto's werden verkocht dan in de rest van de Scandinavische landen samen. Bij Glitnir werkten er meer mensen op de afdeling Evenementen dan op Interne Zaken en de kosten van een reisje zalmvissen in Rusland werd door één van de gasten geraamd op 500 miljoen kronen, zo'n 5,5 miljoen euro. IJslands meest gelezen roddelblad *Sed og Heyrt* kwam met verhalen over diverse schandaleuze feesten. Naarmate de competitie tussen 's lands miljardairs groeide, raakte het vliegveld van Reykjavik steeds voller met privéjets. Jon Asgeir Johannesson had er één, net als Palmi Haraldsson en Bjorgolfur Thor, die de race gewonnen leek te hebben toen *Forbes* hem in 2006 uitriep tot de eerste IJslander op hun miljardairslijst.

Het kan niet op…
Bjorgolfur liet voor zijn veertigste verjaardag honderden vrienden en familieleden naar Jamaica vliegen voor een feestje waar hij Ziggy Marley en 50 Cent liet optreden. IJslanders zouden later de spot drijven met een foto van Bjorgolfur met de Amerikaanse rapper, waarvan ze zeiden dat het een gangster was. Olafur Olafssons verjaardag werd opgeluisterd door Elton John en op het nieuwjaarsfeestje dat Kaupthings CEO Armann Thorvaldsson in Londen gaf, traden Duran Duran en Tom Jones op.

In die tijd leek IJsland te denken dat de hele wereld hun schatkist was. De ongelofelijke hausse die door de IJslandse zakenmensen was geïnitieerd, had de trots van de natie aangewakkerd. IJsland was altijd de afgelegen sluitpost van Europa, waar het gezegde 'Gezag komt van buiten' als waarheid werd aanvaard. Er heerste een minderwaardigheidsgevoel over dat wat uit IJsland zelf kwam. Maar nu werden IJslanders die internationaal naam maakten vereerd en het hele volk deelde hun buitenlandse verovering. Tot het begin van de nieuwe eeuw vertegenwoordigden alleen musici als Björk en sporters als Stuttgarts Asgeir Sigurvinsson de IJslandse vlag. Het nationale handbalteam was internationaal onderscheiden en eerder waren Jon Pall Sigmarsson en Magnus Ver Magnusson diverse malen uitgeroepen tot 'Sterkste Man ter Wereld'. Tel daarbij op dat in de jaren tachtig het twee keer een IJslandse was die tot Miss World was gekroond en je snapt IJslands claim 'Wij hebben de sterkste mannen en de mooiste vrouwen van de wereld'. En nu bleek IJsland ook de zakengenieën van de wereld voort te brengen. De eigenaren van hun banken en hun grootste zakenmensen kregen de hartelijk bedoelde bijnaam 'Viking-invallers'.

Klein maar fijn?
Hoewel IJslanders de neiging hebben hun eigen capaciteiten te overschatten, hebben ze ook eigenschappen die in het buitenland zeer gewaardeerd worden. Veel IJslanders hebben een prestigieuze studie in de VS of Engeland achter de rug als ze in IJsland aan de slag gaan. Vrijwel elke IJslander spreekt Engels. Omdat het land klein is, importeert het veel media en cultuur. Net als bij ons zijn Amerikaanse en Engelse series er veelvuldig te zien. Het dagelijkse nieuws van eigen bodem wordt er uitstekend verzorgd; ondanks de grootte van het land heeft het zowel een publieke omroep (RUV) als een commerciële (625). Het IJslandse nieuws werd dan ook gedomineerd door de irrealistische successen die het landje behaalde.

IJslanders waren eigenaar van Magasin du Nord (de Bijenkorf van Denemarken), Bakkavor was de marktleidende producent van fastfood in Europa en zelfs wereldwijd deden IJslanders mee: Baugur bezat Hamley's, de beroemdste speelgoedketen ter wereld. Kaupthing verhuisde haar Londense kantoor naar Oxford Street in hetzelfde gebouw als waar Apple's outletstore zat. Steeds meer IJslanders gingen – dankzij de sterke kroon – winkelen in Londen en ze grapten dat zij de helft van de bekende winkelstraat bezaten. Bjorgolfur Gudmundsson was de eigenaar van de voetbalclub West Ham United, een team uit de Engelse Premier League en Eidur Gudjohnsen won samen met Didier Drogba van Chelsea en Lionel Messi van Barcelona mooie titels. Björk was genomineerd voor Grammy's, Oscars en Golden Globes en IJslands handbalaanvoerder Olafur Stefansson was zonder twijfel een van de topspelers van deze sport en herhaaldelijk met zijn team winnaar van diverse Europese titels. Kort en goed: IJsland was in de *winning mood*! De IJslandse media meldden vrolijk en vol trots al deze wapenfeiten; media die zelf ook uitbreidden. *Morgunbladid* liet een van de modernste drukkerijen van Europa bouwen en het management van *Frettabladid* plaatste hun kantoor over naar Denemarken om daar een gratis krant uit te brengen. De IJslandse Kamer van Koophandel stelde vol trots dat IJslandse zakenmensen de trend zetten, en niet langer hun Scandinavische collega's. De eigen bevolking at de kruimels mee van wat de Viking-aanvallers van tafel lieten vallen. Vissers werden bankhandelaren die in de top 100 van de grootste banken ter wereld stonden. Handelaren in luxegoederen en catering trokken profijt van de *booming business*. Lokale bankfilialen toostten keer op keer met champagne op steeds weer nieuwe verkooprecords en bij de jaarlijkse bedrijfsdiners ging het erom welke buitenlandse VIP er nu weer zou optreden. Had een bank IJslandse beroemdheden, dan was de teleurstelling groot. Een voormalige bankmedewerker zei, terugkijkend op 2007, dat het wel leek op 'een doorlopende cocktailparty'. Geruchten over excessen deden de ronde. Iemand die ontzet was over het ontbreken van exclusieve alcoholische drankjes bij Solon, een bar in Reykjavik waar normaliter alleen goedkoop bier werd getapt, gaf de barkeeper de opdracht hem iets in te schenken, het 'speciaal' te noemen en dan zou hij het dubbele betalen. Of neem de vader die het voetbalteam van zijn 10-jarig zoontje met een privéjet naar een toernooi liet halen en brengen.

Hoe krijg ik succes in de moderne zakenwereld: lessen uit IJsland

Een lezing door de president van IJsland Ólafur Ragnar Grímsson bij de Walbrook Club in Londen (3 mei 2005):

"Hooggeleerde ondernemers, vertegenwoordigers van de media. Dames en heren,

De laatste tijd ben ik op verschillende bijeenkomsten, voornamelijk hier in Londen, uitgenodigd om te komen spreken over hoe het komt dat IJslandse ondernemers zo succesvol zijn op terreinen waar anderen aarzelen of mislukken en het geheim te onthullen van hun prestaties.
Ik ben natuurlijk in de verleiding om het een mysterie te laten blijven en de Britse zakenwereld versteld te laten staan, om zo mijn IJslandse vrienden in het voordeel te laten blijven – een fascinerende mogelijkheid –, maar toen mijn vriend Lord Polumbo mij vroeg over dit onderwerp te komen spreken op de eminente Walbrook Club, kon ik de uitdaging niet weerstaan.

Het is inderdaad een interessante vraag: Hoe heeft ons kleine land de afgelopen jaren zoveel overwinningen behaald op de Britse, Europese en wereldmarkten die zo vol concurrenten zitten? Vooral omdat we eeuwenlang het armste land van Europa waren, een volk van boeren en vissers dat Hull en Grimsby als belangrijkste voorbeeld hadden, een volk dat tot een paar

---

*decennia geleden wanhopig op zoek was naar uitbreiding van vissersmijlen
om te overleven, eerst naar 12, toen naar 50 en ten slotte naar 200 zeemijlen.
Telkens stuurde Engeland de marine op ons dak om ons te stoppen, maar
telkens wonnen wij – de enige natie ter wereld die de Britse marine heeft
verslagen – niet één maar drie keer. Met dit unieke record op zak begonnen
ondernemersgezinde Vikingen vol vertrouwen in Londen aan hun opmars
in de wereld!*

*Ja, het is inderdaad een fascinerende vraag. Niet alleen met betrekking tot
IJsland, maar omdat het een licht werpt op een paar fundamentele trends
in de hedendaagse manier van zakendoen. Het toont de nieuwe wijze van
succes en laat zien waarom de één triomfeert en de ander mislukt. Globalisering en automatisering hebben kleine landen nog niet eerder vertoonde
mogelijkheden gegeven. Groeiobstakels zijn grotendeels verlaten en hebben
plaatsgemaakt voor een open arena waar talent, voorstellingsvermogen en
creativiteit bepalen wat er geoogst wordt. Innovaties kunnen nu van alle
kanten komen, individueel initiatief kan het fundament zijn voor bedrijven die in korte tijd van wereldbelang kunnen worden. IJsland heeft de
afgelopen jaren bewezen hoe een klein land een georganiseerd en succesvol
antwoord kan geven op de globalisering, om zo het eigen zakelijk succes
aan te jagen. Elk bedrijf in ons land heeft nu de unieke kans zichzelf te
profileren. Nieuwe ondernemingen kunnen nu, waar hun thuisbasis ook is,
meedoen en de hele wereld als hun territorium beschouwen. In de nieuwe
economie kan een klein land een winstgevende basis zijn voor innovatieve
bedrijven, omdat het daar gemakkelijker is om je te profileren, om ver-
banden te leggen tussen verschillende bedrijfstakken, om toegang tot informatie en expertise te krijgen en om oplossingen voor complexe zaken
te kunnen vastpakken. Een kleine staat kan als een soort laboratorium of
onderzoeksinstituut fungeren in precies die sectoren van de huidige economie die steeds meer gaan domineren. Er zijn voorbeelden te over om
te illustreren hoe onze zakenmensen het voor elkaar hebben gekregen zich
in buitenlandse markten te manifesteren. In de afgelopen decennia zagen
we al het succes van de marketing van onze zeevishandel met hun distri-
butiekanalen in Europa, Amerika en Azië en de opmerkelijke resultaten
van onze luchtvaartmaatschappijen die, vanaf de jaren zestig, toen Loftleidir, nu Icelandair,'s werelds eerste budgetluchtvaartmaatschappij werd
en het de hippiegeneratie mogelijk maakte goedkoop de Atlantische Oceaan over te vliegen. Deze experimenten waren een belangrijke voedingsbodem, maar niemand had toen het buitengewone succes van de afgelopen
jaren kunnen voorspellen; een succes dat inderdaad prikkelende vragen
doet rijzen over heersende zakelijke strategieën, theorieën en trainingen
van deze tijd. Laat me hier een paar van deze succesverhalen noemen.*

Baugur is welbekend hier in Engeland, het speelt een rol van betekenis in de detailhandel en dat niet alleen in Engeland maar ook in Denemarken en Zweden. Avion Group, de gespecialiseerde luchtvaartmaatschappij, is nu de grootste in haar soort in de wereld. Kortgeleden opende zij haar Europese hoofdkantoor in Crawley, dichtbij Londen. Actavis is het snelstgroeiende farmaceutische bedrijf op aarde met productiebedrijven in onder andere Bulgarije, Malta, Servië en India. Össur, de grootste fabrikant van protheses ter wereld, is opgericht door een onbekende IJslander die met zijn uitvindingen begonnen is in achterkamertjes in een oude wijk van Reykjavik. Kaupthing Bank, die pas zes jaar geleden haar eerste buitenlandse kantoor opende en daarmee het eerste IJslandse bankkantoor op vreemde bodem ooit, is nu het grootste financiële instituut van de Scandinavische landen met kantoren in Europa en Amerika. Bakkavor, dat tien jaar geleden begon in een garage in mijn eigen gemeente en nu hier in Engeland de grootste producent is van fastfood. Onlangs heeft ze Geest overgenomen om zo haar zakenterrein nog verder te kunnen uitbreiden. Ik kan zo nog wel even doorgaan, er is nog zoveel meer te noemen: voorbeelden uit de transportwereld, de voedselverwerking, machine- en softwareproductie, telecommunicatie en andere bedrijfstakken.

Hoe was het mogelijk om in zo'n korte tijd zoveel succes te behalen op zoveel verschillende terreinen en op gebieden waar we voorheen geen noemenswaardige voorsprong in hadden, terreinen als de farmacie, protheses, bankieren, financieren en mode, om er maar een paar te noemen?

Natuurlijk is er een scala aan factoren die hebben bijgedragen aan deze succesreis, maar ik ben ervan overtuigd dat onze zakelijke cultuur, onze benadering, onze manier van denken en de gedragspatronen die in onze cultuur en onze identiteit verankerd liggen, een cruciale rol hebben gespeeld. Het zijn stuk voor stuk elementen die niet stroken met de heersende theorieën van gerenommeerde business universiteiten en die door veel grote Amerikaanse en Britse bedrijven nauwlettend worden geobserveerd. Wij hebben succes omdat we het anders doen en onze resultaten zouden het establishment in andere landen moeten inspireren om hun bestaande overtuigingen en normen over wat tot gegarandeerd succes leidt, te heroverwegen. De reeks van IJslandse succesvoorbeelden bewijst dat het vruchtbaar zou zijn de dialoog aan te gaan over hoe de moderne zakenwereld aan het veranderen is. Ik zal u een lijst opnoemen van zo'n dertien elementen waarvan ik denk dat ze cruciaal zijn geweest voor IJslands succesverhaal. Ik noem ze u in willekeurige volgorde, maar opgeteld ben ik ervan overtuigd dat ze een veelbetekenend raamwerk vormen voor zakelijk succes; een spoor naar vruchtbare grond waarin resultaat kan ontkiemen. Op de eerste plaats een hoog arbeidsmoraal. Dit is de erfenis van een ge-

meenschap van boeren en vissers die genoodzaakt waren de dagvangst zo snel mogelijk aan land te brengen en onmiddellijk te verwerken als de boten in de haven kwamen en het weer hen die dag dus gunstig gezind was geweest. Toen Kaupthing de andere gegadigden van de Deense FIH Erhvervs Bank versloeg, kwam een teleurgestelde Engelse afgevaardigde terug in Londen en zei tegen zijn baas dat de IJslanders hadden gewonnen omdat, zoals hij het stelde: 'Als wij naar huis gaan, [...]deze jongens nog steeds aan het werk [zijn].'

Ten tweede neigen wij ernaar om ons te focussen op het resultaat en niet op de manier waarop dat wordt behaald. Wij gaan rechtstreeks op ons doel af en doen dat zo snel mogelijk; we vragen liever wanneer iets klaar kan zijn dan hoe het gedaan moet worden.

Op de derde plaats zijn IJslanders risicolopers. Ze hebben lef en zijn agressief. Misschien komt dat omdat ze weten dat, als ze falen, ze altijd terug kunnen komen naar hun land waar ze een goed leven kunnen leiden in een open en veilige gemeenschap. De structuur van ons land zorgt voor een vangnet dat onze zakelijk leiders in staat stelt meer risico's te durven nemen dan anderen.

Ten vierde is er de afwezigheid van bureaucratie in IJsland en tolereren we die ook niet. Misschien komt dat omdat we met zo weinigen zijn en we ons ingewikkelde bureaucratische structuren nooit hebben kunnen veroorloven; en dat, als we ze tegenkomen, we liever een alternatieve manier kiezen.

Op de vijfde plaats hechten wij aan het persoonlijk vertrouwen, 'mijn woord van eer' geldt bij ons nog in de klassieke betekenis. Dit stelt ons in staat om mensen op een buitengewoon efficiënte manier te laten samenwerken omdat iedereen elkaar kent. Dit vertrouwen heeft ook zijn weerslag op nummer zes:

Het vormen van kleine groepen ondernemers die nauw en strategisch samenwerken, zo een flegmatiek netwerk creëren waarin beslissers een deal sneller kunnen sluiten dan degenen die gewend zijn te werken in grote en bureaucratische ondernemingen.

Op de zevende plaats kennen wij een ondernemerschap, een ouderwets ondernemerschap, waar de baas of bazin zelf aan het front staat, de verantwoordelijkheid neemt, het team leidt en het gezicht van het bedrijf is. Deze stijl van ondernemen geeft een bedrijf een zichtbaar en persoonlijk aanzien. Deze stijl van ondernemen brengt leiders voort die weten dat zij verantwoordelijk zijn en die zich ervan bewust zijn dat hun acties een deal kunnen maken of breken. Of, zoals een Aziatische bestuurder me ooit zei: 'De reden dat ik graag zaken doe met IJslanders is dat ik de bazen zelf aan tafel krijg, ze verschuilen zich niet achter een leger advocaten of accountants zoals dat het geval is bij grote Europese of Amerikaanse bedrijven.'

Op de achtste plaats van mijn lijst staat de erfenis van ontdekken en verkennen, ingegeven door de middeleeuwse Viking-sagen die keer op keer aan elk IJslands kind zijn verteld. Deze traditie, die eer bewijst aan hen die het aandurfden op zoek te gaan naar onbekend land, die zich op buitenlandse grond waagden, wordt vertaald in moderne ondernemingen als een voorbeeld van de Viking-mentaliteit; een eerbetoon aan de succesvolle ondernemers die zich de erfgenamen tonen van deze trotse traditie.

Op negen staat het belang van de persoonlijke reputatie. Deze ligt gedeeltelijk besloten in de middeleeuwse Edda, die zegt dat onze rijkdom vergankelijk kan zijn maar onze reputatie voor altijd is. Elke IJslandse ondernemer realiseert zich dat nederlaag of succes niet alleen zijn weerslag heeft op zijn of haar reputatie, maar op de reputatie van de hele natie. Ze zien zichzelf daardoor als vertegenwoordigers van een trots volk en zijn zich ervan bewust dat hun gedrag de IJslandse reputatie voor decennia of eeuwen kan markeren.

Tien is het feit dat de IJslandse markt, hoe klein die ook is, door haar hoge competitie, meer nog dan andere Europese markten, een bewezen try-out-markt is, zodat wat in IJsland slaagt zeer waarschijnlijk ook elders succes zal hebben.

Op de elfde plaats staat het feit dat het IJslandse volk zo klein is. Wij reizen de wereld niet af met verborgen agenda's, grote en machtige belangen geworteld in militaire, financiële of politieke belangen. Niemand is bang om met ons samen te werken; mensen zien ons als fascinerende excentriekelingen die geen kwaad kunnen doen en daarom worden wij overal met open armen ontvangen.

Als twaalfde wil ik de sterke interactie noemen tussen de verschillende sectoren, die uitdaagt tot samenwerking en samenwerking bevordert zonder ingewikkelde bureaucratische obstakels. De grote kennis die onze managers hebben van de mogelijkheden van andere sectoren maakt het gemakkelijk om mensen mee te trekken in veelbelovende projecten.

Ten slotte is er onze creativiteit die zijn oorsprong heeft in de IJslandse cultuur waarin mensen met talent in poëzie en verhalen vertellen werden gerespecteerd als creatieve medespelers.

Al deze kwalificaties hebben hun weerslag gehad in de manier van zakendoen zoals gedemonstreerd wordt met de IJslandse term voor pionier of ondernemer, 'athafnaskáld', dat letterlijk 'dichter der onderneming' betekent. Bewondering voor creatieve geesten is overgebracht van oude vervlogen tijden naar de nieuwe mondiale tijd waarin originaliteit van doorslaggevend belang is gebleken.

Opgeteld hebben deze dertien elementen de IJslandse zakenwereld een overwicht gegeven in de zakelijke wereld en ons in staat gesteld te winnen

waar anderen faalden of niet durfden te beginnen. Onze ondernemers heb-
ben sneller, effectiever, origineler, flexibeler, betrouwbaarder en met meer
lef weten te handelen dan veel anderen.
Het imago dat IJsland op zakelijk gebied heeft weten te vestigen, is ook een
interessant uitgangspunt om de geldigheid van traditionele businesstheo-
rieën, de theorieën die door multinationals in praktijk worden gebracht en
op businessscholen aan beide zijden van de oceaan worden onderwezen, te
toetsen.
Het stelt ons in staat de nadruk te leggen op ondernemerschap versus theo-
rie, op proces versus resultaten, op vertrouwen versus carrièreplanning, op
creativiteit versus financiële mogelijkheden.

Ik heb deze morgen slechts enkele lessen genoemd die het IJslandse succes
kenmerken, maar ik hoop dat mijn analyse bijdraagt aan het ophelderen
van wat voor velen een groot mysterie was. Laat me eindigen met een be-
lofte. Een belofte die ik onlangs deed bij de opening van het hoofdkantoor
van de Avion Group in Crawley. Ik zal het formuleren op zijn Hollywoods:
'You ain't seen nothing yet'."

Voorbodes van een Ramp

Toen Richard Thomas van zakenbank Merrill Lynch in juni 2006 zijn bezorgdheid over de IJslandse economie uitte, was de IJslandse minister van
Onderwijs Thorgerdur Katrin Gunnarsdottir duidelijk geïrriteerd; zij vroeg
zich af wat in godsnaam de motieven van de man waren en suggereerde dat
hij heropgevoed zou moeten worden. Robert Z. Aliber, hoogleraar economie aan de Universiteit van Chicago, zei tijdens zijn bezoek aan IJsland in
de zomer van 2007, dat het nog een jaar zou duren tot de bel zou barsten.
Het verhaal gaat dat Aliber de bouwkranen telde in Reykjavik en de conclusie trok dat IJsland zwaar in de problemen zat. Thorolfur Matthiasson van
de Universiteit van IJsland, die het bezoek van Aliber had georganiseerd,
zei later dat de sponsors van het seminar, uiteraard een financiële instelling,
hadden gedreigd nooit meer een van zijn projecten te zullen financieren.
Een IJslandse journalist die Aliber interviewde, werd beschuldigd van verraad. Een jaar later bracht Aliber echter nog een bezoek en legde daarmee
een schaduw over de prachtige zomer waar de IJslanders van genoten. Zijn
oordeel was dat de drie grote banken op sterven na dood waren. Robert
Wade van de London School of Economics zei ongeveer hetzelfde. Aliber,
midden 60, werd voor seniel uitgemaakt, Hannes Holmsteinn Gissurarson
vergeleek Wade met Dithmar Blefken, een Duitse priester die in 1607 de
IJslanders nogal ongunstig beschreef.

Ook een teken aan de wand is iets wat zich afspeelt in november 2007: een groep geschrokken medewerkers van Kaupthings consumentenafdeling verlaat dan in volstrekte stilte de tweewekelijkse vergadering. "Leen geen geld meer uit", had hun CEO hen gezegd. Hij bestempelde 2008 als rampjaar van de IJslandse economie. "Vele mensen en zaken gaan het slachtoffer worden. Er zitten een ongekend groot aantal faillissementen aan te komen." Twee weken later herhaalde hij zijn waarschuwing: "Hebben jullie niet gehoord wat ik heb gezegd? Stop met het uitlenen van geld!"

Criticasters met verstand van zaken als Thomas, Aliber, Wade (en anderen) werden echter overschreeuwd door het tumult van het IJslandse economische sprookje. Maar toen in de zomer van 2007 het totaal aan spaargeld van Icesave de vier miljard pond had bereikt, had de Centrale Bank zeker moeten beseffen dat – met een reserve van slechts 1,2 miljoen pond – het niet als laatste toevluchtsoord voor banken kon fungeren. Een bankrun in Engeland zou de financiële stabiliteit van IJsland zonder twijfel in gevaar brengen.

Europese bankwereld

Het valt niet mee om als leek zicht te krijgen op en inzicht te krijgen in de Europese financiële wereld. Elk land heeft zijn eigen toezichthouder zoals De Nederlandsche Bank voor Nederland. Landen met een eigen valuta hebben een Centrale Bank en een toezichthouder, zoals in IJsland de FME. Op Europees niveau is de rol van nationale Centrale Banken overgenomen door de Europese Centrale Bank (ECB) die aan de aangesloten landen (en de banken erin) faciliteiten verleent. De opdracht van de ECB is de euro zo sterk mogelijk te houden ten opzichte van andere valuta. Verder kom je namen tegen als de Bank of International Settlements in Basel, waar de toezichthouders/Centrale Banken bij zijn aangesloten om elkaar te steunen en financiële stabiliteit te ondersteunen, Basel II, waar een aantal toezichthouders/Centrale Banken kennis met elkaar delen en maatregelen afspreken voor een beter beheer en de G10, een samenwerking van toezichthouders/Centrale Banken (en ministeries van Financiën) van de grotere landen (G7) aangevuld met o.a. Nederland om elkaar leningsfaciliteiten te bieden.

Icesave en de Centrale Banken

Begin 2008 vonden er binnen Landsbanki herhaaldelijk discussies plaats om het Londense Icesave-filiaal in een dochtermaatschappij om te zetten, dit als gevolg van de negatieve persaandacht die de IJslandse banken in Engeland kregen. Hiermee zou de Engelse dochter onder Engels toezicht komen. In februari vroeg en kreeg de bank juridisch advies over deze mogelijkheid. Op dat moment eiste de Engelse FSA in Engeland de overboeking van 20% van de bezittingen van Landsbanki naar de dochtermaatschappij. Nieuwe spaargelden zouden dan niet meer straffeloos naar andere onderdelen van Landsbanki kunnen worden overgeboekt (zie later in dit boek). Op 8 februari 2008 meldde de bank bij de Centrale Bank van Engeland dat het deze opties overwoog. Centrale Bankmanager David Oddsson en een werknemer van deze bank waren juist teruggekeerd van vergaderingen met de ratingagentschappen in Londen, die waarschuwingen over de IJslandse situatie afgaven, met name voor Icesave, omdat zij vreesden dat er op deze bank een bankrun zou plaatsvinden indien het vertrouwen in de financiële markten zou verdwijnen.

Op 3 maart hadden David Oddsson en Ingimundur Fridriksson (president van de Centrale Bank) een ontmoeting met de voorzitter van de Bank of England Mervyn King, om de IJslandse bankbelangen in Engeland te bespreken. David zei tegen King dat de situatie bij de IJslandse banken 'redelijk goed' was. Discussies over verdere samenwerking tussen de banken volgden en twee weken later stuurde Ingimundur een e-mail aan John Grieve, de vicepresident die bij de besprekingen aanwezig was geweest, om te vragen of de Bank of England een gelduitwisseling wilde overwegen met de Centrale Bank van IJsland. IJsland zou dan tot een bepaald bedrag altijd bij de Engelse Centrale Bank terecht kunnen om kronen in te wisselen tegen ponden. Echter, de Centrale Bank van IJsland zat zelf midden in een crisis. De kroon was, na jarenlang een sterke valuta te zijn geweest, in een vrije val geraakt en de bank zat in een vergelijkbare positie als de andere IJslandse banken. Ook voor de Centrale Bank werd de deur dichtgedaan. Paul Tucker, de algemeen directeur van de Bank of England, vroeg om welk bedrag het ging en wat de reden van deze aanvraag was. Ingimundur antwoordde dat het ging om een som van tussen de een en twee miljard pond, en dat dit geld niet gebruikt zou worden voor de binnenlandse markt, 'althans voorlopig niet'. Een paar dagen later beweerde Tucker dat King hier wellicht voor openstond, maar stelde hij tevens voor dat de Centrale Bank ook de Europese Centrale Bank en de Bank of International Settlements in Basel zou consulteren. Ingimundur gaf toen de ware intenties van de Centrale Bank bloot:

In antwoord op onze eerdere gesprekken, deel ik u mede dat wij geïnteresseerd zijn in daadwerkelijke toezegging voor een bedrag van tussen de 1 en 2 miljard pond voor een periode van minimaal enkele maanden, uitlopend tot misschien het einde van dit jaar. Het geld zal gebruikt worden om de internationale liquiditeit van de Centrale Bank te versterken en om haar ver-

plichtingen te kunnen nakomen. Op dit moment kunnen wij niet aangeven hoe wij deze aanvullende liquiditeit zullen gebruiken, wij denken echter dat aanvullende internationale liquiditeit die gebaseerd is op een overeenkomst met de Bank of England en wellicht andere vooraanstaande banken, het vertrouwen in de Centrale Banken in het financiële systeem in het algemeen, zou verhogen.

Op 26 maart 2008 vroeg David Oddsson de ECB een leningsfaciliteit van twee miljard euro. Er kwam geen formele reactie, maar vicepresident Francesco Papadia antwoordde vijf dagen later in een e-mail dat de raad van bestuur meer informatie van IJsland verlangde. Hij vroeg onder andere of de Centrale Bank met andere Centrale Banken, de Bank of International Settlements of met het IMF overleg had gehad. De Centrale Bank gaf te kennen dat het niet verwachtte de hulp van het IMF nodig te hebben. Hierop stuurde David Oddsson een formele brief naar Mervyn King en naar Jean-Claude Trichet, sinds 2003 directeur van de Europese Centrale Bank:

Met deze brief wil ik u inlichten over recente contacten tussen de Centrale Bank van IJsland en de Bank of England over het aangaan van een swapfaciliteit.

Ondanks dat de zorgen om IJsland vorige week enigszins zijn verminderd, blijven de spotlights op de IJslandse banken gericht en blijven er in de media vragen rijzen over hun positie en die van IJsland. In het licht van de delicate situatie en de algemene structuur van het IJslandse banksysteem, blijft de Centrale Bank zoeken naar versteviging van haar positie.

Bij het tot stand komen van een swapfaciliteit zouden wij onmiddellijk op de wereldmarkt op zoek gaan naar langetermijnfinanciering om de reserves van de Centrale Bank verder te ondersteunen.

Op donderdag 10 april zal de Centrale Bank haar Monetaire Bulletin uitgeven en daarin haar rentestandpunt mededelen. De financiële markten kijken naar dat moment uit en het zal een belangrijke plaats innemen bij verdere mededelingen

Het dient benadrukt te worden dat de IJslandse banken de Centrale Bank niet om liquiditeitshulp hebben gevraagd anders dan routinematige liquiditeitsverschaffing in de IJslandse kroon.

De solvabiliteit van de IJslandse banken is niet in het geding. Het doel van een swapfaciliteit met andere Centrale Banken moet gezien worden als een voorzorgsmaatregel om de verwachtingen bij te stellen en de zorgen te sussen die er in de markt heersen over de mogelijkheden van de Centrale Bank om de storm te overleven.

Daarnaast zou zo'n faciliteit dienstdoen als een beletsel tegen 'gewetenloze' elementen.

Als het IJslandse banksysteem hard geraakt zou worden, zou het een besmettelijk effect kunnen hebben dat zich, gezien de huidige fragiele staat van de internationale financiële wereld, wijd zou kunnen verspreiden.

Als recent voorbeeld: in het eerste kwartaal van 2006 bezorgde een korte interruptie in de financiering van de IJslandse banken de financiële markten een rilling van angst. In het licht van de huidige staat van de financiële wereld is het waarschijnlijk dat de represailles nu aanmerkelijk groter zouden zijn.

Meer dan de helft van alle CDO's [Collateralized Debt Obligations, obligaties met onderpand, noot van de redactie] van de laatste jaren bezitten IJslandse waardepapieren. Onze internationale bankcontacten onderstrepen dat een kredietcrisis als gevolg van liquidatie van de verplichtingen van de IJslandse banken een serieuze impact zou hebben op mondiale belangen.

Vergelijkbare zorgen zijn geuit aangaande potentiële effecten op opkomende economische markten, met name die in Europa.

Het doel van de Centrale Bank van IJsland is om met minimaal vijf Centrale Banken swapovereenkomsten aan te gaan. Ik ben daarvoor al in contact getreden met enkele Scandinavische Centrale Banken, de Bank of England, de ECB en de BIS. Hun eerste reacties waren positief.

Ik kijk uit naar uw welwillende medewerking.

Ondertussen omschreef de CEO van Landsbanki Sigurjon Arnason, tijdens een bijeenkomst bij de Centrale Bank op 30 maart 2008, Icesave als een tikkende tijdbom en de situatie van de IJslandse banken als hopeloos. De kans dat ze de storm zouden doorstaan leek hem minimaal. Op de bestuursvergadering van 7 april 2008 van Landsbanki werd vastgesteld dat de aanhoudend negatieve pers in Engeland het noodzakelijk maakte een Engelse dochtermaatschappij op te zetten, maar dat de bedrijfsleningen van het kantoor in Londen daarbuiten zouden moeten blijven omdat er geen effect was op het depositogarantiestelsel.

Op 11 april 2008 hadden afgevaardigden van de IJslandse Centrale Bank, waaronder Ingimundur Fridriksson, een ontmoeting met vertegenwoordigers van de Scandinavische Centrale Bank en met Jens Henriksson van de Noordelijk Baltische kantoor van het IMF. De voorzitter van de Zweedse Centrale Bank, Stefan Ingves, merkte op dat de IJslandse delegatie een gestreste indruk maakte, niet goed was voorbereid en dat zij zich de op handen zijnde risico's onvoldoende leek te realiseren. Tijdens de vergadering werd de IJslandse regering aangemoedigd haar economie in balans te brengen.

Tijdens een ontmoeting de volgende dag met Mervyn King en Phil Evans van de Bank of England, vroeg King wat IJsland zou doen als er een bankrun zou volgen. Volgens de notulen van die vergadering was het antwoord dat de bank dan waarschijnlijk genationaliseerd zou worden. Tijdens de vergadering van 14 april, sprak Timothy F. Geithner van het Amerikaanse ministerie van Financiën, zijn zorgen uit over de liquiditeit van IJsland. Hij zei dat er een bedrag van meer dan 10 miljard dollar nodig zou zijn om effect te sorteren, anders zouden de markten nog steeds sceptisch blijven. Geithner zei deze bedragen ook van andere Centrale Bank-presidenten gehoord te hebben. Later die dag bleek uit een voorbereide taxatie dat de grootte van de IJslandse banken het voor de Centrale Bank onmogelijk maakte om als *lender of last resort* te kunnen optreden. Daarbij moet de Centrale Bank voor de eigen banken zoveel reserves hebben dat die banken bij problemen kunnen aankloppen voor extra geld. Omdat IJsland kronen heeft en er vaak ponden of euro's in het spel zijn, móet de IJslandse Centrale Bank dus afspraken maken met andere Centrale Banken om weer bij hen geld te kunnen lenen. Het rapport bevatte ook een paar positieve opmerkingen over de IJslandse banken, bijvoorbeeld hun hoge bezit aan onderpand en dat zij continu de toetsen van de FME, de IJslandse toezichthouder, hadden doorstaan.

Op 15 april 2008 stuurde de Centrale Bank in de persoon van David Oddsson een formeel verzoek aan de Centrale Bank van Europa, maar ook die van Engeland, Zweden, Denemarken en Noorwegen om hen te overtuigen hem te helpen met een bedrag van drie tot vier miljard euro om de situatie te kunnen stabiliseren. Dat zou goedkoper voor hen zijn dan wanneer de staat IJsland in elkaar zou storten. Een IJslands virus zou immers de hele wereld kunnen besmetten. Mervyn King's (Bank of England) antwoord was duidelijk:

Het is helder dat de gezamenlijke balans van uw drie banken boven het niveau is gestegen waarbij u als 'lender of last resort' aan uw verplichtingen kunt voldoen. Dit wordt extreem moeilijk zo niet onmogelijk. De internationale financiële markt is zich meer en meer bewust van deze situatie en is daar ernstig bezorgd over.

Het is mijn oordeel dat de enige oplossing voor dit probleem is dat er zo snel mogelijk een programma geïmplementeerd wordt dat de grootte van het IJslandse banksysteem aanzienlijk verkleint.

Het is hoogst ongebruikelijk dat zo'n klein land over zo'n groot bancair systeem beschikt.

Het zou onverstandig van mij zijn om u de weg aan te geven waarop dat het beste kan gebeuren maar de verkoop van één of meer banken of grote de-

len van hun overzeese bezittingen aan buitenlandse banken, zou hoog op uw lijst van mogelijkheden moeten komen te staan.

Het ontwerpen van een dergelijk programma is niet eenvoudig. Ik zou deze zaak graag inbrengen op 4 mei tijdens het directeurendiner van de Centrale Banken van de G10 in Basel om te bezien hoe de internationale gemeenschap IJsland kan helpen een oplossing te vinden.

Ik heb deze zaak besproken met Stefan Ingves, directeur van de Riksbank uit Zweden en wij beiden zullen deze discussie tijdens het diner aanzwengelen.

Het bedrag is relatief klein in verhouding tot de potentiële behoefte aan fondsen die nodig zullen zijn in het geval dat één of meer van uw banken in de problemen komt.

De aankondiging van een swap zal in financiële markten inderdaad de vraag doen rijzen tot op welke hoogte u en wij een probleem in het IJslandse banksysteem bespeuren, vooral als zich dat beperkt tot landen waarmee IJsland goede politieke relaties onderhoudt. Dit zou de aandacht vestigen op de op ontoereikende schaal aanwezige financiële bronnen die u voor dit probleem ter beschikking staan.

De swap zou meer op een politiek gebaar dan op een kredietwaardige financiële strategie kunnen lijken.

Ik weet dat u hier teleurgesteld over zult zijn, maar vrienden moeten elkaar soms de waarheid durven zeggen.

We hebben uw voorstel weloverwogen. In mijn oordeel kan alleen een poging het banksysteem te verkleinen een oplossing vormen voor het huidige probleem.

Ik hoop dat de gemeenschap van internationale Centrale Banken een manier kan vinden u effectief te helpen bij het vinden van een programma om de grootte van uw banksysteem aan te passen. Ik zal alles doen wat in mijn vermogen ligt u te helpen dat te bereiken.

Davids antwoord kwam per omgaande:

Uit uw antwoord maak ik op dat ik er niet voldoende in ben geslaagd u uit te leggen waarom een swapregeling het vertrouwen in IJsland en het IJslandse financiële systeem zou bevorderen.

Ik blijf ervan overtuigd dat een swapregeling met verschillende Centrale Banken het gevaar van serieuze gebeurtenissen aanzienlijk zou verkleinen. Ergo, ik ben bang dat het uitblijven van een swapregeling onder de huidige omstandigheden zeer ernstige gevolgen zal hebben.

Ik benadruk dat ik van mening ben dat het hier niet gaat om een puur IJslandse aangelegenheid. Moeilijkheden in IJsland zullen zich verspreiden naar andere landen en ook daar ernstige gevolgen hebben.

Hij vroeg vervolgens King de zaak te heroverwegen, maar ontving geen antwoord meer op dat verzoek. Eind april vergat de Centrale Bank van IJsland een lening van 500 miljoen Amerikaanse dollar met de Bank of International Settlements (BIS) in Basel te verlengen. Toen die fout werd ontdekt, werd de BIS gevraagd de lening alsnog te verlengen. Dat mocht echter niet meer baten.

In mei kreeg de Centrale Bank het gevoel dat de stemming in het buitenland ten slechte was gekeerd waar het de Centrale Bank betrof. Er leek iets gebeurd te zijn tijdens de bijeenkomst van de G10 in april/mei (waaronder ook het Directeurendiner van 4 mei valt) wat die stemmingswisseling op gang had gebracht. Op 14 mei 2008 ontving premier Geir Haarde een telefoontje van David, die aanwezig was op een bijeenkomst van de directeuren van de Scandinavische Centrale Banken in Oslo. Stefan Ingves wilde dat Geir namens de regering een verklaring zou afleggen dat IJsland een verantwoordelijker fiscale koers zou gaan nastreven. Zonder zo'n verklaring zou er geen hulp worden verleend. De IJslandse regering kwam ogenblikkelijk met een adequate aankondiging.

Kon het barsten van de IJslandse zeepbel in 2006 nog voorkomen worden, in april en mei 2008 bevonden de banken zich in een té precaire positie. Het verwarrende web van eigendomsrechten betekende dat een faillissement van bijvoorbeeld Baugur of Exista door zou sijpelen in het hele systeem. Daarom moesten zij gesteund worden tot de storm zou zijn gaan liggen. Om die reden lag de start van Icesave hier in Nederland voor de IJslanders zo gevoelig. De bank had veel geld nodig om haar activiteiten te financieren en werd tegelijkertijd in Engeland geconfronteerd met steeds meer beperkingen. De gevolgen en de nasleep worden elders in dit boek behandeld, maar het verleggen van activiteiten naar Nederland was vanuit het gezichtspunt van Landsbanki een logische stap om de zaak aan de gang te houden.

Op 6 juni 2008 schreef David Oddsson een brief aan Timothy F. Geithner (van het Amerikaanse ministerie van Financiën) dat de swaps met de Scandinaviërs een positief geluid naar de markten hadden laten horen:

In mijn optiek is het sturen van sterke signalen naar onze bondgenoten van het grootste belang. Een regeling met de Fed is daarom van monumentale waarde. Ik zou het zeer op prijs stellen als u de zaak nog eens wilt overdenken en we daarna contact zouden kunnen hebben. Aarzelt u niet om ons te vragen naar verdere informatie indien u die meent nodig te hebben. [...] De perceptie van sterke en verreikende bondgenoten is belangrijker dan grote bondgenoten. De perceptie van een gebrek aan bondgenoten zou het tegenovergestelde effect kunnen hebben.

Maar de werkelijkheid was dat de markten die zomer voor IJsland gesloten waren. Begin september sloot de Centrale Bank nog een lening van 300 miljoen euro met de Bayerische Landesbank in Duitsland toen eind van die maand een valutaswap werd aangekondigd tussen het Amerikaanse ministerie van Financiën en de Centrale Banken van Zweden, Noorwegen en Denemarken. David schreef toen snel aan Geithner:

De aankondiging deze morgen van de valuta swaps lijken het vertrouwen in de deelnemende landen te hebben verbeterd. Men denkt echter dat de Scandinavische landen één zijn en dat IJsland deel uitmaakt van deze deal en dat zou kunnen betekenen dat wij blijven bungelen.

De volgende dag, 7 juni 2008, spraken beide heren telefonisch met elkaar en vroeg David om een gelijksoortige deal als de andere Scandinavische landen hadden gekregen. Zijn verzoek werd de dag daarna afgekeurd, maar men liet mogelijkheden voor later open.

Op 15 september viel de Amerikaanse financiële dienstverlener Lehman Brothers. Glitnirs CEO Larus Welding verscheen op 21 september 2008 in de populaire IJslandse talkshow *Silfur Egils* waar hij gevraagd werd of hij vond dat IJslandse banken genationaliseerd mochten worden, nu het Amerikaanse Lehman Brothers nog geen week geleden was omgevallen. "Absoluut niet", was zijn antwoord. De flexibiliteit van het IJslandse banksysteem bewees heel gunstig te zijn voor de banken en Glitnirs eigen positie was, volgens hem, veilig. Kort na het interview maakte Larus 318 miljoen kronen (3,5 miljoen euro) van zijn persoonlijke rekening over naar het buitenland. Ook Landsbanki's CEO Halldor J. Kristjansson leek kalm, toen hij op 23 september 2008 tijdens het seminar 'Benijdenswaardige vooruitzichten' van de bank sprak over de toekomstige mogelijkheden van de IJslandse economie: "Ik twijfel er niet aan dat het IJslandse systeem zich hier goed doorheen zal slaan. Het bankenmodel is waar mensen in deze turbulente tijden op vertrouwen." Hij beweerde dat zijn bank, net als de regering en de Centrale Bank, hun verantwoordelijkheid moesten nemen om het systeem draaiende te houden. Volgens Landsbanki waren de fundamenten van de IJslandse economie solide, met veel natuurlijke bronnen, een goed opgeleide bevolking, een flexibele arbeidsmarkt, sterke pensioenfondsen en een gevulde schatkist. Die solide fundamenten zouden door politici en economen vaak geciteerd worden in de jaren na 2008, zij het gaandeweg met minder overtuiging toen de schade van de ondergang eenmaal zichtbaar werd. Achteraf gezien was dit noodlottige jaar voor de financiële, zakelijke en regeringswereld net een auto-ongeluk in slow motion.

Een paar dagen eerder had Ingibjorg Solrun Gisladottir, minister van Buitenlandse Zaken en voorzitter van de Social Democrats, gezegd dat de regering noodlijdende banken te hulp zou schieten, daarmee de woorden van premier Geir Haarde van een jaar eerder herhalend, dat bij een ernstige crisis binnen het financiële systeem, de regering en de Centrale Bank niet alleen zouden toekijken. De regering zou 'zonder aarzeling doen wat verantwoordelijke regeringen overal elders ook zouden doen'.

Glitnir en de Centrale Bank: persoonlijke vendetta's

Tegen die tijd dong de Centrale Bank echter mee bij dezelfde financieringsmogelijkheden als de IJslandse banken zelf. Haar lening bij de Bayerische Landesbank vulde IJslands 'quota' bij de bank en liet Glitnir met lege handen achter. Glitnir moest op 15 oktober 2008 een bedrag van 750 miljoen dollar aflossen en was eerder een extra bedrag van 150 miljoen beloofd door de Bayerische Landesbank. Een lid van de raad van bestuur beschuldigde de Centrale Bank er later dan ook van haar lening te hebben ingepalmd. Glitnir wendde zich tot J.P. Morgan in Amerika die antwoordde dat zij liever de Centrale Bank het geld leenden om Glitnir over te kunnen nemen, dan dat ze Glitnir hielpen. Glitnir zat nu serieus in de problemen. Het had met hun Save&Save online spaarrekeningen nog geen successen geboekt, zoals Landsbanki en Kaupthing met hun online varianten wel deden.

Glitnirs toekomst zag er niet rooskleurig uit: in 2009 moesten grote terugbetalingen worden gedaan. In het eerste kwartaal alleen al 1,5 miljard euro en er was grote onzekerheid over hoe de bank dat voor elkaar moest krijgen. Ondanks dit alles kwam de bank een paar weken eerder zonder enige opmerking uit de stresstest van de FME, de IJslandse toezichthouder.

De voorzitter van de raad van bestuur Thorsteinn Mar Baldvinsson benaderde de Centrale Bank met een hulpvraag. Door zijn bezoek aan David Oddsson waren ze bij Glitnir niet op hun gemak. Jon Asgeir Johannesson, de voorzitter van Stodir – de grootste aandeelhouder van de bank –, vreesde voor 'wat bepaalde mensen denken en wat ze bereid zijn te doen om anderen onderuit te halen'. De vete tussen de twee gezworen vijanden Oddsson en Jon Asgeir Johannesson had toen al jaren een zware wissel getrokken op de IJslandse gemeenschap. David mocht dan wel de libertijnse waarden in de IJslandse zakenwereld geïntroduceerd hebben, zijn ideeën over de nieuwe generatie zakenmensen, in de persoon van Jon Asgeir, waren, op zijn zachtst gezegd, niet positief. Eén van de redenen waarom Landsbanki in handen was gekomen van Bjorgolfur Gudmundsson was Davids angst geweest dat Jon Asgeir via een achterdeurtje de touwtjes in handen zou krijgen bij IJslands grootste bank. De Independence Party gaf de voorkeur aan mensen 'op gehoorsafstand'. Thorsteinn

Mar vroeg David om een lening en vertelde erbij dat hij een goed onderpand kon aanbieden uit zijn eigen leningenportefeuille. De Centrale Bankpresident gaf aan dit te willen overwegen.

Op hetzelfde moment verloor de in zwaar weer verkerende Amerikaanse bank Washington Mutual (WaMu) de grond onder haar voeten, werd ze overgenomen door de Fed en werden haar bezittingen snel verkocht aan J.P. Morgan. Op deze manier verloren de spaarders van WaMu hun geld niet, maar de aandeelhouders en de andere crediteuren wel. Toen er de volgende dag geen antwoord kwam van de Centrale Bank, spoedden Thorsteinn Mar en Larus Welding zich naar de Centrale Bank en boden hun *offshore package*, met aandelen in het Noorse oliefonds en de crème de la crème van haar bezittingen aan als borg. Dit zou de op de loer liggende betaling van 15 oktober 2008 kunnen dekken en zou de bank de komende jaren wat ruimte geven. Er volgden dagen van onzekerheid.

De andere banken werden door overnamekandidaten benaderd en het leek er nog even op dat de waarde van Glitnir (bij een overname) de liquiditeit van Landsbanki zou kunnen aanzuiveren. Even later bleek echter dat Glitnir geen toestemming kreeg de offshore-aandelen als borg in te zetten. De bank kwam daarop met een alternatief voorstel dat net zo solide werd geacht.

Het begin van het einde

Op zaterdag 27 september 2008 ontmoetten afgevaardigden van de Centrale Bank de directeuren van de drie banken, samen met minister-president Geir Haarde, Tryggvi Thor Herbertsson (economisch adviseur), Baldur Gudlaugsson (directeur-generaal van het ministerie van Financiën) en Bolli Thor Bollason (directeur-generaal van de minister-president). Ondanks dat de sociaaldemocraten deel uitmaakten van de coalitieregering was er niemand van hen aanwezig om de partij te vertegenwoordigen. Minister van Handel Bjorgvin G. Sigurdsson hoorde pas naderhand dat de bespreking had plaatsgehad. Zijn assistent Jon Thor Sturluson belde Tryggvi Thor en kreeg te horen dat er niets speciaals speelde. Geir Haarde zei tegen de media hetzelfde. Dat Bjorgvin en David Oddsson elkaar niet mochten, was publiek geheim. Wat pas later bekend werd, was dat de directeur van de Centrale Bank en de minister van Handel, die in die functie verantwoordelijk was voor het functioneren van het banksysteem, elkaar een jaar lang nauwelijks hadden gesproken vanwege een meningsverschil over de EU. De onzekerheid bij de IJslandse bevolking groeide. De media wilde weten waarom IJsland geen deel had uitgemaakt van de Scandinavische deal die het Amerikaanse ministerie van Financiën met hen had getroffen. De IJslanders kregen als antwoord dat Amerika

IJslands voorschotten afwees. De IJslandse kroon zat het hele jaar al in een vrije val, maar de roep van het volk dat de regering moest ingrijpen leek tegen dovemansoren gericht. Bjorgvin verklaarde tegen de media dat, voor zover hij wist, de IJslandse banken de storm zeker zouden doorstaan. Jon Thor was diezelfde avond, 27 september 2008, met zijn vroegere studievrienden op een feestje. Drie weken daarvoor (2 september 2008) had Alistair Darling, de Britse minister van Financiën, Bjorgvin en Jon Thor gevraagd naar Londen te komen. Hij had hun gevraagd of ze beseften hoe ernstig de positie van de IJslandse banken wel niet was. Diezelfde avond gingen de twee naar een concert van de Sex Pistols, alsof er niets aan de hand was.

In die droevige tijd was de IJslandse minister die verantwoordelijk was voor de banken, Bjorgvin G. Sigurdsson, een onervaren politicus van begin 30. En David Oddsson, de directeur van de Centrale Bank, was een gewezen premier die de banken zes jaar daarvoor had geprivatiseerd en die persoonlijke vendetta's uitvocht met zijn politieke tegenstanders.

De nachtmerrie begint

Noorwegen, zondag 28 september 2008. In Oslo lopen 5000 mensen, inclusief prinses Mette-Marit, de Glitnir Marathon. Tegelijkertijd begonnen in IJsland de bankdirecties op het ergste te rekenen. Bjorgolfur Thor ontving een telefoontje dat de Centrale Bank een poging ging doen Glitnir over te nemen. Het management van Kaupthing kreeg eenzelfde bericht. Sigurdur Einarsson (voorzitter van de raad van bestuur van Kaupthing) had gedacht dat de leiding van Glitnir wel eerder hulp had gezocht. Gezien vanuit het standpunt van de andere banken was het beste scenario dat de Centrale Bank Glitnir het geld zou lenen om daarna samen met de andere banken rond de tafel te gaan zitten om iets aantrekkelijks voor de investeerders te bedenken. Het idee om Landsbanki en Glitnir over te nemen was sinds april keer op keer besproken, maar de immense schuld van de laatste belemmerde dat. Ingibjorg Solrun Gisladottir, minister van Buitenlandse Zaken en leider van de sociaaldemocraten, kreeg een belletje in New York van een van Glitnirs advocaten. Ze was toen op weg naar het ziekenhuis waar ze geopereerd zou worden aan een tumor die op de avond van de stemming van de Veiligheidsraad was ontdekt. Niet in staat om de zaak zelf ter hand te nemen, belde ze vicevoorzitter Ossur Skarphedinsson en droeg hem op de arena te betreden. Hij deed dat onmiddellijk, geassisteerd door Jon Thor Sturluson. Nog steeds informeerde niemand de verantwoordelijke minister... Minister van Handel Bjorgvin G. Sigurdsson die door de Independence Party buitenspel was gezet, werd nu ook door zijn eigen partij genegeerd. Later die avond stond het huilen Thorsteinn Mar nader dan het lachen, toen een medewerker van de Centrale Bank hem vertelde dat hij zijn e-mail met de terugbetalingsvoorstellen had gezien maar nog geen tijd had gehad er nader naar te kijken – alsof het voorstel niet cruciaal was voor de toekomst van Glitnir. Op dat uur was Landsbanki in gesprek met de Centrale Bank over een overname waarbij het ministerie van Financiën en Landsbanki elk 40% van Glitnir en Straumur Investment Bank zouden bezitten en Bjorgolfur 20%. De aandeelhouders van Glitnir zouden daarbij het verlies lijden. Toen Glitnirs CEO Larus Welding die avond richting de Centrale Bank liep en de verzamelde pers voor het gebouw zag staan, draaide hij zich om naar Thorsteinn Mar en vroeg hem of hij besefte dat het spel uit was.

De overname door Landsbanki werd onrealistisch geacht en is dan ook niet gebeurd. De regering kondigde aan dat zij 84 miljard kronen (900 miljoen euro) in de bank zou steken en daarmee 75% van de aandelen in handen zou krijgen. Op 29 september werd Glitnir zo feitelijk genationaliseerd en de aandeelhouders, voor het grootste deel gewone bank-employees, verloren tot 88% van hun bezittingen in Glitnir. De grootste aandeelhouder Stodir werd door de overname vleugellam en was zo goed als failliet. Het management van Glitnir en Stodir was uit het lood geslagen. Stodirs voorzitter Jon Asgeir sprak van de grootste bankroof uit de IJslandse geschiedenis en beschuldigde David Oddsson van persoonlijke wrok. Thorsteinn Mar zei dat hij met zijn rug tegen de muur was gezet. Sigurdur Einarsson van Kaupthing vroeg de regering zijn positie te heroverwegen.

De schokgolven die het nieuws van de val van Glitnir teweegbrachten, hadden hun weerslag op het hele IJslandse volk. Een bejaard echtpaar verloor het spaargeld waar ze hun hele leven voor krom hadden gelegen en die ze hadden vastgezet in aandelen Glitnir. De berichten die die nacht naar buiten sijpelden waren ijzingwekkend. Het economisch wonder was op de klippen gelopen en David Oddsson leek de leiding weer te hebben overgenomen. Hij stelde tegenover journalisten dat zonder zijn ingrijpen de bank het niet zou hebben overleefd. Schrijver Hallgrimur Helgason rilde bij de gedachte dat Oddsson weer op de voorgrond had plaatsgenomen: "Ik ging naar bed in een democratie en werd wakker in een koninkrijk."

Geir Haarde benadrukte dat spaarders zich geen zorgen om hun geld hoefden te maken en buitenlandse crediteuren werden ingelicht met de mededeling dat de ingreep van de regering de mogelijkheden van Glitnir om haar schulden in te lossen alleen maar zou vergroten. Economen als

Paul Krugman, hoogleraar economie aan Princeton University, steunden de manier waarop de regering met het probleem was omgegaan. J.P. Morgan echter was minder enthousiast en vroeg of ze bij de Centrale Bank gek waren geworden. Er waren geruchten te over dat David Oddsson al langer van plan was geweest de banksector te verkleinen en deze kans met beide handen had aangegrepen. Het management van Glitnir oordeelde David Oddsson incapabel om een zaak waar Jon Asgeir Johannesson bij betrokken was aan te kunnen, zo groot was de haat tussen die twee, volgens hen. De opzet van Oddsson om met de overname zijn kracht te laten zien slaagde niet, want Glitnir werd op 7 oktober staatseigendom.

Het domino-effect was in gang gezet. Spaarders van Kaupthing en Landsbanki in Engeland werden steeds onrustiger. Op 2 oktober 2008 beloofde Timothy F. Geithner (van het Amerikaanse ministerie van Financiën) om een valutaswap, zoals die een week daarvoor was besproken, nader te bestuderen. De Centrale Bank stuurde een brief naar het Amerikaanse ministerie van Financiën waarin ze stelde dat een deal de valutareserve zou steunen en het vertrouwen zou vergroten. "Wij beogen onze interventies in de markt te beperken. Het is niet onze bedoeling meer overnames te doen om zo onze balans aan te vullen." Het Amerikaanse ministerie antwoordde pas op 3 oktober en deelde de Centrale Bank onomwonden mee dat een overeenkomst was uitgesloten vanwege de schaal van het IJslandse financiële systeem. Hun inzicht was dat er – om een valutaswap effectief te kunnen laten zijn – veel meer geld nodig was dan zij zouden kunnen aanbieden. Als IJsland hulp zou zoeken bij het IMF, dan zou Financiën overwegen deel te nemen aan een oplossing; vooral ook als de ECB ook bij het zoeken van een oplossing betrokken zou worden: 'Zonder een IMF-reddingsplan gaan wij niet mee participeren.'

Op 24 oktober 2008 sloot IJsland inderdaad een overeenkomst met het IMF. Tegen die tijd waren alle drie de banken ingestort, was de aandelenhandel van de kaart geveegd en werd God gevraagd zijn zegen over IJsland uit te spreken.

God zegene IJsland

Wij gaan niet de schulden van criminelen betalen.
David Oddsson, directeur van de Centrale Bank

Terwijl de problemen bij Glitnir zich opstapelden, besloot het bestuur van Kaupthing op 25 september 2008 om een schuld van 32 miljard kronen (350 miljoen euro) aan haar managers en werknemers te annuleren. Twintig leidinggevenden hadden 90% van dat bedrag geleend, de meeste zonder persoonlijke borgstelling, of de borg bestond uit de aandelen zelf. Met het financiële systeem op de rand van de afgrond waren die aandelen zo goed als waardeloos en zeker geen borg voor dergelijke grote leningen. Een paar weken eerder had Kaupthing aangekondigd dat sjeik Mohammed Bin Khalifa Al-Thani van Quatar ongeveer 5% van de aandelen van de bank had opgekocht. Later bleek dat hij het geld voor die deal had geleend van een bedrijf dat eigendom was van Olafur Olafsson, een van Kaupthings grootste aandeelhouders, die dat op zijn beurt weer had geleend van Kaupthing zelf. Het werd voor de banken steeds lastiger hun escapades te verbloemen.

De dagen na de val van Glitnir werd de situatie steeds gespannener. Directeuren en politici renden dag en nacht van de ene naar de andere vergadering met hordes media in hun kielzog, die buiten de wacht hielden of hen tot op de trappen van hun kantoren achterna zaten zonder ook maar een duidelijk antwoord te krijgen. Landsbanki probeerde de regering en de Centrale Bank te overtuigen dat een fusie met Glitnir een logische volgende stap zou zijn. De leider van de oppositiepartij, Steingrimur J. Sigfusson, eiste dat er voor het einde van het jaar nieuwe verkiezingen zouden worden gehouden, iets wat Haarde, die zijn macht niet wilde afstaan, hem niet in dank afnam.

Op de kabinetsvergadering van 30 september 2008 schetste David Oddsson een donker beeld. Hij deelde de aanwezige ministers mee dat hij geloofde dat het hele financiële systeem binnen drie weken in elkaar zou klappen. David werd gevraagd de zaak niet onnodig te dramatiseren. Als antwoord herhaalde hij slechts zijn waarschuwing. Hij verklaarde dat een groep zakenlui het land met zo'n enorme schuld had opgezadeld dat de crediteuren met lege handen zouden achterblijven. Hij was ervan overtuigd dat het tijd was voor een regering met een coalitie van alle partijen die zitting hadden in de Althingi. Afkomstig van een bureaucraat was dit wel een heel ongebruikelijk verzoek. De meeste aanwezigen beschouwden het als een poging van David om zo'n regering dan te gaan leiden. Dit was olie op het vuur van minister van Buitenlandse Zaken Ossur Skarphedinsson, die dan ook onmiddellijk om verdaging van de vergadering verzocht. Hij zei tegen Geir Haarde in niet mis te verstane woorden dat de sociaaldemocraten er nooit mee akkoord zouden gaan dat David in deze omstandigheden de regeringsleider zou worden. Volgens Ossur beefde Geir toen en zei hij dat Ossur hem dat niet mocht aandoen, want dat hij dat onmogelijk aan David kon gaan vertellen. Haarde hernam zich en even later stormde David Oddsson het gebouw uit. Ook enkele ministers van de Independence Party waren *not amused* geweest bij het idee dat David hun voorman zou worden. Thorgerdur Katrin Gunnarsdottir, de minister van Onderwijs, merkte op dat de president van de

Centrale Bank zich tot zijn eigen taak moest beperken en het leiden van het land aan de gekozen volksvertegenwoordigers moest overlaten.

Onder de klanten van Glitnir was ondertussen paniek uitgebroken, de filialen werden bestormd met mensen met vragen over hun geld, nadat het opnemen van contanten geblokkeerd was. Klanten die belegd hadden in Fonds 9, het minst risicovolle van alle Glitnir- fondsen, zagen hun beleggingen met 7% in waarde verminderen. Illugi Gunnarsson, parlementslid van de Independence Party, bood daarop zijn ontslag aan. Hij was lid van de raad van bestuur van het fonds geweest en in die hoedanigheid medeverantwoordelijk voor de investeringen gedaan bij bedrijven die tegelijkertijd van de belangrijkste eigenaren waren van Glitnir.

Op 1 oktober 2008 publiceerden economen van Kaupthing hun voorspelling dat de grootste moeilijkheden rond kerst voorbij zouden zijn. Toch had de bank in september en oktober aan geselecteerde klanten nog miljarden geleend. Op de Zimbabwaanse dollar en de Turkmeense manat na was de IJslandse kroon de meest gedevalueerde valuta ter wereld geworden, terwijl de inflatie in oktober de 16% oversteeg. IJslanders die de voorgaande jaren hypotheken en leningen voor auto's hadden afgesloten in vreemde valuta, voelden de pijn in hun portemonnee nu hun betalingen de pan uit rezen. Op 2 oktober 2008 had IJsland de slechtste rating van het Westen.

Het IJslandse pensioensysteem was lange tijd de oogappel van het volk geweest en door het buitenland met jaloezie bekeken. In de wandelgangen werd het het 'oliefonds' genoemd. De regering deed nu een poging om die pensioengelden, die belegd waren in buitenlandse ondernemingen, te cashen om het geld in de eigen binnenlandse markt te kunnen investeren. Maar het was te laat voor dit soort plannen. Een alternatief was om Kaupthing te verkopen in het buitenland, dat zou een deel van de binnenlandse economische druk verlichten. En dan was er nog het IMF. Geen enkel ontwikkeld en geïndustrialiseerd land had het om hulp verzocht sinds Engeland in 1976. David Oddsson en economisch adviseur Tryggvi Thor Herbertsson waren het erover eens dat dit geen optie was. De sociaaldemocraten maakten duidelijk dat de Independence Party en zij alleen verantwoordelijk waren voor wat David bij de Centrale Bank had aangericht. De media werden ongedurig bij het gebrek aan communicatie van de politici en de bankiers. Bjorg Eva Erlendsdottir, een columniste en activiste, verwoordde het als volgt: "Jullie antwoorden staan bol van de trots, vooroordelen, gebrek aan manieren en respect voor iedereen die jullie bevraagt over de situatie." De regering van Geir Haarde was vooral bezig overal brandjes te blussen en toen economiehoogleraar Gylfi Magnusson tegenover IJslands State Broadcasting System zei dat de banken en andere grote bedrijven zo goed als bankroet waren, probeerde

Jon Thor Sturluson te voorkomen dat het verhaal uitgezonden zou worden. Gylfi werd verteld dat hij onzorgvuldig was en voor niks paniek aan het zaaien was. Maar de banken lagen inderdaad onder vuur van klanten die hun geld kwamen opeisen. Bij een filiaal was men net bezig de aanwezige contanten van slechts 2000 Amerikaanse dollar te rantsoeneren, toen een journalist de bank kwam bezoeken. Directeuren van oliemaatschappijen en supermarkten waarschuwden voor een mogelijk tekort aan benzine en voedsel. Minister van Financiën Arni Mathiesen biechtte op dat – toen David Oddsson de ernst van de situatie duidelijk had gemaakt – zijn eerste gedachte was geweest zijn vrouw te bellen om haar te zeggen melk te gaan hamsteren.

Arni en Geir Haarde zouden na die begindagen van oktober veel informatie krijgen van Alistair Darling, de Engelse minister van Financiën. Darling belde met Geir met de mededeling dat Engeland Kaupthink Bank ervan verdacht honderden miljoenen ponden van Kaupthing Singer & Friedlander van Engeland naar IJsland te hebben overgemaakt. De Britten verlangden dat Kaupthing, de bank die hun dochterbedrijf Singer & Friedlander in Engeland als een dekmantel had gebruikt om haar IJslandse onderneming te financieren, 95% van de deposito's in contanten zou aanhouden. Landsbanki werd iets soortgelijks verordonneerd: maak 400-450 miljoen pond over naar jullie rekening bij Barclays. De Engelsen zouden het van daar dan weer overmaken naar de Bank of England, als extra zekerheid. De IJslandse onlinerekeningen werden met het uur minder waard. Tussen 29 september, toen de staat Glitnir overnam, en 3 oktober verdween er in Engeland 211 miljoen pond. Landsbanki probeerde bij de IJslandse Centrale Bank 500 miljoen euro te lenen om aan de Engelse eisen te kunnen voldoen, maar die bank liep zelf al overal tegen gesloten deuren aan. "We hebben bij iedereen aangeklopt", zei minister van Handel Bjorgvin G. Sigurdsson.

Meer dan 300.000 Engelsen, die gezamenlijk 5 miljard pond bij Icesave hadden staan, werden nerveus en begonnen hun geld op te nemen. Hetzelfde gebeurde in ons land waar 140.000 Nederlanders 1,7 miljard euro bij Icesave hadden weggezet. Toen Icesave op een gegeven moment de kraan dichtdraaide, reageerden de Engelse media ogenblikkelijk. De BBC vroeg economisch adviseur en voorzitter van het Economisch Instituut van de University of Iceland, Tryggvi Thor Herbertsson of de IJslandse regering de Icesave-spaargelden kon garanderen. Tryggvi's antwoord was dat IJsland lid was van het Europese depositogarantiestelsel, dus er was geen enkel probleem en de problemen in IJsland waren nou niet zo groot dat ze de € 20.000,- die ze per rekening verplicht waren te garanderen niet zou kunnen voldoen. De noodwet die in IJsland al was besproken, insinueerde echter dat de regering alleen de deposito's van IJslanders garandeerde. Tijdens een ontmoeting van Geir Haarde, Arni Mathiesen, Bjorgvin G. Sigurdsson en Ossur Skarphedinsson stelde de directie van Landsbanki samen met Bjorgolfur Thor voor borg te staan voor álle deposito's, inclusief die van klanten in het buitenland. Herhaaldelijk gaf Bjorgolfur Thor de ministers ervan langs, verweet hen een slappe houding en verweet hen een te sterke focus op Icesave. Geir Haarde zou gezegd hebben dat wat hem betreft Icesave naar de Filistijnen kon gaan. Ossur op zijn beurt beweerde dat de banken er veel te gemakkelijk vanuit gingen dat de staat hun, zonder noemenswaardige borgstelling, wel miljarden euro's zou lenen maar dat hij, als bewaarder van belastinggelden, daar niet in mee kon gaan.

De vergaderingen in Reykjavik gingen non-stop door toen Haarde een telefoontje ontving van premier Gordon Brown zelf, die hem aanspoorde hulp te zoeken bij het IMF. De IJslandse problemen waren structureel en konden volgens Brown onmogelijk opgelost worden zonder de hulp van dit orgaan. Geir gaf aan dat hier alleen sprake van kon zijn als voor IJsland geen enkele andere mogelijkheid meer openstond en terloops gaf hij nog even lucht aan zijn frustraties over het uitblijven van hulp van de beoogde bondgenoot. Brown uitte, namens de Engelse klanten van de IJslandse banken, zijn bezorgdheid richting de IJslandse regering dat zij niet garant zouden kunnen staan voor de deposito's. Bovendien vertelde hij Geir dat een van zijn banken 1,5 miljard pond van Engeland naar IJsland had overgemaakt. Iets dergelijks was ook gebeurd net voor Lehman Brothers failliet ging; toen was er acht miljard de Atlantische Oceaan overgegaan. Er kwam geen eind aan de pech van IJsland. Tijdens het gesprek van Geir met Darling kwam het ministerie erachter dat er geen opnameapparatuur voorhanden was om het gesprek vast te leggen. Toen Brown met Geir belde, was die apparatuur wel aanwezig, maar werd het gesprek gewist toen minister van Financiën Arni Mathiesen een gesprek met Darling eroverheen opnam.

Ondertussen sprak Hector Sanz (Bank of England) met de directie van Landsbanki en bood hen aan Icesave door middel van een snelrechtprocedure in vier dagen onder de Engelse wet te plaatsen. Om dit te kunnen doen, moest Landsbanki 53 miljoen pond naar haar Heritabletak in Londen (sinds 2002 in handen van Landsbanki, zie hoofdstuk 3) overmaken en een bedrag van 200 miljoen pond aan zekerstelling geven. Het depositogarantiefonds van IJsland was met 19 miljard kronen (200 miljoen euro) hopeloos ontoereikend om garant te kunnen staan voor de deposito's van Icesave. De IJslandse regering had daarom geen andere keus dan het Engelse ministerie van Financiën een brief te sturen met de mededeling dat ze het garantiefonds met de gevraagde bedragen zou aanvullen als de bezittingen van Landsbanki in Londen een te lage dekking bleken. Maar terwijl het management van Landsbanki ongeduldig het antwoord van Engeland afwachtte of de deal voor de benodigde 200 miljoen pond los zou komen, had de regering een meeting met buitenlanddeskundigen van J.P. Morgan en anderen die hen mededeelden dat het spel definitief over was. Die gedenkwaardige zondagavond van 5 oktober verscheen Geir Haarde op tv, de avond voordat het doek voor Landsbanki viel. Hij vertelde het volk de pertinente leugen dat de regering met verschillende partijen in gesprek was geweest, dat de zaak er nu beter voorstond dan voor het weekend en dat de regering daarom geen enkele noodzaak zag tot verder handelen. Bjorgolfur Thor kon zijn oren niet geloven. De staat zou Landsbanki dus níet het geld lenen dat nodig was om Icesave te redden. Ook hij besefte toen dat de kaarten waren uitgespeeld en dat bovendien ook Kaupthing, het grootste bedrijf uit de IJslandse geschiedenis, ten onder zou gaan.

6 oktober 2008

Op maandag 6 oktober maakte de IJslandse regering bekend dat zij alle spaargelden en leningen in IJsland zelf garandeerde en de banken zou overnemen als dat nodig mocht blijken. Het idee hierachter was de IJslandse huishoudingen en bedrijven te behoeden voor totale chaos; de buitenlandse crediteuren van de banken moesten de klap maar opvangen. IJsland probeerde zo dezelfde weg in te slaan als Amerika had gedaan met Washington Mutual. David Oddsson verscheen die avond in de talkshow *Kastljos* en verklaarde daar nogmaals dat de regering niet van plan was de rekening te betalen die criminelen hadden veroorzaakt.

De waardevermindering van de krona was ongekend, zelfs groter dan de waardevermindering van de roepia in 1999 in Indonesië, een land dat tot dan toe recordhouder was geweest. IJslands reputatie lag aan diggelen. Na 6 oktober moest IJsland de realiteit onder ogen zien: dat ze niet alleen op de wereld was en dat haar aandeel in de vaart der volkeren misschien kleiner was dan het merendeel van haar inwoners zich had voorgesteld.

Icesave: geld voor de studie van mijn kinderen

"Ik ben nu 48, heb vanaf mijn 19e gewerkt en altijd spaarzaam geleefd. Dat moest ook want ik heb nooit veel verdiend en ik kreeg 3 kinderen. Ik verdien momenteel tussen de € 1.500,- tot € 2.000,- per maand. In 2005 ben ik gescheiden. Om de kinderen in hun vertrouwde omgeving te kunnen laten blijven wonen, heb ik mijn ex uitgekocht en moest ik nóg zuiniger aan gaan doen om de hypotheek zelfstandig te kunnen opbrengen. Omdat alle drie de kinderen wilden gaan studeren, heb ik eind 2007 dat huis verkocht en het geld, € 150.000,-, op een deposito bij de DSB Bank gezet. Ik ben in een huurwoning gaan wonen om mijn kinderen te kunnen laten studeren. De € 500,- rente die ik zo aan extra inkomsten kreeg, hielpen daar enorm bij.

Toen het slechter ging met de economie voelde ik me niet meer veilig bij één bank en wilde ik mijn geld gaan verdelen over verschillende banken. Om dit goed uit te zoeken, heb ik mijn kapitaaltje even geparkeerd bij Icesave. Nét te vroeg want ik maakte het één week voor Icesave sloot over.

Die ene week heeft mijn leven op de kop gezet.

Ik heb altijd voor zekerheid gekozen in mijn leven. Dat past ook bij mijn karakter. Ik ben geen gokker en al helemaal niet als het om geld gaat; daarvoor heb ik altijd veel te hard moeten werken. Voor mijn gezin nooit dure vakanties maar gewoon kamperen. Geen grote auto's, een boot of andere luxe. Voor mij ook geen risicovolle beleggingen, persoonlijke leningen of wat dan ook. Niks meer uitgeven dan je hebt maar de tering naar de nering zetten, met die waarden en normen heb ik mijn kinderen opgevoed en nu gaat hun moeder zo de boot in. Ik kan nog maar nauwelijks rondkomen.

Ik ben niet dom, niet impulsief en ben geen hebberd. Ik ben wel gesteld op zekerheid. Daarom heb ik de kleine lettertjes goed gelezen en dacht ik dat mijn geld bij Icesave veilig was, omdat De Nederlandsche Bank de toezichthouder was. Dat Wellink beter wist en mij en al die anderen niet heeft gewaarschuwd, is voor mij onacceptabel en desastreus."

3. Hoe zit het met Icesave in Engeland?

In 2002, tegelijk met de privatisering van Landsbanki, nam Landsbanki in Engeland de Heritable Bank over. Met de overname kreeg Landsbanki dus voet aan de grond in The City, het financiële hart van Europa. Mark Sismey-Durant, directeur van Heritable, werd in oktober 2006 ook directeur van Icesave Easy Access. Hij had er op dat moment geen idee van dat hij geschiedenis zou gaan schrijven.

Het succes van Icesave
Engeland werd als eerste land geconfronteerd met Icesave. Aanvankelijk was de aanloop van spaarders massaal. Op het hoogtepunt (januari 2008) waren er 131.000 spaarders met een totaal van 4,9 miljárd pond aan spaargeld (met een tegenwaarde van toen ongeveer 6 miljard euro, per persoon gemiddeld 45.801 euro). Op 6 oktober 2008 – de dag van de val – was er sprake van 240.000 spaarders met een totaal van 5 miljard euro spaartegoed (gemiddeld € 20.833,- per persoon). In Nederland waren er 128.000 spaarders die gezamenlijk 1,7 miljard euro tegoed hadden, toen Icesave op 6 oktober 2008 de virtuele deur sloot. Per persoon ging men gemiddeld voor € 13.281,- het schip in. Dit geeft het gewicht aan: Engeland telt ruim 50 miljoen inwoners, Nederland 16 miljoen. In Nederland waren er dus relatief veel mensen bij Icesave betrokken. Begrijpelijk dus, dat enkele maanden eerder in Reykjavik de champagne werd ontkurkt: in juni 2008 bleek hoe succesvol Icesave in Nederland was!

Om maar gelijk dé cruciale factor aan te wijzen die de ellende in Engeland veroorzaakte: Icesave werd geen onderdeel van Heritable, maar een soortement van bijkantoor van Landsbanki in Reykjavik. Een meer dan bewuste keuze. Waarom? Het management van Landsbanki wilde koste wat kost de geldstromen uit Engeland gebruiken voor het tekort aan geld dat men in IJsland had. Als Icesave een eigen vestiging zou zijn geweest, of een onderdeel van de Heritable Bank, dan zou de Engelse toezichthouder, de Financial Services Authority (FSA), veel meer grip hebben gehad op die geldstromen. In Engeland is het bij wet verboden om het geld van een vestiging 'zomaar' te gebruiken voor financiering van een bank in een ander land. Daar moet je expliciete toestemming van de Engelse toezicht-houder, de FSA, voor hebben (wat in Nederland niet het geval is).

> **Bijkantoor of vestiging?**
> *De status van een bank in Europa is afhankelijk van de definitie of het een bijkantoor is of een vestiging. In het eerste geval is het feitelijk een onderdeel van het hoofdkantoor, in dit geval Landsbanki Reykjavik. Dan moet ook de IJslandse toezichthouder ervoor zorgen dat dat bijkantoor zich gedraagt volgens de Europese normen (en die van IJsland). In het tweede geval, dus als het een vestiging is (die als vennootschap staat ingeschreven in het land waar men zaken doet), valt het toezicht onder de toezichthouder van het land waar zij gevestigd is.*
> *Heritable viel als vestiging dus onder de FSA, De Financial Services Authority, die in Engeland het toezicht heeft op banken; Icesave Easy Access viel dus formeel onder de IJslandse toezichthouder, de FME (Financial Supervisory Authority). In Nederland was er een vergelijkbare situatie, ook daar was Icesave een bijkantoor. De Nederlandsche Bank (DNB) moest dus formeel het toezicht overlaten aan de FME.*
> *Op het opmerkelijke verschil van aanpak tussen de FSA en DNB als het gaat om toezicht komen we nog terug (zie hoofdstuk 4, zevende waarschu-wing).*

Oktober 2006: Landsbanki begon Icesave noodgedwongen in Engeland. Noodgedwongen inderdaad, want door de slechte rapporten van een groot aantal professionele partijen, zoals Barclays, Merrill Lynch, Fitch, Danske Bank en Morgan Stanley werden steeds meer banken wakker. Ze weigerden Landsbanki nog verder geld te lenen. Daarom ook waren eind 2007 alle Nederlandse banken uit IJsland verdwenen. Ze vonden het ri-sico om hun geld niet terug te krijgen, te groot. Hoe kom je dan aan geld? Juist, je richt je tot onwetende spaarders, die dat soort rapporten toch niet lezen en geen flauw benul hebben van CDS-spreads. Díe spaarders bied je een rente die hoger is dan ze gewend zijn van hun traditionele bank, je adverteert agressief en voilà, het geld stroomt binnen. En dat is dan ook wat in Engeland is gebeurd. Net als in Nederland vielen de spaarders – behalve voor de hogere rente – ook wel voor het gemak van Icesave: een simpel systeem via internet, geen toeters en bellen. De bank sleepte diverse prijzen in de wacht, in verschillende categorieën. Zo won ze bijvoorbeeld de prestigieuze Most Effective Public Relations Cam-paign van de Financial Services Forum Awards.

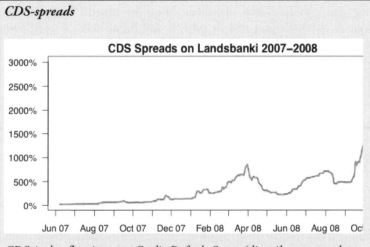

CDS-spreads

CDS Spreads on Landsbanki 2007–2008

CDS is de afkorting van Credit Default Swap (dit wil zeggen verleggen van risico op wanbetaling). Je kunt bij wijze van spreken een lening verzekeren tegen het risico dat er geen terugbetaling zal plaatsvinden. Met de CDS wordt aangegeven hoe hoog het risico is dat je niet terugbetaald krijgt. Hoe hoger dat risico, hoe meer je moet betalen voor het afdekken (van het risico) van niet-terugbetalen. Voor Landsbanki werd dat risico steeds hoger. Medio 2007 scoorde Landsbanki vrij normaal met 24 basispunten. Dit werden er maart/april 2008 850, vlak voordat Icesave in Nederland werd geïntroduceerd. Voor een normale, betrouwbare bank geldt dat boven de 100 punten al een waarschuwingssignaal is.

Na een aanvankelijk stormachtige groei betekende begin 2008 het keerpunt voor Icesave in Engeland. In februari verschenen er diverse artikelen die spaarders keihard waarschuwden voor IJslandse banken. Op 5 februari 2008 valt in *The Daily Telegraph* het volgende te lezen:

De resultaten die vorige week door de hoofdrolspelers in de IJslandse financiële markt werden gepubliceerd, hebben de vrees verhoogd dat het land wordt geconfronteerd met de onmogelijkheid geld aan te trekken. Analisten denken dat er, dankzij het aantal bedrijven dat belangen in elkaar heeft, niet veel voor nodig is het hele financiële systeem van het land op de rand van de afgrond te brengen.

Op 10 februari 2008 staat in *The Sunday Times*:

Britse spaarders hebben miljarden op IJslandse rekeningen staan, maar hun banksysteem ziet er onbetrouwbaar uit.

Ook op weblogs verschenen alarmerende artikelen over de IJslandse banken. En er verschenen rapporten van professionals die zo mogelijk nog alarmerender waren. Zakenbank Bear Stearns, 29 februari 2008, komt met een rapport met de pikante titel *Kazakhstan: A Comparison with Iceland*. Op 19 maart 2008 zegt *Money Week* "... deze [IJslandse, noot van de redactie] banken zijn bijna zover dat ze geprijsd worden als banken die failliet dreigen te gaan". Op 31 maart 2008 verschijnt van de hand van Merrill Lynch:

Als klanten ons vragen waarom de IJslandse banken een hoger risico profiel hebben dan hun Europese collega's, hoef je niet ver te zoeken voor antwoorden: snelle groei, onervaren, agressief management, hoge afhankelijkheid van externe financiering, gevoeligheid voor onderlinge verbindingen. Met andere woorden: te snel, te jong, te veel, te kort, te verbonden, te kwetsbaar.

Spaarders begonnen hun geld van de rekeningen af te halen. Tussen 10 februari en 22 april werd voor meer dan anderhalf miljard euro aan spaargeld opgenomen. Dit betekende bijna het einde van Icesave en daarmee ook dat van Landsbanki. Deze massale geldopnames veroorzaakten paniek bij het management van Landsbanki, de IJslandse Centrale Bank, de IJslandse toezichthouder en de IJslandse regering. Het was de start van een aantal gesprekken (die vanaf 8 februari 2008 zouden plaatsvinden), die tot aan de val van de IJslandse banken werden gevoerd en waarin de risico's voor IJsland en de banken aan de orde waren. Wat gebeurt er als het IJslandse depositogarantiestelsel (DGS) daadwerkelijk moet uitkeren? Hoe hevelen we het geld over van het bijkantoor naar een vestiging in Engeland, zodat het risico onder het Engelse DGS gaat vallen? Die eerste gesprekken geven al aan dat iedereen zich bewust was van de grote risico's voor Landsbanki, maar ook voor IJsland. Opvallend is echter dat niemand de leiding nam in het vinden van definitieve oplossingen en het ondernemen van actie.

Het depositogarantiestelsel (DGS)

Het IJslandse depositiegarantiefonds, feitelijk een privéfonds(!), bleek op het toppunt van de Icesave spaargekte iets meer dan 100 miljoen euro in kas te hebben op een totaal van – schrik niet – meer dan 10 miljard aan spaargeld dat het zou moeten vergoeden; een magere 1% dekking. Logisch, dat de Engelsen vraagtekens begonnen te plaatsen. Het is wel een wonder dat de IJslanders niet veel meer haast hebben gemaakt om de risico's in Engeland neer te leggen. Dat had ze, zoals we nu weten, heel veel ellende bespaard.

Op 3 maart 2008 ging directeur van de IJslandse Centrale Bank David Oddsson op een pr-missie naar Engeland. Hij had een gesprek met de

Britse Centrale Bank, en gaf zoveel mogelijk interviews. De Engelsen gaven aan dat ze onvoldoende informatie hadden over de gang van zaken bij de IJslandse banken. Ze uitten het vermoeden dat geld werd gebruikt om gaten te dichten in IJsland (wat bij onderzoek achteraf ook zo bleek te zijn). Oddsson deed waar hij uitermate goed in was: zich van de domme houden, ook omdat hij zich maar al te zeer bewust was van de gevaren van een bankrun voor IJsland. Als raspoliticus deed hij het voor de hand liggende: iedereen vertellen hoe geweldig de banken en IJsland het wel niet deden. In een interview met tv-station Channel 4 verklaarde hij dat "de IJslandse banken er perfect voorstonden en de IJslandse regering eventuele problemen zeker aan zou kunnen, zoals het bijspringen in het depositogarantiefonds". Vanaf dat moment echter zat Landsbanki ongelofelijk in de klem. Men had het spaargeld uit Engeland (en Nederland) hard nodig om gaten te dichten in Reykjavik. Aanmerkelijke gaten, doordat leningen van andere banken moesten worden afgelost en zij niet bereid waren er nieuwe voor aan te gaan. Het zou relatief gemakkelijk zijn geweest om alle Icesave-belangen over te hevelen naar Heritable, of vanaf dat moment nieuw spaargeld alleen te accepteren vanuit Heritable, maar dat zou het nog langer gebruiken van dat geld voor het dichten van de gaten in IJsland onmogelijk maken. Het management van Landsbanki was zich dat maar al te bewust en deed alsof het hard bezig was een dergelijke overheveling te realiseren, maar verzon in de praktijk van alles om het niet te doen. Op 14 maart 2008 werd het management van Landsbanki op het matje geroepen bij de mannen van de FSA. Die hadden namelijk in de maand ervoor Landsbanki tegen het licht gehouden: de aanhoudende negatieve publiciteit, de steeds hogere CDS-spreads voor de IJslandse banken en de magere positie van het depositogarantiefonds vormden voor de FSA meer dan genoeg aanleiding om aan te dringen op maatregelen. De FSA gaf aan voortaan direct toezicht te willen houden op de liquiditeit van het bijkantoor. Ook werd gesproken over het overhevelen van de Icesave-tegoeden naar de Heritable Bank. Kort daarop werd het, vanwege de aanhoudende opnamen door spaarders, zo benauwd voor Landsbanki dat intern al werd gesproken over 'een tijdbom'. De inschatting dat de IJslandse banken het zouden overleven was 'klein, zeer klein', zo werd door het management richting de IJslandse Centrale Bank gesteld (cf. vergadering 30 maart 2008).

Wonder boven wonder ging de storm liggen. Maar niet bij de FSA. Die lijkt vanaf dat moment er alles aan te willen doen om de eigen – Engelse – belangen zeker te stellen. Bijna wekelijks worden er brieven uitgewisseld tussen de FSA en Landsbanki. Frappant, want eigenlijk houdt de IJslandse FME toezicht op Landsbanki.

Op 24 juni publiceert Moody's, een belangrijke speler in de professionele bancaire markt, een oordeel over Icesave: men vindt de deposito's niet stabiel en men overweegt een aanpassing van de credit rating voor Landsbanki.

In juli moest de regering van IJsland (uiteraard intern) erkennen dat ze niet in staat was de garanties van de deposito's op zich te nemen, noch de banken adequaat te ondersteunen als het fout zou gaan. Iets dat ook de FSA wederom constateerde in een e-mail (d.d. 8 juli 2008) aan Landsbanki. De ramp wordt nog groter als er medio juli in het Britse parlement

smalend wordt gesproken over de IJslandse banken en het depositogarantiefonds. De Treasury Select Committee van het Engelse parlement constateert dat IJsland ver boven zijn stand leeft: het depositogarantiefonds
kan niks garanderen en het totaal aan spaargeld uit Engeland alleen al is
twee keer zoveel als heel IJsland in een jaar omzet (bnp, Bruto Nationaal
Product). Opmerkelijk is dat die constatering en discussie weinig aandacht in de pers krijgt. Dat geldt ook voor een rapport van het IMF, dat
op 4 juli duidelijk maakte dat IJsland nadrukkelijk in de gevarenzone zit.
Op 22 juli 2008, dus nog ruimschoots voor het debacle in oktober, zegt
de FSA Landsbanki echt de wacht aan. Als Landsbanki niet als de bliksem
de rentetarieven verlaagt (zodat er minder spaarders komen en liefst zelfs
spaarders vertrekken) om zo hun liquiditeit te verbeteren, gaat de FSA ingrijpen. Flinke jongens (zeker als je het vergelijkt met de aarzelende aanpak van DNB in Nederland), maar de vraag is of ze daarbij in hun recht
staan. Op 24 juli belt de FSA met het management van Landsbanki. De
FSA stelt nogmaals dat het aantal spaarders moet worden beperkt, de liquiditeit moet worden verbeterd en al het spaargeld overgeheveld moet
worden naar een echte Engelse vestiging. Als Landsbanki niet meewerkt,
geeft ze aan, zal de FSA de spaarders gaan informeren.

Desnoods...

*Landsbanki heeft natuurlijk het geld helemaal niet meer om aan de eisen
te voldoen van de Engelsen. Engelsen die bovendien dreigen de geldstroom
tussen dochter Heritable Bank en moeder Landsbanki stil te leggen. Daarom wordt in augustus een truc verzonnen: de Centrale Bank van IJsland
zou voor 2,5 miljard pond van Heritable Bank aan deposito's overnemen
en die gelijk weer doorlenen aan Landsbanki (desnoods in kronen). Dit om
ervoor te zorgen dat Landsbanki voldoende liquiditeit zou houden, buiten de Engelsen om. De Centrale Bank was, volgens het management van
Landsbanki, bereid eraan mee te werken, wetend dat deze truc het imago
van het hele IJslandse bancaire systeem negatief zou gaan beïnvloeden. Bekend is dat de Centrale Bank er inderdaad op heeft gestudeerd dit te gaan
uitvoeren.*

Augustus 2008 is een maand van verwarring. Getouwtrek tussen de FSA,
FME, Landsbanki, Centrale Bank en de IJslandse regering is aan de orde
van de dag, Elke week zijn er vergaderingen, telefoongesprekken en brief-
wisselingen. Met aan de ene kant een Landsbanki dat al lang weet dat het
klem zit, en aan de andere kant een FSA die de Engelse (spaarders)be-
langen veilig wil stellen. Het drukke overleg levert geen oplossingen op.

En als de FSA serieus gaat dreigen spaarders te gaan informeren, komt Landsbanki met een lading juridische adviezen waarin wordt gesteld dat de FSA, volgens de Europese richtlijnen, geen autoriteit heeft om Landsbanki te dwingen mee te werken. Alles is erop gericht tijd te rekken.

Uiteindelijk vindt er op 2 september 2008 een gesprek plaats in Engeland tussen een complete scheepslading IJslandse vertegenwoordigers en Alistair Darling. De ultieme poging om het tij te keren mislukt. De Britse minister van Financiën is volledig geïnformeerd en vraagt de IJslanders of ze de ernst van de situatie wel inzien. Hij geeft aan desnoods bereid te zijn alle deposito's te willen garanderen en daarvan de rekening naar de IJslanders te sturen. Alles wijst erop dat de Engelsen de situatie in dat stadium al hopeloos vinden. Doordat het Engelse parlement er voortdurend vragen over stelt, is het een politiek item geworden voor Darling. Hij wil voorkomen dat hij wordt beschuldigd van inactiviteit, nu immers al ver voor die tijd (politiek) duidelijk was dat de IJslanders het spaargeld van de Engelsen misbruikten. Het is een raadsel dat rondom deze nuchtere constatering in die tijd niet meer media-aandacht is geweest. Spaarders werden in ieder geval niks wijzer van wat er allemaal achter de politieke schermen plaatsvond.

> **Spaarders? Fuck de spaarders!**
> *Als één ding duidelijk is, is het de volstrekt ondergeschikte positie van de buitenlandse spaarders bij de IJslanders. Op geen enkel moment wordt in de afweging van de gang van zaken in Engeland (en Nederland) het effect voor de spaarder meegenomen. Dank voor het geld, nu wegwezen, lijken de IJslanders te denken. Wat ze echt dachten over de spaarders komt in ieder geval in geen enkele reactie, artikel of rapport naar voren.*

Darling laat na de ontmoeting met de IJslanders weten dat hij zeer teleurgesteld is in hun houding. Hij wil concrete maatregelen zien. Landsbanki gaat in de maand september door met het verzinnen van uitvluchten.

> **Ten koste van alles!**
> *Op 4 september publiceert* Frettabladid *(een van de twee kranten in IJsland) een interview met de minister van Buitenlandse Zaken, Ingibjorg Solrun Gisladottir. Daarin geeft ze aan dat de IJslandse banken in het buitenland liquiditeit moeten zoeken. Wat haar betreft, moeten ze doorgaan met het aantrekken van deposito's in buitenlandse markten…*

Uiteindelijk gaat de FSA er op 25 september 2008 toe over Landsbanki een ultimatum te stellen: Landsbanki móet een reeks van maatregelen nemen. Zo moet in drie maanden tijd het bedrag aan spaargeld met 1 miljard pond teruglopen; de rentehoogte moet met de FSA worden afgestemd; elke vorm van marketing moet worden gestaakt; de reserve moet worden verhoogd en er moet snel een plan worden ingeleverd dat beschrijft hoe Landsbanki de uitstaande vaste deposito's (die afliepen) zou gaan betalen.

Op 3 oktober stelt de FSA Landsbanki ervan in kennis dat ze daadwer-kelijk gaan ingrijpen. In de daarop volgende dagen sommeert de FSA om 200 miljoen pond over te maken. Zo niet, dan wordt Icesave gesloten. Op 5 oktober eist de FSA nog eens 53 miljoen pond te willen als reserve voor Heritable Bank, aanvullend op de 200 miljoen voor Icesave. Lands-banki is dan al lang niet meer in staat dat geld op te hoesten en uiteinde-lijk wordt op de avond van 6 oktober het bijkantoor definitief gesloten. De 6e oktober, dezelfde dag dat in IJsland de Emergency Act werd aange-nomen. De wet waarmee IJsland de eigen IJslandse belangen veilig stelde en buitenlandse spaarders als een baksteen liet vallen.

Op 8 oktober is Engeland het echt zat en bevriest het alle tegoeden van IJslanders in Engeland. Ze doen daarbij een beroep op de antiterrorismewet. Een uiterst effectief beroep, want niks kan Engeland nog uit. Uiteraard zijn de IJslanders daar niet blij mee en gebruiken ze de Engelse maatregel om de eigen gelederen te sluiten. Er ontstaat een massaal protest vanuit de IJslandse bevolking. Alle spaarders van Icesave krijgen van de Britse regering 100% van hun spaargeld vergoed. Alleen de instellingen en overheden die Landsbanki hun geld hadden toevertrouwd, zitten nog te wachten op hun geld. Zij zijn afhankelijk van wat er uit het faillissement van Landsbanki in IJsland komt. De ING profiteert van de ondergang door de overname van 538 miljoen pond aan spaargeld van de Heritable Bank, gesteund door de Engelse regering.

Pas in juni 2009 wordt het beslag op de IJslandse bezittingen opgeheven, naar aanleiding van de vermeende Icesave-deal tussen Engeland, Nederland en IJsland. Naar later blijkt een non-deal, want het IJslandse parlement weigert de voorwaarden te accepteren.

Media

Het is opmerkelijk dat er niet veel meer in de publiciteit is gekomen over het falen van de Landsbanki. Weliswaar werden er in februari en maart negatieve artikelen gepubliceerd, maar de spaarders pikten dat onvoldoende op. De buitengewoon kritische benadering in het Engelse Parlement in juli kreeg zelfs helemaal geen publiciteit. Terwijl daar alle argumenten aan de orde kwamen om als spaarder je geld direct van je Icesave rekening te halen. Opvallend is ook dat maar weinig van de negatieve Engelse publiciteit doorsijpelde naar Nederland.

Quote van het jaar 2008

2008 was voor de Engelse bankwereld een buitengewoon jaar. Mark Sismey-Durrant, Chief Executive van Icesave in Engeland, sprak op 6 oktober op BBC Radio 4, net voordat de eigenaar van Icesave, Landsbanki, in surseance van betaling ging:

"Spaarders moeten niet nerveus worden over de status van de bank [Icesave]. We zijn een robuuste en goedgeleide bank. We hebben een sterke kapitaalsbasis en 63% van onze balans bestaat uit deposito's. We houden ons aan sterke liquiditeitregels."

Specifiek gevraagd of klanten er zeker van konden zijn dat hun geld veilig was en ze het eruit konden krijgen als ze dat wilden: "Ja, dat kunnen ze."

De sloper

In 2009 op 17 juni, IJslands Onafhankelijksdag, reed een man in een bulldozer af op zijn huis in Alftanes, een slaapstadje buiten Reykjavik. Bjorn Mikaelsson zei tegen *Morgunbladid* dat de val van de banken een terroristische daad was geweest en dat hij er ook een ging uitvoeren. Of ze maar reporters naar Alftanes wilden sturen…Maandenlang was hij dit van plan geweest en nu wilde hij dat cameramannen kwamen filmen hoe hij zijn eigen huis sloopte.

Na de val van de banken was Bjorn bij een executieverkoop zijn huis, waar hij en zijn gezin zes jaar in hadden gewoond, kwijtgeraakt. De hypotheek was in vreemde valuta afgesloten. Hij had geprobeerd met Fjarfestingabankinn te onderhandelen, maar dat had niets opgeleverd. Het maakte Bjorn niets uit of hij nu met een schuld van 60 of van 120 miljoen kronen failliet ging. Om zijn werk helemáál af te maken, groef hij een groot gat waar hij zijn auto in begroef.

Kort na dit gebeuren meldde een familie dat ze 10 miljoen kronen hadden verloren bij een transactie met Bjorn. Bjorn had een bedrijf dat prefabhuizen importeerde. "Ik ben een fantastische klant. Ik heb hem zo maar 10 miljoen gegeven", zei Barbara Osk Gudbjartsdottir tegen Visir.is. Ook zij was dus haar geld kwijt. Een goed voorbeeld van hoe de economische gevolgen zich verspreidden en van de hoge verwachtingen die zo velen in de goede tijden hadden gehad.

Uitstapje 1. De beste manier om een bank te beroven is er een te bezitten

In 1993 verscheen het boek *Looting: The Economic Underworld of Bankruptcy for Profit* van de auteurs George Akerlof en Paul Romer, allebei verbonden aan het Amerikaanse Bureau of Economic Research. De kern van hun studie komt neer op het volgende: als je een slechte boekhouding toelaat, gebrekkige regels hebt en lage straffen oplegt, dan gaan eigenaren van banken eerder voor hun eigen portemonnee dan voor die van hun klanten, die er hun zuurverdiende geld hebben ondergebracht. De vele voorbeelden die ze geven, uit bijvoorbeeld Chili, maar ook van de manier waarop in de jaren tachtig van de vorige eeuw de zogenaamde Savings & Loans-banken in Amerika werden 'opgeblazen', zijn klassieke voorbeelden van zelfverrijking door eigenaren. Tientallen banken gingen failliet doordat er geen toezicht was en de eigenaren doodleuk met het spaargeld van klanten aan de haal gingen.

William Black doet het nog eens dunnetjes over in zijn vooral op Amerika gerichte boek uit 2005 *The Best Way to Rob a Bank is to Own One*. Black was fraudebestrijder en is nu Associate Professor of Economics and Law aan de University of Missouri-Kansas City School of Law. We spraken met Black in IJsland in april 2010 tijdens een presentatie, waarin hij de bevindingen van zijn boek spiegelde aan wat er in IJsland was gebeurd. In zijn boek geeft hij aan dat maar liefst 80% van de hypotheken in Amerika niet goed waren onderbouwd; feitelijk waren ze frauduleus tot stand gekomen. De FBI gaf daar al in 2004 een waarschuwing voor uit, maar niemand vond het kennelijk de moeite waard om aandacht te besteden aan die waarschuwing, niet in de laatste plaats vanwege de beloning die een afsluiter van een hypotheek kreeg, als er maar een handtekening onder stond. Iedereen profiteerde mee van het zo veel mogelijk 'verkopen' van hypotheken, inclusief de top van een bedrijf: hoe meer verkochte hypotheken, hoe meer bonus. En in Amerika kon iedereen een hypotheek krijgen, vaak met foute salarisgegevens. Als je op een bepaald moment je de aflossing en rente niet meer kon betalen, leverde je gewoon de sleutels in bij je bank en was je van je hypotheek af. Zulke hypotheken waren dus knap waardeloos en hoogst risicovol. Gebundelde pakketjes van dergelijke 'fake hypotheken' werden willens en wetens doorverkocht van de ene bank aan de andere, als er maar iemand te vinden was die erin trapte. Uiteindelijk leidde dit systeem tot het faillissement van Lehman Brothers, die al die tijd gigantische sommen geld had verdiend met de verkoop van deze nephypotheken, maar in september 2008 net iets te veel risico nam. Black gaf tijdens zijn presentatie aan dat nog steeds níemand is gearresteerd, laat staan veroordeeld, voor dit soort bedrog.

Je kunt de rode draad uit het boek van Akerlof en Romer en dat van Black gemakkelijk toepassen op wat zich in IJsland afspeelde:

– De eigenaren van Landsbanki hadden sowieso al een slechte reputatie.
– Er was geen enkele controle op de manier waarop de banken, dus ook Landsbanki, zaken deden. De FME (de IJslandse toezichthouder) was niet in staat de banken te volgen door gebrek aan ervaring en menskracht.
– De groei was veel te snel en ongecontroleerd.
– De privatisering was op zich al verdacht, zeker als je ervan op de hoogte bent dat de nieuwe eigenaren eigenlijk helemaal niks van bankieren wisten.
– Het contante geld van de deposito's was nodig omdat men geen geld meer kon krijgen op de normale geldmarkt (lenen van collega-banken).
– Het contante geld werd gebruikt om aandelen in de eigen bank mee te kopen, zodat de prijs ervan kunstmatig hoog werd gehouden.
– De drempel om door te gaan met dit bedrog was duidelijk laag: hoge bonussen, gemakkelijk geld voor privé-activiteiten en het zonder noemenswaardig onderpand geld kunnen lenen van de eigen bank voor activiteiten van de eigen holdingmaatschappijen.

De vele relaties die er waren – en helaas nog altijd bestaan – tussen de banken en de *decision makers*, in de vorm van gemakkelijke leningen of 'donaties', zijn het bewijs dat veel personen meeprofiteerden van deze vorm van bedrijfscultuur. Zolang je het spelletje speelde, kon iedereen ervan meeprofiteren en was er niets aan de hand. Black constateert dat de accountants ook in het geval van Landsbanki gewoon meededen, terwijl ze wisten dat het onderpand van leningen weinig tot niks voorstelde. Men hield er van tevoren al rekening mee dat veel van de leningen nooit meer geïnd zouden kunnen worden. We spreken dan over 80% van het geld dat in de boeken stond als lening, dat om die reden kon worden afgeschreven. Het ging in de meeste gevallen om leningen aan de eigen moederbedrijven van de eigenaren van Landsbanki of aan hun vriendjes, inclusief politici – die beslisten over het laten bestaan van de zwakten in het juridisch systeem, de controle en de regels. Black is er zeer sceptisch over of dat allemaal nog ooit boven water komt. Als het om witteboordencriminaliteit gaat, is een rechtbank vaak onvoldoende deskundig, en dat is voor IJsland niet anders, meent hij. Nog erger is het dat elke rechter wel een 'derde neef' heeft, die er alle belang bij heeft dat de beerput gesloten blijft. Onafhankelijke rechtspraak kun je bovendien wel schudden in IJsland: met slechts 313.000 inwoners is de kans best groot dat sommige mensen familie van elkaar zijn of dat je elkaar – al is het maar via via – kent. De tijdens de presentatie van Black massaal aanwezige IJslanders erkenden dat grif.

Met het bovenstaande in ons achterhoofd gaan we in het volgende hoofdstuk kijken naar de manier waarop Landsbanki Nederland 'bestookte' met Icesave.

The best disinfectant is the sunlight. Transparency is a must for the financial world.
William Black

Hét plekje

"Jarenlang hadden we gezocht naar hét plekje voor ons huis. In 2007 vonden we het en kon eindelijk de lang gezochte vrijheid beginnen. Tot ik in januari overspannen raakte en we de bouw stil moesten leggen. Voor we met Icesave in zee gingen, deden we navraag bij DNB. Die zei dat Icesave in het zelfde licht gezien kan worden als Nederlandse banken. Hun letterlijke woorden tijdens een telefoontje: 'Geen vuiltje aan de lucht.'

Net toen het weer beter met me ging en we de bouw weer hervatten, zakte de financiële markt in elkaar. Ik nog maar een keer met DNB gebeld: 'Is ons geld bij Icesave net zo veilig als op een Nederlandse bank?' Het antwoord: 'Jazeker.'

Op maandagmiddag 6 oktober kopen wij nog 'n grotere caravan. Dan komen wij 's avonds thuis, zetten de tv aan en dan... is alles voorbij... De hele nacht opgebleven, steeds maar weer proberen in te loggen, maar tevergeefs.

Het is over en uit, onze vrijheid, onze toekomst, onze plannen, onze droom, alles is weg.

Hebben wij hier nu altijd voor gewerkt?

Wat hebben wij aan de woorden van DNB, wij zijn voorgelogen, wij zijn opgelicht!"

4. Landsbanki in Nederland: ijskoud de beste bedriegers?

We schrijven oktober 2006. Terwijl in IJsland het financiële water steeds hoger aan Landsbanki's lippen kwam te staan, startte in Engeland Icesave en opende Landsbanki in Amsterdam een bijkantoor, om leningen af te sluiten en geld op te halen. Het begint als een bescheiden kantoor, bedoeld om de markt te verkennen: onder andere voor deposito's van gemeenten en leningen aan bedrijven. Bedrijven die veelal aan IJsland waren verbonden, zoals Marel – dat in 2008 de food-divisie van Stork overnam in Nederland, uiteraard door Landsbanki gefinancierd. Maar ook om bijvoorbeeld medefinancier te zijn van een grote lening aan Akzo.

In september 2007, een jaar later, vraagt Landsbanki aan De Nederlandsche Bank of het mag deelnemen aan de Nederlandse topping-up-regeling. In het kader van de Europese regels moet IJsland zelf voor de eerste € 20.887,- garant staan als er iets misgaat. De tweede laag gaat tot € 40.000,- (met 10% eigen risico) en daar wil Landsbanki graag van meeprofiteren. Het is immers gratis reclame voor meer zekerheid. Ze hoeven er, dankzij die Europese regels, niet veel voor te doen.

Europe, here I come

Binnen de Europese Unie bestaan een aantal belangrijke regels om de onderlinge economie te stimuleren. Dat geldt ook voor het financiële verkeer. Deze richtlijn wordt ook gedeeld met de leden van de European Free Trade Association (EFTA). Daar zijn – door het lid worden van de EU – nog maar weinig landen van over: Liechtenstein, Noorwegen en IJsland. De EFTA-leden die dat willen, kunnen gebruikmaken van de mogelijkheden om vrij zaken te doen binnen Europa, mits men de Europese richtlijn heeft vertaald naar de eigen wetgeving. Met name IJsland heeft dat op een kiene manier gedaan. Zo konden ze gemakkelijk bijkantoren vestigen, wat ze dus in Engeland en Nederland deden. Binnen die Europese regels is het dan de toezichthouder van het moederland die toezicht houdt op het bijkantoor. In dit geval was het de taak van de FME uit IJsland om toezicht te houden op het bijkantoor van Landsbanki in Amsterdam. DNB meent dat het zich dan (op basis van de Europese regels) moet beperken tot het in de gaten houden van de (plaatselijke) liquiditeit.

Die deelname aan de tweede laag van de garantie afdwingen, was een bewuste en strategisch belangrijke zet van IJsland. Met die garantie op zak had IJsland immers een perfect lokmiddel om spaarders te kunnen verzekeren dat het wel goed zat met die IJslanders. Zonder die goedkeuring had DNB immers geen toestemming gegeven om ook tot € 40.000,- verzekerd te zijn van je geld! Bronnen binnen Landsbanki verzekeren ook dat men pas dan het succesvolle Icesave wilde uitrollen als dat belangrijke stempel van goedkeuring door DNB gegeven zou zijn. Men had er zelfs in (concept)teksten voor de website rekening mee gehouden. Vreemd is dat pas op 14 februari 2008 er een gesprek plaatsvindt met de mensen van Landsbanki in Amsterdam, die op hun beurt op hun huid worden gezeten door Reykjavik om te starten. De Nederlandse spaarcentjes zijn intussen uiterst welkom. Dan heeft er nog steeds geen echte afweging plaatsgevonden over wat er met de aanvraag van Landsbanki moet gebeuren. Enkele medewerkers van DNB zijn er al mee bezig, maar die zijn verdeeld over wat er moet gebeuren. Er zijn serieuze twijfels, maar de juristen geven aan dat DNB niks kan doen. Door het ontbreken van een Algemene Maatregel van Bestuur (een soort regeringsregels als aanvulling op de Europese regels) moet DNB het doen met die Europese regels. En die zijn strikt, zeggen de juristen: binnen de regels moeten we Icesave toelaten. Nog diezelfde maand klaagt de directie van Landsbanki Amsterdam bij DNB over de gebrekkige voortgang van de toekenning. Met IJslandse brutaliteit stelt men dat DNB geen taak heeft in deze en Icesave moet toelaten.

Pas op 16 mei 2008 durft een medewerker van DNB die al eerder argwaan had gehad, op te merken dat het toch merkwaardig is dat er geen extra voorwaarden kunnen gelden voor Landsbanki. Maar bij het interne DB-overleg op 20 mei geven de juristen van DNB de doorslag. Toch al niet bekend om hun creativiteit en ingehuurd om voor DNB alle risico's te vermijden, betogen ze dat DNB geen recht heeft Landsbanki tegen te houden gelet op de Europese regels. Net ervoor is er immers toestemming verleend om de Belgische bank Argenta toe te laten op basis van het Europese paspoort voor EU-banken, en daar zijn ook geen voorwaarden gesteld. DNB ziet zich dan ook gedwongen de noodzakelijke standaard overeenkomst met Landsbanki dan maar te gaan voorbereiden.

Openheid

In de eerste week na de teloorgang van Icesave (6 oktober 2008) kon je nog iedereen bij DNB aan de lijn krijgen. Mensen die in alle openheid vertelden over wat er was gebeurd. Zo werd grif erkend dat men de zaak zwaar had onderschat. Dat er al in het begin twijfels waren geweest, maar dat de

> *juristen hun zin hadden doorgedreven. Niemand had zich ook gerealiseerd*
> *dat zo'n bankensector voor zo'n klein land ook wel heel merkwaardig was.*

Als troost werd afgesproken alert te blijven op de ontwikkelingen in IJsland en ook actief overleg te hebben met de buitenlandse collega's, zoals de FSA in Engeland. De overeenkomst tussen DNB en Landsbanki wordt, zonder verdere problemen, op 23 mei 2008 getekend en Icesave opent op 29 mei 2008 haar virtuele deuren.

De Nederlandsche Bank: ziende blind?

Hoe kan het nu dat er zoveel signalen waren van problemen in IJsland en bij Landsbanki, en men met medeweten van DNB toch gewoon aan de slag kon in Nederland? Waren die IJslanders zo goed in het goochelen met hun jaarcijfers dat dat iedereen heeft misleid? Deze conclusie is niet echt geloofwaardig: bij De Nederlandsche Bank werken zo'n 1500 professionals die dagelijks het financiële systeem van Nederland bewaken.

> **De rol van De Nederlandsche Bank**
> *Begin 2008 stelde DNB haar eigen rol als volgt voor (informatie afkomstig van de toenmalige website):*
> *"**Stabiel financieel netwerk** – De financiële wereld is een netwerk van banken, verzekeraars, pensioenfondsen en beleggingsinstellingen. Door fouten of door kwade opzet kunnen financiële instellingen zelf in de problemen komen en daardoor ook anderen in de problemen brengen. DNB houdt daarom voortdurend toezicht op financiële instellingen en het netwerk waarvan zij deel uitmaken. Als er iets misgaat of dreigt te gaan treft DNB maatregelen om de schade zoveel mogelijk te beperken. Het toezicht van DNB biedt echter geen garantie. De kans dat een instelling failliet gaat is klein maar niet uit te sluiten."*

Er is intern bij DNB wel degelijk strijd geweest over die vreemde IJslanders. Natuurlijk viel het op dat dat kleine land een wel heel grote banksector had opgebouwd in korte tijd. Maar ja, als je Zwitserland, Liechtenstein en Luxemburg (maar ook Nederland) op die manier bekijkt, kun je je twijfels hebben, zo werd gesteld. Oké, die CDS-cijfers waren niet bemoedigend, maar dan nog waren de Europese regels doorslaggevend, zo stelden de immer voorzichtige juristen. De IJslanders hadden eerder de indicatie gegeven dat ze 'maar' 500 miljoen euro uit de markt zouden gaan halen in 2008, een beheersbaar bedrag. Dat dat met een hoge rente zou zijn, was toen al wel duidelijk. Ergens bleef bij de senior medewerker, die het dossier in de gaten hield, een gevoel van onbehagen hangen. Hij wíst dat het niet goed zat, maar hoe maak je dat duidelijk in het bastion dat DNB heet en strak haar regeltjes volgt? 'Onderschatting' is het woord dat de DNB in die periode kenschetste. Vanuit de vesting in Amsterdam naar de wereld kijken, is geen voordeel. In Nederland kennen we over het algemeen fatsoenlijke bankiers. De ervaringen met DSB Bank waren (nog) niet aan de orde; ervaringen die leren dat bankiers ook in Nederland wel degelijk hun eigen belang voorop zetten en met cijfers manipuleren als het zo uitkomt. Feitelijk was de ervaring beperkt tot Van der Hoop Bankiers, die in 2005 aan eigenbelang kapot ging.

Achteraf is naast 'onderschatting' ook 'geheel der delen' iets wat veel meer nadruk had moeten hebben. Waarom werd aan de prestigieuze vergadertafel aan het Westeinde in Amsterdam, waar DNB gevestigd is, wel gespróken over contact opnemen met de Engelse collega's van de FSA, maar is dat nooit gebeurd? Zelfs toen Icesave al onderweg was, had men door een simpel telefoontje in Amsterdam tot de ontdekking kunnen komen dat er in Engeland al in februari dikke vraagtekens waren geplaatst bij het optreden van Landsbanki. En dat men daar al langer aandrong op de vestiging van een dochteronderneming in plaats van een bijkantoor. Was er gebruikgemaakt van de Engelse kennis en ervaring met de IJslanders, dan had DNB de keiharde voorwaarde van een dochtermaatschappij in plaats van een bijkantoor vast en zeker gesteld. Deze rechtsvorm zou een cruciaal verschil hebben betekend in de uiteindelijke uitkomst voor de gedupeerden. Dan zou het mogelijk zijn geweest om Icesave te redden, zoals met ABN AMRO was gebeurd. Over deze mogelijkheid hadden de IJslanders overigens zelf ook gesproken. In Reykjavik werd Amsterdam gezien als een springplank naar de rest van Europa; met een echte lokale bankvergunning was het veel gemakkelijker om in Duitsland spaargeld op te halen. Maar ja, zo'n vestiging vraagt tijd en tijd was iets wat de IJslanders niet hadden: er was nú geldnood. Het voordeel was wel dat de Nederlanders, in tegenstelling tot de Engelsen, geen voorwaarden stelden aan het geldverkeer tussen Reykjavik en Amsterdam. De Engelsen bezagen wél het geheel: ze stonden erop inzicht te hebben in de liquiditeit, het aanwezige geld, in zowel IJsland als op de Engelse vestiging zelf. Deze integrale aanpak had een belangrijke rol moeten spelen, maar DNB weigerde zelfs ook maar de vraag te stellen. De juristen meenden dat het eenvoudigweg niet moest gebeuren, met de Europese regels als bron van 'waarheid'. Helaas ook omdat men zich op het Westeinde afvroeg wat dat voor Nederlandse banken zou gaan betekenen: stel dat die ineens het lid op de neus zouden krijgen in het buitenland?

Stel dat het in Australië met ING Direct fout gaat, wat gebeurt er dan met de liquiditeit van ING in Nederland? Terwijl er ook nog een vreemde valuta aan de orde is? En wat was er allemaal gebeurd met ING als in Engeland iedereen zijn geld was gaan opnemen na de slechte berichten over ING in Nederland in oktober 2008? En die Nederlandse consument, zonder een gedegen kennis van en over banken, moet dat allemaal maar weten te plaatsen?

ING Direct

Wat iedereen lijkt te vergeten, is dat ING met ING Direct in 2008 een gigantisch risico aan het lopen was. Deze internetbank van ING had meer dan 50 miljard euro aan spaargeld opgehaald; op dat moment maar liefst honderdmaal zoveel als Icesave in Nederland dacht op te halen in 2008! ING Direct deed dat in Duitsland, Canada, Spanje en Engeland. Maar ook in Australië is ING Direct een serieuze speler. Stel dat er iets mis zou zijn gegaan met ING, dan was bijvoorbeeld voor Engeland het Nederlandse depositogarantiestelsel van toepassing geweest… Dan had Nederland de spaartegoeden van ING Direct in die landen moeten vergoeden.

ING maakte op haar site in Engeland reclame met het Nederlandse depositogarantiestelsel. En denk nou niet dat ING Direct een bescheiden rentestrategie had. Men gebruikte dezelfde argumenten als de IJslanders om spaarders te lokken: geen kantoren, efficiënt wegens gebruik van internet en daarom krijgt u, spaarder, een hoge(re) rente, die in Engeland beslist hoger was dan de bestaande luie banken als RBS, HSBC of Barclays.

Een fraai voorbeeld van kwetsbaarheid was het moment in oktober 2008 toen ING Direct in Australië onder vuur kwam te liggen. Waren de Australische spaarders nu wel of niet beschermd door de Australische garantieregels (die tot 1 miljoen Australische dollars beschermen, een bedrag van 700.000 euro!)? In korte tijd verloor ING 600 miljoen euro aan spaargeld. Toen duidelijk werd dat ING Direct onder de Australische regels viel, stopte de uitstroom van spaargelden.

Inmiddels heeft ING Direct in Australië een agressieve aanpak. Nu de Australische regering de 10% belasting – op geld dat van buiten Australië komt – opheft, wil ING geld uit Duitse deposito's (waar geen vraag schijnt te zijn naar leningen) gebruiken om in Australië hypotheken te gaan aanbieden. Oeps…En zo gaat ons geld de wereldbol over, op zoek naar de meeste opbrengst. Voor dat procentje winst meer.

Beoordelaar

Laten we ons eens opstellen als de beoordelaar (namens De Nederlandsche Bank), als eind 2007 Landsbanki aangeeft 500 miljoen euro spaargeld in Nederland te willen gaan ophalen. Overigens heeft die 500 miljoen nooit als afgesproken grens gefunctioneerd; het was niet meer dan een indicatie van de zijde van Landsbanki van wat men verwachtte op te halen in de Nederlandse spaarmarkt. Graag plaatsen wij hier de volgende opmerking vooraf: bij DNB is niet de individuele spaarder de leidraad voor afwegingen, maar het bancaire functioneren. Zeker tot de klap in oktober 2008 besefte bij DNB niemand dat achter 500 miljoen spaargeld een groot aantal mensen, personen dus, zat, die stuk voor stuk hard hun best hebben moeten doen om dat spaargeld bij elkaar te krijgen.

Stichting Hoop-Verlies

Een knap staaltje van een verkeerde aanpak had DNB al liggen, in de vorm van Van der Hoop Bankiers die in 2005 ten onder ging. Er waren weliswaar maar weinig mensen bij betrokken, maar de impact was er niet minder om. Het voorbeeld zou zo in het boek van William Black passen. Ook bij Van der Hoop Bankiers waren er graaierige bankiers, met Peter van Hooijdonk als voorman. Ook daar was gebrek aan geld, zodat met grote snelheid naar spaargeld van particulieren werd gegrepen. Ook daar speelde DNB een twijfelende rol en liet zo kansen liggen. Het resultaat was dat 1500 spaarders een totaal van 150 miljoen euro aan spaargeld kwijtraakten. De grotere spaarders verenigden zich in de Stichting Hoop-Verlies en stelden DNB aansprakelijk. Dit resulteerde in een overeenkomst met DNB waarin DNB het ontbrekende geld van het faillissement aanvulde. Niemand mocht weten dat DNB fouten had gemaakt. Wellink, de President van de Nederlandsche Bank, noemde het gebeuren bij Van der Hoop Bankiers in het Jaarverslag van 2005 'een traumatisch gebeuren en een zeer hard gelag' voor de spaarders. Bij die woorden bleef het, want in het geval van Icesave liet DNB de spaarders opnieuw volkomen links liggen.

Even terug naar onze beoordelaar, die zich een oordeel moest zien te vormen op basis van beschikbare informatie. Op het moment van toelaten door DNB van Icesave tot de tweede laag van het depositogarantiestelsel kon die beoordelaar alle volgende informatie gemakkelijk vinden. Kijk maar even mee en oordeel zelf:

Beoordelaar: eerste waarschuwing

Een eerste waarschuwing kon je vinden in de algemene regels die ook Akerlof/Romer en Black aangeven. In ons eerste uitstapje hebben we daar bij stilgestaan. Regels die Merrill Lynch keurig samenvat in het rapport over de IJslandse banken op 31 maart 2008: 'te snel, te jong, te veel, te kort, te verbonden, te kwetsbaar'. Veel te risicovol. Het kon gewoon niet dat in zo'n korte tijd de IJslandse banken zo'n spectaculaire groei doormaakten zonder kleerscheuren. Alertheid over hoe die groei tot stand was gekomen en waar de valkuilen lagen, had voor de hand gelegen. De werkelijkheid is dat niemand bij DNB zich op dat moment realiseerde dat IJsland slechts 313.000 inwoners had en de FME, de IJslandse toezichthouder, maar uit acht mensen bestond die daadwerkelijk toezicht moesten houden op de betrokken banken.

De algemene indruk was dat een westers land als IJsland, dat deelnam aan alle belangrijke fora in de wereld, van de Verenigde Naties tot aan de vergaderingen van de Centrale Banken in Basel, simpelweg niet kon falen. IJsland stelde internationaal iets voor, dus twijfel je niet aan zo'n land. Dat het net zoveel mensen heeft als de stad Utrecht realiseerde niemand zich. Ga je dan eens afvragen of de gemeente Utrecht (met 320.000 inwoners) zoiets zou hebben aangekund, tja, dat is iets anders...

Beoordelaar: tweede waarschuwing

In 2006 en 2007 verschenen ladingen rapporten van professionele spelers als JP Morgan, Barclay, Fitch, Merrill Lynch en Moody's. Deze rapporten zijn bedoeld voor en gericht op de professionele spelers, die vaak op deze berichtgevingen geabonneerd zijn. Al op 24 maart 2006 verscheen een ontluisterend rapport van JP Morgan. Ze zetten IJsland neer als een veel te risicovol land, waar cross lending aan de orde van de dag was en de rol van de banken veel te groot. Het rampenscenario staat hierin dan al aangeven! Citaat: "Wat zou er gebeuren als het allerergste bankenscenario waarheid wordt? Bijvoorbeeld als de economie een scherpe val maakt, de aandelenmarkt keldert of als deze banken onvoldoende cash hebben? Zou de regering ze dan redden? Wij geloven dat de IJslandse regering de IJslandse zaken zou redden, maar twijfelen erover of ze dat ook zou doen voor de overzeese belangen."

Nogmaals, het is dan 2006. Toen al voorzagen experts de realiteit van oktober 2008. Vergeet niet dat de hoge rente in IJsland (tot 15%) ervoor zorgde dat er veel risicogeld het land binnenkwam om een graantje mee te pikken van de groeikoorts. Experts zijn dagelijks bezig wereldwijd te speuren naar de beste (= meest lucratieve) mogelijkheden om met geld geld te verdienen.

> **Cross lending**
>
> *Het woord is eigenlijk een andere benaming voor het hebben van belangen in elkaar. En dat speelt vanaf het begin dat de IJslandse banken worden geprivatiseerd een belangrijke rol. Waar iedereen dacht dat Landsbanki was gekocht met privégeld van vader en zoon, bleek achteraf dat ze het geld hadden geleend van de andere banken. En op hun beurt hadden ze weer geld geleend aan die andere banken. Een soort van piramidespelletje dus. Over en weer werd geld aan elkaar geleend en was men aandeelhouder van elkaar. Vaak indirect via de holdings of werkmaatschappijen van de eigenaren. Met geleend geld werden aandelen gekocht, die op hun beurt weer onderpand waren om geld te lenen, waar weer aandelen mee werden gekocht. Dat is lucratief als die aandelen stijgen maar als ze zakken, heb je grote problemen. De IJslandse accountants lieten dit toe, waardoor een sterk vertekend beeld werd gegeven van het risico dat de banken daarmee liepen. Dat levert dus geen echt geld op maar alleen een schijnwerkelijkheid.*

In de periode daarop verschenen er nog meer rapporten van experts. Allemaal in dezelfde trend: pas op met IJsland. Rapporten waarvan je mag aannemen dat ze door de experts van DNB gelezen zijn.

Beoordelaar: derde waarschuwing

De handen van de eigenaren van Landsbanki waren verre van schoon te noemen. Bjorgolfur Gudmundsson was met een achtergrond als veroordeelde witteboordencrimineel sowieso al verdacht. Maar ook de geschiedenis met de Russische brouwerij was toen al voor velen een moment van bezinning; kennelijk niet voor de mensen bij DNB. De politieke connecties, die voor alle banken golden en nog gelden, was blijkbaar ook geen aanleiding om vragen te stellen. Komt dat omdat we als Nederland geen echte connecties hebben in IJsland, via bijvoorbeeld een ambassade? De *fact finding* was voor IJsland in ieder geval verre van compleet. DNB moest dat achteraf ook erkennen door aan te geven dat er een meer gedegen omgevingsonderzoek zou moeten komen voor DGS-aanvragen. Een goed plan, maar alleen te laat voor de Icesave-gedupeerden.

Beoordelaar: vierde waarschuwing

De ontwikkeling van de CDS-spreads was zeer ongewoon te noemen. Ze gaven in ieder geval aan dat er iets mis was. Verzekeraars vertrouwden kennelijk niet dat Landsbanki (maar ook de andere IJslandse banken) het geld terug zou geven als het om terugbetalen ging. Want dat is de kern van de boodschap. Op het moment dat Icesave in Nederland begon, was er even een opleving in die spreads. Een opleving die binnen DNB werd aangegrepen om de voorgaande stijgende lijn weg te wuiven. Het ging weer beter, dus zou het wel niet zo erg zijn. Niemand die het in lijn bracht met de eerdere rapporten die duidelijk aangaven dat er structurele fouten zaten in de IJslandse economie. De effecten van de spreads zijn dus wel gezien binnen DNB, maar ze serieus nemen en in perspectief plaatsen was niet aan de orde.

Beoordelaar: vijfde waarschuwing

De reguliere Nederlandse banken, zoals Rabobank en ING, namen de CDS-spreads net als de rapporten wel serieus. Bij navraag bij die banken waren die constateringen voor de grote banken, met DSB Bank als laatste in de rij, al in 2007 reden om alle uitstaande leningen bij IJslandse banken niet meer te vernieuwen. Alleen Fortis bleef aan een lening met Landsbanki vastzitten, omdat deze verbonden was aan het bouwen van een aluminiumsmelterij in IJsland. Ook een paar minder grote bedragen bij verzekeraars en pensioenfondsen bleven hangen.

Toch nog de pineut

Bij het lezen van de claimlijst van Landsbanki kom je een aantal bekende Nederlandse namen tegen. Namen waarvan je denkt hé, die hadden beter moeten weten! Wat te denken van ING met 17,5 miljoen euro, ABN AMRO voor 54 miljoen euro (diverse onderdelen) en NIBC voor 5,5 miljoen euro? Het zijn staartjes van veel grotere bedragen, die men eerder al uit IJsland had teruggetrokken. Maar ook namen als Unilever, KasBank, DeltaLloyd, Aegon, Robein, De Amersfoortse en ASR kom je erop tegen. ASR zelfs voor meer dan 21 miljoen euro. Voor de spaarders een steuntje in de rug, als je bedenkt dat dergelijke professionele spelers toch echt beter hadden moeten weten…

Eerlijk gezegd konden de grote banken ook niet begrijpen waarom DNB Landsbanki toestemming gaf om te starten en daarna door te gaan met Icesave. Binnen de Rabobank zag men vanaf het begin het gevaar, net als bij de ING. Beide trokken wel (zoveel mogelijk) hun eigen belangen terug, maar zagen met lede ogen aan dat Landsbanki gebruik kon maken van de tweede laag van het Nederlandse depositogarantiestelsel. Wij zijn van mening dat DNB die overwegingen van de grote banken moet hebben gekend.

Beoordelaar: zesde waarschuwing

De aanhoudende publiciteit en het daaropvolgende verlies van 1 miljard pond aan spaargeld in Engeland had een sterke aanwijzing moeten zijn geweest dat er iets ernstig mis was. Want de Engelse kranten schreven in februari 2008 toch geen fraaie woorden over IJsland. 'Een land aan de rand van de afgrond', 'onbetrouwbaar' en: 'IJsland: één grote gok'. Het is nogal merkwaardig dat die publiciteit, samen met de professionele rapporten die in die periode van januari tot april 2008 in Engeland verschenen, niet in de dossiers van DNB zijn terug te vinden.

Beoordelaar: zevende waarschuwing

Die Engelse publiciteit was voor de FSA alle aanleiding om anders tegen Landsbanki en Icesave aan te gaan kijken (zoals we in hoofdstuk 3 over Icesave in Engeland lieten zien; de FSA wilde dat Icesave zo snel mogelijk een Engelse dochter zou worden, zodat ze de gang van zaken beter in de gaten zou kunnen houden). Bij de start van Icesave in Nederland had Landsbanki eigenlijk ook een dochteronderneming willen neerzetten in plaats van een bijkantoor, dat lezen we in de getuigenissen voor de Truth Commission in IJsland. Maar – zoals u hebt kunnen lezen – ze hadden haast met het binnenhalen van geld. Als DNB had gestaan op een dochteronderneming en daaraan had meegewerkt, zou dat Landsbanki niet vreemd in de oren hebben geklonken en was er een compleet ander risicoprofiel ontstaan. Icesave zou dan onder het complete Nederlandse toezicht en DGS vallen. Wij willen hier nog een keer de aandacht erop vestigen dat daar waar de FSA inzicht eiste in de geldstromen tussen een dochteronderneming en de moeder, DNB dat kennelijk niet deed. Ook is het vreemd dat de FSA wél inzicht claimde in de totale, integrale, liquiditeit van Landsbanki. Je kunt immers de liquiditeit (het hebben van voldoende geld in kas, dat normaal een 8% à 10% van het totale kapitaal moet zijn van een bank) niet beoordelen als je niet weet wat een bank in totaliteit aan het doen is met dat geld. Onze DNB meende daar volstrekt geen recht op te hebben en heeft het daarom dus ook niet gevraagd. Nog sterker, op het aanbod om dat wel te krijgen, reageerde DNB niet. Klaarblijkelijk was de opvatting van de juristen (EU-regels verbieden dat we iets doen) zo sterk binnen DNB verspreid dat niemand het lef had om de grenzen op te zoeken, een drang die men bij de Engelse FSA wel had en ook deed.

Beoordelaar: achtste waarschuwing

DNB's weigering om de integrale liquiditeit onder de loep te nemen, is des te opmerkelijker als je weet hebt van Basel II. Basel II? Een vrijwillige samenwerking van een aantal grote Centrale Banken om beter toezicht te regelen met elkaar (Basel Committee on Banking Supervision). Dat houdt onder andere in dat men met elkaar studie doet naar (internationale) ontwikkelingen en probeert te anticiperen op zaken. Juist in de periode 2007/2008 was risicomanagement een centraal begrip. Er was een werkgroep met de welluidende titel 'Working Group on Liquidity', die in februari 2008 een rapport uitbracht, getiteld *Liquidity Risk: Management and Supervisory Challenges*. Ook het vervolgrapport van augustus 2008 had dezelfde boodschap: Je kunt als Centrale Bank nooit zonder inzicht in de totale financiering van een internationale bank. Samenwerking met de collega-toezichthouder in een ander land is dan een must. Zeker als er sprake is van valutarisico's, doordat het moederland van een bank een andere valuta heeft dan het land waar de bank zaken wil gaan doen, is het opletten geblazen, zo stelt de werkgroep. Ondanks het feit dat de betrokken medewerkster van DNB een actieve rol vervulde in de werkgroep, is haar werk binnen DNB kennelijk onopgemerkt gebleven, want er was niks te merken van enige alertheid bij DNB om de inzichten van de 'Working Group on Liquidity' mee te nemen in de beoordeling van Landsbanki. Als je leest hoe het *Liquidity Risk*-rapport uitroeptekens plaatst bij de noodzaak om de bezittingen van een bank goed te beoordelen in het licht van mogelijke slechte tijden, de valutarisico's die zich kunnen voordoen én de noodzaak van een hechte samenwerking tussen toezichthouders als het gaat om informatieuitwisseling (over de liquiditeit), dan vraag je je toch het een en ander af.

Overigens zaten er ook diverse mensen van Engelse kant in de Working Group. Hebben die geen informatie uitgewisseld met hun Nederlandse collega's?

> **Wat wil Wellink nou?**
> *De rol van Wellink, president en dus 'baas' van De Nederlandsche Bank, is in Nederland constant onderwerp van discussie. Maar behalve in Nederland bekleedt hij ook in het buitenland aanzienlijke rollen. Zo is hij Chairman of the Basel Committee on Banking Supervision en in die hoedanigheid hield hij een opvallende speech op de 36e Economics Conference 2008, gehouden bij de Oostenrijkse Nationalbank in Wenen op 28 april 2008. Hij verklaarde zich daar uiterst bezorgd over de grensoverschrijdende bankzaken. Hij gaf in zijn toespraak aan dat "het voor de uitvoering van de toezichthoudende taken van de Centrale Bank onontbeerlijk is dat er tijdig inzicht bestaat in relevante informatie van individuele banken. In de financiële turbulentie is informatie over de liquiditeitsafspraken tussen partijen, hun bronnen van financiering en hun financiële positie essentieel om een helder beeld te krijgen van de druk op de liquiditeit die de banken*

kunnen beïnvloeden. Aan de andere kant is de informatie die Centrale Banken hebben over het functioneren van geld- en kredietmarkten onontbeerlijk voor het prudentieel toezicht als ze de risico's afwegen voor individuele banken". Je zult je nu afvragen waarom dat dan niet in het geval van IJsland is gebeurd? Goede vraag!

Beoordelaar: negende waarschuwing

Op 19 maart 2008, nog voor de start van Icesave, kwam de actieve handel in IJslandse valuta compleet stil te liggen. En als er geen marktplaats is om kronen te wisselen voor euro's, is het voor de IJslandse Centrale Bank vrijwel onmogelijk de eigen banken te hulp te schieten – als ze in de problemen komen buiten de IJslandse grenzen. Als je ponden en euro's moet uitbetalen, moet je ze natuurlijk wel kunnen krijgen. Simpelweg wisselen was echter niet meer aan de orde. Dat verklaart ook de constante zoektocht naar de swapdeals die de IJslandse Centrale Bank deed in de maanden voorafgaand aan de val van Icesave. Oddsson probeerde overal een vaste afspraak te maken om de kroon omgeruild te krijgen tegen ponden, euro's of dollars, mocht de nood aan de man komen. Hij kreeg overal nul op het rekest.

De kroon

De wisselkoers van de kroon wordt momenteel kunstmatig in leven gehouden door de Centrale Bank in IJsland. Sinds 19 maart 2008 is er formeel geen internationale handel in de kroon. Als dus ergens staat dat 1 euro 170 kronen waard is, is dat een koers die niet internationaal wordt ondersteund. Die koers krijg je alleen in IJsland zelf. Mocht je kronen willen inwisselen op de internationale markt, dan krijg je veelal slechts 1 euro voor 250 kronen (en dat is dan een gunstige koers). Overigens zijn alle spaartegoeden van de Icesave-spaarders op 21 april 2009 omgezet in kronen tegen een koers van 162 kronen. Een eenzijdige beslissing van de IJslandse regering. Mocht de kroon ooit meer waard worden, dan is dat gunstig voor de spaarders als het tot een uitkering komt. Maar denk eens aan het moment dat al die kronen massaal omgewisseld moeten worden in euro's. Wie wil ze dan nog hebben? Juist, dat riekt naar Monopolygeld.

Beoordelaar: tiende waarschuwing

Op 19 maart 2008 – de datum dat er formeel geen internationale handel in de kroon meer is – vergat een medewerker van de IJslandse Centrale

Bank een kredietlijn met de Bank for International Settlements (BIS) van 500 miljoen euro te verlengen. Normaliter is zo'n verlenging een formaliteit, maar de BIS maakte dankbaar gebruik van de mogelijkheid om er zo simpel van af te komen. Toen men bij de IJslandse Centrale Bank tot de ontdekking kwam dat het was vergeten, werd geprobeerd de fout te herstellen. Maar de BIS gaf niet thuis, en hiermee verviel voor IJsland een belangrijke kredietlijn in euro's. Belangrijk immers omdat al die deposito's in ponden en euro's waren. Mocht er dus iets misgaan bij Landsbanki, dan kon zij een beroep doen op de eigen Centrale Bank om bij te springen en euro's te leveren voor de spaarders die hun geld terug wilden hebben. De Centrale Bank dreigde daarin dus tekort te schieten als *lender of last resort*, een term die in de bankwereld wordt gebruikt voor degene die als laatste redmiddel kan worden ingezet: de Centrale Bank. Hoe belangrijk dat was, bleek op het moment dat IJsland inderdaad euro's nodig had: 6 oktober 2008. Zowel in Brussel (Europese Centrale Bank) en Londen (Engelse Centrale Bank) als in Washington (Centrale Bank VS) kreeg de Centrale Bank van IJsland een ontkennend antwoord op haar verzoek om bij te springen, en dit betekende de genadeslag voor IJsland. De Centrale Bank kon de IJslandse banken niet de euro's leveren die ze nodig hadden om hun verplichtingen na te komen.

Beoordelaar: elfde waarschuwing

In februari 2008 kwam de Europese Centrale Bank erachter dat de IJslandse banken de Luxemburgse Centrale Bank misbruikten om krediet te krijgen in euro's. In Luxemburg hadden de drie IJslandse banken, Glitnir, Kaupthing en Landsbanki, namelijk wel een dochteronderneming opgezet die dus onder het toezicht viel van de Luxemburgse toezichthouder en in staat was leningen af te sluiten bij de Luxemburgse Centrale Bank. De bedragen waren veel te hoog in relatie tot de plaatselijke vestiging, dus was duidelijk dat de IJslanders de geleende bedragen gebruikten voor andere doelen. Maar wat bizar was, is dat men elkaars aandelen als onderpand gebruikte voor de leningen. Landsbanki gaf bijvoorbeeld haar aandelen in Kaupthing als onderpand en Kaupthing die van Landsbanki; wederom een piramidemomentje. Toen de Europese Centrale Bank daar achterkwam, werd in gesprekken aangegeven dat de IJslandse banken daar ogenblikkelijk mee moesten ophouden en de leningen moesten terugbetalen. Dat deden ze maar gedeeltelijk. Ze presteerden het om dat tot aan de crash vol te houden. Die onwil leidde ertoe dat Jean-Claude Trichet, president van de ECB, Oddsson van de IJslandse Centrale Bank diverse malen boos aansprak over het gedrag van 'zijn' banken.

Beoordelaar: twaalfde waarschuwing

Het IJslandse depositogarantiestelsel is een particuliere organisatie, waar banken een bijdrage in storten. Het fonds dient om spaarders uit te betalen bij faillissementen. Elk spaarbedrag is tot € 20.887,- beschermd (in kronen). Alleen al bij Landsbanki hebben we het begin oktober 2008 over meer dan 4 miljard euro aan te garanderen spaargeld, een bedrag dat in de voorgaande maanden zelfs hoger is geweest. Het IJslandse fonds had hooguit 100 miljoen euro in kas (zoals we eerder al zeiden uiteraard in kronen en niet in euro) waar de spaarders recht op zouden hebben. Voordat Icesave eind mei aan de slag ging in Nederland, werden er in Engelse kranten, en daarna in het Engelse parlement zorgen geuit over de slagkracht van het fonds. En terecht, als je kijkt naar de getallen. Als je ervan uitgaat dat de IJslandse regering zou moeten bijspringen, dan zijn de getallen nog steeds indrukwekkend. Er stond voor 20 miljard euro aan geld uit aan IJslandse en buitenlandse deposito's bij de banken. IJslands totale 'omzet' als land in 2008 was de helft daarvan. Onmogelijk dus om bij te springen voor dergelijke bedragen; en dat is ook wel gebleken.

Beoordelaar: dertiende waarschuwing

Als je de cijfers van Landsbanki wat beter analyseert, ook begin 2008, dan valt een expert meteen op dat de afhankelijkheid van 'gelijk op te vragen geld' wel heel groot is. Onverantwoord groot. En dat is niet goed voor de stabiliteit van een bank, want als er een bankrun ontstaat, dan heb je meteen een probleem. Dat dat al in april 2008 kantje boord was, weten we inmiddels. De 1 miljard pond die spaarders daar opvroegen naar aanleiding van de slechte publiciteit in Engeland betekende bijna de genadeslag voor Landsbanki. Opvallend is dat een aantal Nederlandse pensioenfondsen om die reden begin 2008 niet ingingen op mogelijkheden van Landsbanki om hun geld daar onder te brengen. Ondanks de uiterst gunstige rentebedragen die men bij Landsbanki wilde betalen, bedankten de beheerders voor de eer.

Dertien mogelijke waarschuwingen, een symbolisch getal? Ze hadden elk op zich al moeten leiden tot vraagtekens en een 'eerst zekerheden'-benadering bij DNB. En als je ze optelt en met elkaar in verband brengt, is het helemaal onvoorstelbaar dat DNB geen groot alarm heeft geslagen bij alleen al de poging van Landsbanki om vaste voet aan de grond te krijgen in Nederland, laat staan bij de introductie van Icesave en het aanvragen van de tweede laag van het depositogarantiestelsel. Mensen bij Landsbanki in Reykjavik gaven ook aan dat het gemak waarmee DNB akkoord ging, onvergelijkbaar was met de rol die de Engelse FSA speelde. Die zocht wel de grenzen op van de Europese richtlijnen op toezicht en had er sinds februari 2008 bovenop gezeten. Met als jammerlijke kroon op het werk het gesprek dat Alistair Darling op 2 september 2008 had met de IJslanders om alvast de rekening aan te kondigen die hij van plan was te versturen, vanwege zo veel financieel wangedrag. Ondertussen verkeerde onze eigen minister Bos op dat moment in de veronderstelling dat Wellink alles in de hand had waar het de IJslanders betrof.

Dertien waarschuwingen, die vóór de start van Icesave dus al bekend waren. Opmerkelijk is dat ze voorafgaand aan die start geen enkele rol speelden bij het verhinderen of bemoeilijken van de toetreding van Icesave tot de tweede laag van het depositogarantiestelsel. Toen Landsbanki en Icesave eenmaal onderweg waren, werden ze alsnog aangemerkt als onacceptabel, maar toen was het te laat.

De vrachtwagenchauffeur

Olafur Jon Leosson, een vrachtwagenchauffeur van in de 60, beroofde zich in oktober 2009 van het leven. Olafur was omgekomen in de schulden. Om zijn truck te kunnen kopen, was hij bij Lysing, een financieringsmaatschappij, een vreemdevalutalening aangegaan, maar hij kon de aflossingen niet langer betalen. Hij had nog een lening genomen van 12,5 miljoen kronen, had Lysing eerder al eens 18 miljoen terugbetaald en was het bedrijf nog steeds een klein fortuin schuldig. Lysing kwam daarop de truck opeisen.

Olafur liet zijn familie een brief na waarin hij zei dat hij door zijn werkeloosheid en schulden geen andere uitweg zag dan zelfmoord. Tien maanden na zijn dood oordeelde de Hoge Raad van IJsland dat de leningen onwettig waren. De banken hadden nooit dergelijke leningen mogen verstrekken. Olafurs zoon Gustaf zei tegen de krant *DV* dat als de rechtbank eerder met haar vonnis was gekomen, zijn vader misschien nog had geleefd. "De top van deze bedrijven wist dit. Dat kan niet anders. Als je een bedrijf hebt, moet je duidelijk zijn over wat je wel en niet kunt."

5. DNB en Icesave,
'De Transparante Bank'

Meteen na de introductie in Nederland op 29 mei 2008 ontstaat er al
mot tussen Landsbanki en DNB. De tekst op de site van Icesave geeft de
indruk alsof DNB helemaal achter Icesave staat. Maar ja, wie spreek je als
DNB zijnde daarop aan? Doe je dat direct bij Landsbanki Amsterdam –
waar Icesave onder valt – of via collega FME in IJsland? In Amsterdam
doen ze bij Landsbanki net of ze gek zijn en houden dit spelletje een hele
tijd vol. Ook dat is herkenbaar gedrag, met Engeland in ons achterhoofd;
ook daar werd de toezichthouder, de FSA, voortdurend aan het lijntje
gehouden.

Het gaat hard met Icesave, die zich in Nederland presenteert als 'De
Transparante Bank'. De introductie, gepaard gaand met een symbolisch
en gigantisch uit ijs gehakt percentage van 5%, slaat aan en wordt door
vrijwel alle kranten opgepikt. Maar liefst 5%, dat is toch ruimschoots
meer dan de grootbanken hun klanten bieden. Met ING Postbank als
mooiste voorbeeld. Die was van mening dat je gerust 1,5% rente kon
aanhouden, klanten gingen toch niet weg. Terwijl ING Direct in Engeland ook driftig inspeelde op de rentegekte door over de standaardban-
ken in Engeland heen te gaan met een fiks hogere rente. De Icesaveklan-
ten in Nederland stroomden toe. Vooral ook omdat Icesave werkte met
een afgeleide identificatieplicht. Je moest – om een Icesave-rekening te
kunnen openen – een al bestaande Nederlandse tegenrekening opgeven
en daarvoor had je je al geïdentificeerd bij die bank: slim. Net zo slim als
de simpelheid van het inloggen en het overzicht op je rekening. Helemaal
anno 2008. Waar andere banken nog aarzelend aan het wennen waren
aan internetbankieren, nam Icesave het voortouw. Hun focus was duidelijk: een leuk deel te pakken van de 237 miljard euro aan spaargeld die
Nederland op dat moment had staan. Maar wat de (potentiële) klanten
vooral aansprak, was de rente, minimaal 1% hoger dan bij andere Nederlandse banken. En raar maar waar, kranten brachten het als een ver-
worvenheid. Eindelijk eens een tegengeluid waar die grote banken misschien inspiratie van gingen krijgen, zo luidde het oordeel. Wat er zich
ondertussen allemaal in Engeland afspeelde, daar merkte niemand wat
van. Vrijwel helemaal niets van de negativiteit die er in Engeland volop
te lezen viel, drong in Nederland door! Binnen vier weken had Icesave
al 30.000 rekeninghouders en waren de 500 miljoen euro al binnen die

voor het hele jaar gepland waren. In Reykjavik hadden ze reuzepret met elkaar en de champagneflessen werden ontkurkt. In Amsterdam moest er in alle haast personeel bij om de aanvragen af te handelen en de telefoontjes te beantwoorden. In de overzichten van de Consumentenbond prijkte Icesave bovenaan en op menig weblog werd 's banks transparantie aangeprezen. Kranten signaleerden wel de hoge rente, maar gaven tegelijkertijd aan dat de Nederlandse banken het erbij lieten. Het argument van bijvoorbeeld de Rabobank, die bij monde van haar voorman Heemskerk flink tekeer ging tegen 'die buitenlandse banken, die zo'n hoge rente gaven', werd uitgelegd als concurrentietaal. De Rabobank onderbouwde haar kritiek ook onvoldoende op dat moment, zodat die conclusie ook gemakkelijk te trekken was. De opmerking van de Rabo-voorman 'dat die buitenlandse banken alleen maar meeliften op de Nederlandse Garantieregeling' versterkte die indruk eens te meer. Het werd vertaald als een compliment voor Icesave.

De eerste die Icesave op de korrel nam was Jaap Koelewijn van het *Financieele Dagblad* (*FD*). Begin juni 2008 plaatste hij vraagtekens bij de IJslandse drift en waarschuwde voor de risico's. Maar ja, welke gewone spaarder leest het *FD*?

Te laat!

Op 9 juni 2008, exact negen dagen na de start van Icesave, zag men binnen DNB het licht. In een intern rapport citeerde men openlijk Bloomberg, die de IJslandse banken 'de meest riskante banken ter wereld' noemde. Nogmaals wordt de noodzaak van het goed samenwerken met de toezichthouders in Engeland en IJsland genoemd. Men neemt zich binnen DNB voor IJsland te bezoeken om bij de FME te gaan kijken. Opvallend is dat er nog steeds geen echte alarmbel gaat rinkelen – maar er knaagt al wel iets bij de medewerkers die zich hebben laten overreden door de juristen.

Intussen steeg in juni 2008 de spanning bij DNB. Die kon precies aflezen hoeveel geld er bij Icesave op de rekening binnenkwam (Landsbanki heeft een verplichte rapportage naar DNB over het geld dat ze binnenhaalt, maar ook wat ze eruit laat vloeien). Toen de 500 miljoen euro spaargeld bereikt was eind juni, ging er echter nog steeds geen belletje rinkelen. Dat gebeurde pas begin juli, toen Wellink het zelf begon te snappen. In het ECB-circuit werd openlijk getwijfeld aan de betrouwbaarheid van IJsland. ECB-president Trichet gaf er geen cent meer voor. En dan was er nog dat rapport van het IMF van 4 juli 2008, waarin – in voor het IMF ongebruikelijke termen – stond dat IJsland wel heel veel opgaven te wachten stond om het sprookje te kunnen handhaven. In het bijzonder de zorg over de financiële positie van IJsland werd openlijk genoemd.

Maar ja, juli is vakantiemaand en dus gebeurt er niks. Terwijl dat de maand is waarin in Engeland het toppunt van scepticisme wordt bereikt. De vragen in het parlement, de publieke constatering dat het IJslandse garantiefonds eigenlijk *fake* is, de discussie in een parlementscommissie en de CDS-spread voor Landsbanki geven haarscherp aan wat er op dat moment aan de hand is. Dit alles gaat voorbij aan Nederland, in de pers krijgt het komkommernieuws alle aandacht, maar niet de IJslandse problemen. Pas op 5 augustus 2008 wordt in de directie van DNB de finale conclusie getrokken: we voelen ons belazerd door de IJslanders! Er wordt ferme taal gesproken. De 'optopping' moet worden opgezegd, Icesave moet stoppen met het binnenhalen van spaargeld. Maar weer zijn het de DNB-juristen die de boel sussen: er kan niks worden opgezegd dan wel worden afgedwongen. De Europese regels verbieden een directe ingreep, het moet uit IJsland zelf komen. Landsbanki is daarmee de winnaar. De Engelse toezichthouder FSA is dan overigens al vanaf februari met Landsbanki in gesprek en van enige afstemming tussen FSA en DNB is het dan nog niet gekomen, ondanks alle voornemens die DNB al voor de toelating van Icesave kende. Op dat moment staat er bij Icesave al meer dan een miljard euro aan Nederlands spaargeld, van meer dan 85.000 nietsvermoedende spaarders.

De directievergadering van DNB op 12 augustus 2008 heeft alle frustraties van een toezichthouder die nu al weet dat ze tekort is geschoten. Er wordt van alles uit de kast gehaald om een ferme houding tegenover Landsbanki aan te nemen, maar weer tevergeefs. Icesave moet wat betreft de aanwezigen stoppen, al was het alleen maar om verdere schade te voorkomen. Het is curieus dat het in die vergadering alleen maar gaat over Landsbanki en DNB, niet over de gevolgen voor de spaarders en hoe die te beschermen. Iedereen in de vergadering voelt wel dat dit een geweldige flop voor DNB zou kunnen worden: DNB faalt nóóit en dus nu ook niet. Vanaf de zijlijn worden dan al alle argumenten genoemd waarom het niet de schuld is van DNB, mocht er iets fout gaan. Moody's, het ratingbureau, heeft Landsbanki nog steeds op een respectabele rating van *triple A* staan, net als de SNS Bank, dus optisch is er niks aan de hand. Icesave vangt natuurlijk alle (negatieve) aandacht, maar Landsbanki heeft ook reguliere bankactiviteiten in Nederland, waaronder het aanbieden van leningen aan bedrijven en het 'stallen' van geld dat gemeenten en provincies 'over' hadden. Daar kun je maar beter rente voor vangen, waarmee je dan weer projecten kunt uitvoeren. Op basis hiervan gaan verschillende gemeenten gewoon in zee met Landsbanki in Amsterdam om er hun overtollige geld te stallen.

Twee medewerkers van DNB (niemand van de directie zelf!) gaan uiteindelijk op 14 en 15 augustus 2008 naar IJsland om daar vragen te stellen. Ze komen alleen maar met meer vragen terug, ook al hebben ze in de gesprekken laten vallen dat 'de activiteiten van Landsbanki moeten worden bevroren'. De IJslandse toezichthouder FME doet net of er niets aan de hand is. Operatie 'In IJsland is er niks aan de hand' loopt tenslotte al sinds begin van dat jaar en ze zijn gepokt en gemazeld in het afwimpelen van lastige vragen. Het laatste dat je als IJslanders zult doen, is aangeven dat je er eigenlijk geen enkel zicht op hebt, dus doe je net alsof alles in orde is. Ze hebben immers kunnen oefenen op de Engelse FSA, die dan ook nog steeds naarstig op zoek is naar openingen om de IJslanders terug te kunnen fluiten. De FME geeft dan ook aan dat DNB geen enkel recht heeft om in te grijpen, het zou allemaal in strijd zijn met de Europese regels als dat wel zou gebeuren, stelt de FME.

Dan gebeurt er iets hoogst eigenaardigs. Op 25 augustus 2008 verschijnt er een interne DNB-nota ter voorbereiding op de gesprekken met Landsbanki en de FME. Daarin staan, onvoorstelbaar, vrijwel alle waarschuwingen genoemd die we in hoofdstuk 4 aan de orde stelden om géén toestemming te geven aan Landsbanki om toe te treden tot de tweede laag van het depositogarantiestelsel, of, nog mooier, überhaupt met Icesave te starten in Nederland! Een notitie die begin mei op tafel had moeten liggen – bij de beslissing om te starten met Icesave. Want de aangevoerde argumenten golden toen immers net zo hard: de ongunstige macro-economische ontwikkelingen, de explosieve groei, de problemen in de bancaire sector, de deplorabele staat van het IJslandse garantiefonds. Dat het IMF ze ook in haar aangehaalde rapport van begin juli 2008 gebruikte, weten we dan al.

Op 25 augustus 2008 informeert Wellink ook terloops minister Bos over 'zijn' IJslandse zorgen, maar zegt er gelijk bij dat hij 'er bovenop zit'. Bos heeft op dat moment geen enkel vermoeden van de ernst van het probleem. Wellink geeft hem daar ook geen reden toe. Waar zijn Engelse collega Darling zich er persoonlijk mee bemoeit en op 2 september 2008 de IJslanders op het matje roept om ze de rekening aan te kondigen van hun wangedrag, is en blijft Bos in volle onwetendheid van de volle omvang van het Icesave-drama.

Het *moment suprême* komt op 27 augustus 2008, als de confrontatie plaatsvindt tussen de 'gehaaide' directie van Landsbanki uit Reykjavik en 'intellectueel' Wellink. Die eerste is inmiddels gewend stoïcijns te kijken en in onschuld te reageren. De laatste heeft feitelijk nog nooit een dergelijke situatie meegemaakt. Op Wellinks kantoor in Amsterdam wordt een IJslands toneelstukje opgevoerd, een soort repetitie voor het gesprek in Engeland op 2 september. Dus doen ze hetzelfde aanbod als in Engeland:

- snel openen van een Nederlandse dochter met bankvergunning;
- voor elke euro boven de 1.150 miljoen euro een euro in reserve bij DNB, wat op dat moment al 220 miljoen extra reserve zou betekenen (de stand aan spaargeld was 1.370 miljoen euro);

– het bij DNB onderbrengen van een onderpand van 5% van de spaartegoeden tot 1.150 miljoen euro.

Landsbanki is niet bereid te stoppen met het binnenhalen van spaargeld. Wel is men bereid de termijndeposito's die in september zouden worden geïntroduceerd, uit te stellen. Wellink reageert niet echt alert op de voorstellen van Landsbanki, ook niet gewend dat iemand niet doet wat hij 'eist'.

Op 2 september 2008 heeft Wellink een gesprek met de FME, terwijl diezelfde dag Darling in Engeland aan de IJslanders alvast de rekening belooft voor hun onbesuisde gedrag. Vreemd is dat dan ineens wel de situatie bij Van der Hoop door het hoofd van Wellink speelt. Het zal toch niet zijn….? Wellink wijst de FME erop dat er sprake is van flexibele wisselkoersen en renten en daarom de topping up van € 20.887,- naar € 40.000,- niet goed aansluit. Het is een raadsel waarom dat dán pas een punt van zorg is, ook dat zou aan de orde moeten zijn gekomen in mei, toen Icesave toestemming kreeg zich aan te sluiten bij de topping up. Intern wordt DNB langzaam wakker en realiseert men zich de puinhoop die ze zelf mogelijk hebben gemaakt.

Op 9 september 2008 gebeurt er weer iets merkwaardigs. In de DNB-directievergadering is een notitie over die topping up aan de orde. Wederom komt een groot aantal zaken aan de orde die vóór de toelating van Icesave doorslaggevend hadden moeten zijn. Er zal pas tot topping up overgegaan worden als het financiële stelsel wordt gewaarborgd, de spaarders beschermd (in die volgorde en het is pas de eerste keer dat spaarders expliciet worden genoemd), het DGS in het andere land voldoende geld heeft, er voldoende informatie beschikbaar is uit het andere land en er regelmatig kan worden getoetst of het nog goed gaat. Ook een inzicht in de stabiliteit van het financiële stelsel tegen de achtergrond van de economische situatie van het land, waar de aanvragende instelling is gevestigd, maakt deel uit van de nieuwe voorwaarden. Zoals gezegd, DNB ontwaakt langzaam. Op dat moment zijn er meer dan 100.000 rekeninghouders bij Icesave met een totaal van ruim 1,5 miljard euro aan spaargeld. Dat is een dag nadat op 8 september Wellink zijn IJslandse collega Oddsson tegenkomt in Basel. Die vertrouwt hem toe dat hij de IJslandse overheid al vele malen heeft gewaarschuwd voor wat er staat te gebeuren! Maar nog steeds meent Wellink niks te moeten doen om het tij te keren.

Op 23 september 2008 krijgt Wellinks mededirecteur Schilder in Basel van de FME-vertegenwoordiger een brief mee van Landsbanki aan de FME, die de FME-man zonder commentaar doorgeeft. Daarin haalt Landsbanki dezelfde truc uit als met de Engelsen, al meer dan een maand ervoor: de door Landsbanki geraadpleegde juristen zeggen dat DNB helemaal niet gerechtigd is iets te doen, laat staan in te grijpen. 'Bevriezen' van Icesave is wat Landsbanki betreft dan ook niet aan de orde. Wel is men bereid te doen wat al in het gesprek met DNB op 27 augustus 2008 bij Wellink op kantoor is voorgesteld. Intussen is Lehman Brothers op 15 september 2008, naar we nu weten, aan bewust bedrog ten onder gegaan en maakt de financiële wereld zich op voor een crisis zonder weerga. Maar bij DNB menen ze nog steeds dat ze het allemaal in de hand hebben.

ABN AMRO

September 2008, duistere tijden voor de Nederlandse spaarder. Op 28 september 2008 nemen België en Nederland feitelijk Fortis over, waar ABN AMRO net onderdeel van is geworden. Op 3 oktober 2008 wordt de deal beklonken dat Bos Fortis Nederland, inclusief ABN AMRO, ondersteunt met bijna 17 miljard euro. Vele spaarders halen opgelucht adem. Ze zijn gered door Bos. Inmiddels is een groot aantal spaarders, op advies van hun accountmanager bij ABN AMRO, 'tijdelijk' vertrokken naar Icesave (met hun ABN AMRO-rekening als tegenrekening). Soms kan het raar lopen.

Op 29 september 2008 kondigen zich de eerste, voorspelde, donkere wolken aan in IJsland. De IJslandse regering neemt, via de FME, 75% van de aandelen van Glitnir over. Glitnir kan niet meer aan haar verplichtingen voldoen. Het moet in oktober grote bedragen aflossen en kan dat niet. Voor de hulp aan Glitnir wordt het grootste deel van de cash 'opgebruikt' die de IJslandse Centrale Bank beschikbaar heeft. Aanleiding voor DNB om nog maar weer eens een paar vragen te stellen, maar de IJslanders hebben het te druk met hun eigen perikelen om te antwoorden.

Als op 6 oktober 2008 de IJslandse Noodwet in het IJslandse parlement, de Althingi, wordt aangenomen, is voor DNB uiteindelijk de maat vol. Uit een persbericht van de IJslandse regering leidt DNB af dat de buitenlandse bijkantoren niet onder het IJslandse DGS zullen vallen. Er wordt besloten een stille curator te benoemen, die zich inderdaad op de kantoren van Landsbanki in Amsterdam meldt. Ze kan weinig verrichten, want de paniek is inmiddels compleet. Nederlandse spaarders proberen massaal hun geld over te boeken. Het computersysteem kan het niet verwerken. En als er al iets wordt verwerkt, is er geen geld meer om het te betalen: de rekening van Icesave is helemaal leeg.

Die hele week van 6 tot 13 oktober 2008 zitten Icesave-spaarders in onzekerheid. Weliswaar maakt op 7 oktober Bos bekend dat de garantiegrens tot € 100.000,- wordt opgetrokken conform afspraken in EU-verband, maar geldt dat ook voor de Icesavers? En ook als dat zo is, dan neemt dat voor de grotere spaarders het probleem niet weg. Die dreigen heel veel geld kwijt te raken.

Dezelfde 7 oktober 2008 wordt Landsbanki in IJsland door de FME overgenomen. Helemaal volgens de vooraf gemaakte noodplannen. Direct hierna splitst de FME Landsbanki in een IJslands deel (New Landsbanki) en een ongewenst buitenlands deel (Old Landsbanki). De IJslandse spaarders krijgen via New Landsbanki onmiddellijk weer toegang tot hun volledige spaargeld. De volgende dag, 8 oktober, belooft de Engelse regering om álle Engelse spaarders 100% van hun spaargeld te vergoeden. Op 9 oktober maakt Bos bekend dat voor de Icesavers de € 100.000,-grens ook van toepassing is.

Met de rechtbank in Amsterdam wil het maar niet vlotten. Die wil bewijs dat de bankvergunning van Landsbanki is ingetrokken in IJsland en DNB kan dat niet hard maken. Dat is namelijk de enige grond waarop er volgens de wet een bewindvoerder kan worden aangesteld in Amsterdam. Uiteindelijk krijgt DNB op 13 oktober 2008 de toestemming voor een bewindvoerder. Gebaseerd op een leugentje, want men stelt bij de rechtbank dat men uit IJsland heeft gehoord dat de bankvergunning weldra wordt ingetrokken. Dit leugentje zal nog een naar staartje krijgen... Dezelfde dag wordt Marinus Pannevis aangesteld als bewindvoerder over de 600 miljoen euro die Landsbanki nog in Nederland heeft uitstaan; dit bedrag staat tegenover 1,7 miljard euro aan spaargeld dat is 'verdwenen'.

Wat vooral opvalt in deze periode van 29 mei tot 13 oktober 2008 is het onprofessionele geschutter van De Nederlandsche Bank. Pas áchteraf wordt alle informatie gebruikt die voor de start van Icesave al beschikbaar was. Terecht melden de IJslanders dat ook als DNB in augustus 2008 de duimschroeven wil aandraaien: "Als je het had bij de start en geen bezwaar had, wat maakt dat je dat bezwaar nu wel hebt?" De voorwaarden die men eind augustus stelde voor nieuwe toetreders tot de topping up in het depositogarantiefonds had men al veel eerder kunnen opvoeren. Ook de snelheid van handelen, of juist het gebrek eraan valt op. Net als het niet ingaan op de *last minute* mogelijkheid om extra reserves of garanties te krijgen van Landsbanki. Dat er ook in deze cruciale fase geen afstemming is met de Engelse FSA, mag ons – na alles wat we weten – niet verwonderen, maar blijft wel ronduit verbijsterend. De opmerkelijke rode draad die ook al voor de start zichtbaar was, blijft: alles wordt volgens de vermeende regeltjes bekeken. Gezond verstand ontbreekt volkomen. 'De Regels' zijn allesbepalend. Alhoewel die strikte regels rond het moment van kiezen in de week van 6 tot 13 oktober 2008 ineens niet meer golden. Want dan had DNB niet gelogen dat de bankvergunning van Landsbanki 'spoedig' zou worden ingetrokken. Daarmee gaf ze de rechtbank het recht om Landsbanki/Icesave onder toezicht te stellen.

Een leven lang hard werken en dan is je geld weg

"Al op mijn 11e begon ik te werken in het hoveniersbedrijf van mijn vader. Later kwam mijn broer erbij en in 1996 ging pa met pensioen en namen wij het over. Het was keihard werken. Zes dagen in de week en weken van 80 tot 100 uur.

De grond waarop ons bedrijf stond, was in erfpacht van de gemeente Amsterdam. We wilden uitbreiden, maar op die locatie ging dat niet. De gemeente werkte niet echt mee om een geschikte nieuwbouwplek te vinden en ons bedrijfsplan voor een kredietaanvraag werd afgewezen. Toen kwam de gemeente met de mededeling dat de kas, die er al 15 jaar stond, weg moest. Op dat moment hadden we het gehad. We zagen geen toekomst meer in ons tuincentrum. Alleen maar hard werken, lange dagen, nauwelijks vrije tijd en bureaucratische tegenwerking. We besloten het pand te verkopen. De verkoop kwam onverwacht snel rond en op 2 januari 2008 was de overdracht.

Het idee was om met het geld een stratenmakersbedrijf te beginnen. Tot die plannen rond waren, moest het geld daarvoor voorlopig veilig worden weggezet. Ik heb het geld eerst geparkeerd bij Akbank, een Turkse bank. Tot ik over Icesave hoorde. Eerst uitgetest met het over en weer boeken van € 1000,-. Dat ging simpel en snel. Toen maar het hele bedrag van € 650.000,- overgeboekt.

Ik werkte de maanden voor de val van Icesave in een aardappelmeelfabriek en hoorde pas wat er was gebeurd toen ik thuiskwam. De hele nacht ben ik blijven proberen ons geld weer terug te boeken. Tegen beter weten in, maar je kunt toch niet slapen, dus je blijft maar aan die computer zitten alsof je daarmee iets zou kunnen afdwingen.

Mijn broer wist toen nog van niets. Ik was degene van de financiën en de boekhouding en ik kon hem de volgende dag gaan vertellen dat ook zijn helft op een IJslandse ijsschots dreef. Weg! Pleite!

Het heeft heel wat verwijten en verwijdering gekost in onze familie. We waren helemaal blut. Mijn broer is snel zijn vrachtwagenrijbewijs gaan halen en ik werk nu parttime als pompbediende en voor het andere deel als vuilnisophaler."

Uitstapje 2. Wat heeft de pers gedaan?

Hoe kon het dat de pers, die normaal toch zoveel impact heeft op beslissingen die mensen nemen als het gaat om sparen, nu niet die doorslaggevende rol heeft gehad? Nog erger, de indruk ontstaat al snel dat in het geval van Icesave de media eerder een ondersteunende dan een kritische rol hebben gespeeld.

Engeland

Eigenlijk begint het in Engeland. Bij de introductie van Icesave daar maken Engelse en IJslandse marketeers zich druk om het imago van de IJslandse banken. Zou dat wel goed genoeg zijn om spaarders aan te trekken? Want in de praktijk zijn alle spaarrekeningen hetzelfde, het lijkt vooral te gaan om de hoogte van de rente die wordt geboden. Tot hun eigen verbazing blijkt IJsland als land een prima imago te hebben bij de gewone man in de straat. Betrouwbaarheid en innovatie zijn niet vreemd als mensen denken aan IJsland. Dus wordt besloten om vooral het land als uitgangspunt te nemen voor de marketing van Icesave.

Een belangrijke stap is dan het meenemen van een aantal zorgvuldig geselecteerde journalisten naar IJsland op een introductietrip. Het waren journalisten van kranten en bladen die er toe deden: van de *Financial Mail on Sunday*, *Management Today*, *Moneywise* tot *Woman & Home* (want vrouwen zijn vaak een stimulerende factor en beslissers bij het wegzetten van geld). De nadruk bij het bezoek lag vooral op de sterkte en de impact van IJslands ondernemerschap. Even zorgvuldig uitgestippeld was de gehele introductiecampagne. Vooraf werd geanalyseerd wie er de smaakmakers waren in de traditionele media, maar ook online. Zij waren het doel van de campagne. Naast de vliegtrip werd een mobiele 'IJsbar' langs een aantal mediakantoren gestuurd; onder het genot van Ice Tea en koffie werden gesprekken gevoerd over IJsland en Icesave. De Icesave Goody Bag die men meekreeg, bevatte symbolisch al het goede van IJsland. Door een hoge waardebeleving was het dé reminder van wat IJsland wel niet kon betekenen voor de Engelse financiële wereld. De introductiecampagne was opgesierd met een simpele foto van een kunstschaatsster, die de hoge rente op het ijs schaatste, simpeler en sprekender kon niet. De resultante van deze aanpak was adembenemend voor een nieuwkomer op de markt. Een paar voorbeelden:

- BBC's *Money Box* wijdde in maar liefst twee programma's aandacht aan Icesave. De financiële websites verwezen er allemaal naar.
- *Money Mail* kopte: 'Geweldig rentetarief bij Icesave'.
- de *Independent*: 'De IJsman komt en alle spaarders profiteren'.
- De invloedrijke *The Guardian* maakte er zelfs voorpaginanieuws van en wijdde een dubbele pagina aan de verdiensten van Icesave.
- De veel gelezen *The Sunday Times* maakte ruimte met twee verhalen onder de titels 'Icesave: een geweldige deal' en 'Spaarders moeten ING laten vallen voor Icesave'.
- *Management Today* en *The Mail on Sunday*, die beide mee waren naar IJsland, publiceerden zeer lovende artikelen over IJsland en Icesave.

Uit de reacties van het publiek bleek de sterke koppeling tussen deze positieve publicaties en het aantal mensen dat zich bij Icesave inschreef. Elke keer als er iets werd gepubliceerd, liep de teller bij Icesave sneller. Bij Landsbanki in IJsland waren ze hooglijk verbaasd over de resultaten, die hun stoutste dromen overtroffen.

Het effect van deze introductie hield nog lange tijd aan. Mede omdat Icesave toch werd gezien als de luis in de pels van alle grootbanken die spaarders een magere rente gunden, maar wel huizenhoge bonussen uitbetaalden aan hun eigen personeel. Wakker blijven dankzij die kiene IJslanders, zo leek de boodschap. Commentaar uit de bankensector werd dan ook vaak als afgunst afgedaan.

Pas in begin 2008 begint het ijs voor Landsbanki zachter te worden. Op 5 februari 2008 publiceert *The Daily Telegraph*:

De resultaten die door de hoofdrolspelers in IJslands financiële markt vorige week werden gepubliceerd hebben de vrees verhoogd dat het land wordt geconfronteerd met de onmogelijkheid geld aan te trekken. Analysten denken dat er, dankzij het aantal bedrijven dat belangen in elkaar heeft, niet veel voor nodig is het hele financiële systeem van het land op de rand van de afgrond te brengen.

Op 10 februari 2008, *The Sunday Times*:

Britse spaarders hebben miljarden op IJslandse rekening staan, maar hun banksysteem ziet er onbetrouwbaar uit.

Toch gaf rond die tijd de gezaghebbende site *This is Money* nog steeds aan dat Icesave een veilige spaarmogelijkheid was, aan alle kanten gedekt door garanties. Die positieve benadering is kenmerkend voor de hele Icesave-periode in Engeland. Midden in de periode waarin Icesave zwaar onder vuur lag en meer dan 1 miljard pond (stond toen gelijk aan 1,5 miljard euro) weer zag verdwijnen, bood *MoneySavingExpert* – een gezaghebbende site – alle gelegenheid om Icesave te promoten. Nota bene door Rose Bentley, die op dat moment de communicatie deed voor Icesave. In forums postte ze vlot allerlei positieve dingen over Icesave, die zelden werden tegengesproken. Een enkeling plaatste als reactie een foto van de voorlichter van Sadam Hussein...

Op 4 maart 2008 op MoneySavingExpert
Op deze gezaghebbende site maakte Icesave veelvuldig gebruik van de mogelijkheid om geruchten de kop in te drukken. Een voorbeeld van een dergelijke bijdrage op de site, naar aanleiding van de vraag of Icesave wel veilig was (we geven het bericht integraal weer omdat het zo'n perfect beeld geeft van wat er speelde en hoe Icesave zichzelf in Engeland neerzette):

"This is Rose Bentley from the icesave press office.

Can I take this opportunity to reassure icesave customers that it is extremely unlikely that they would ever need recourse to compensation because Landsbanki enjoys high levels of financial stability. Landsbanki has one of the strongest capital and liquidity positions of all of the European banks and is extremely well placed to withstand the challenges facing the sector on liquidity (having very high ratios of customer deposits to loans and no exposure to the sub prime market) and is in a strong position to benefit when confidence in the sector begins to normalise. You may find icesave's key facts section useful and I attach a link as follows: http://www.icesave.co.uk/financial-strenght.html.

The whole issue of compensation is a red herring because at no point in the foreseeable future would account holders be requiring it. However, it is worth pointing out that, contrary to information from people who have not read the EU directive on compensation schemes,the dual Icelandic and UK scheme which protects icesave customers will be just as fast as a single scheme. Check out the following link (http://eur-lex.europa.eu/LexUriServ/LexUriServ.do?uri=CELEX:31994L0019:EN:HTML).

I work in the icesave press office so I obviously have an interest. However, I feel it is appropriate to say something because there are so many rumours and misconceptions around at the moment. This is a shame because as a consequence, some savers are missing out on some of the best rates in the market. I have an icesave account and I have no worries about it. Given icesave is currently averaging over 1,000 new account openings a day in the lead up to 5 April, I am happily one of many."

Zoals we al schreven werd het in de zomer van 2008 in Engeland alleen maar onaangenamer voor Icesave, met als hoogtepunt het debat in het parlement van Engeland, waar IJsland en de IJslandse banken failliet werden verklaard! Maar ook dat pikte de pers niet echt op. Na de dip van het begin van het jaar zijn er weer meer en meer Engelsen die hun geld bij Icesave neerzetten.

Nederland

In Nederland werd Icesave pas op 29 mei 2008 geïntroduceerd, nadat in Engeland al flinke scheuren waren geconstateerd in het Icesave-ijs. Wat was het beeld van IJsland dat men had kunnen krijgen?

Het beeld van de IJslandse banken was in Nederland voor dat moment vooral gekleurd door de voorgenomen overname van NIBC door Kaupthing. NIBC werd toen beschouwd als een problematische bank met een leningenportefeuille die kritisch was. En een bank waarmee Landsbanki als collega-bank van Kaupthing, via de holdingen van beide banken, redelijk verweven was in financiële zin. In augustus 2007 werd bekend dat Kaupthing NIBC wilde overnemen en dit wordt een moeizaam traject. In november wordt bekend dat Kaupthing minder wil betalen voor NIBC, bovendien moet Kaupthing de overname betalen met de uitgifte van nieuwe aandelen. Als in januari de IJslandse beurs volledig instort, is het over en uit voor Kaupthing. Alleen al hun aandelen zijn 30% minder waard. De Centrale Bank van Oddsson eist dat Kaupthing voldoende geld aantrekt om de overname te bekostigen. Dit lukt niet en eind januari wordt de overname afgeblazen.

Het *Financieele Dagblad* signaleert de hoge CDS voor Landsbanki en voorspelt problemen voor de IJslandse banken. De professionele beoordelaar Moody's geeft Landsbanki weinig kans om te overleven. Het internetsparen is te risicovol door een gebrek aan klantentrouw, zo menen zij. Maart is zoals bekend desastreus: de kroon stort nog verder in. De rente van de Centrale Bank gaat zelfs naar 15%, de CDS komt boven de 1000 punten. Bloomberg, informatiebron voor de financiële professionals, noemt de IJslandse banken dan de meest riskante ter wereld. De reserve van de Centrale Bank van IJsland is een schijntje van wat nodig is als de banken wat zou overkomen.

In april is het weer raak. Er verschijnen verhalen dat een aantal hedgefondsen met elkaar hebben afgesproken een poging te wagen de IJslandse banken failliet te laten gaan. Dagblad *Trouw* stelt dat de IJslandse bankensector aan de rand van de afgrond staat. Het *Financieele Dagblad* voorspelt niet veel minder. Inmiddels is de inflatie boven de 10% gestegen, de rente boven de 15% en is de kroon met een dikke 25% in waarde gedaald sinds het begin van 2008. Je kunt op basis van deze informatie niet anders dan de conclusie trekken dat de snel gegroeide en schijnbaar succesvolle IJslandse bankensector exit is in de financiële wereld. Alle indicatoren zijn negatief: rente, aandelenkoers, kosten voor lenen, inflatie. Desondanks kan Landsbanki Icesave gewoon introduceren op 29 mei 2008.

De meeste kranten reageren meteen enthousiast. De nieuwkomer Icesave kan rekenen op sympathie. Het *Financieele Daghlad* en de *NRC* krabben zich nog wel achter de oren, maar leggen het af tegen de andere media:

Elsevier: 'Wie wil niet zo'n spaarrekening?' En: 'Dit is, kortom, een spaarrekening met weinig haken en ogen.'

AD: 'Mocht Landsbanki (...) toch in problemen komen, dan is er voor de meeste mensen weinig aan de hand.'

De Volkskrant: 'Bij de IJslandse bank Icesave krijgt u 5,25 procent zonder addertjes.'

Ook de eerst kritische *NRC* gaat dan toch overstag: 'Icesave kan de hoge rente bieden omdat de bank geen kantoren heeft en alles online doet.'

Het gaat vooral om wie er als winnaar uit de bus komt van de renteoorlog die Icesave ontketent. De ellende in IJsland komt niet meer aan de orde, wat ook blijkt uit het kritiekloos vermelden van de IJslandse garantie voor de eerste € 20.000,- met de tweede garantie van De Nederlandsche Bank als extra zekerheid. De gerenommeerde websites van Independer, Consument&Geldzaken en de Consumentenbond nemen Icesave steevast op als beste optie om je geld onder te brengen.

Op 7 juni is het Rabo-voorman Heemskerk die de kat de bel aanbindt. Hij verwijt de IJslanders te profiteren van de Nederlandse garantieregels. Hij opent een frontale aanval op de profiterende IJslanders, die een onrealistisch hoge rente bieden en daarmee oneerlijk concurreren. Het is olie op het vuur voor de pers. De arrogantie van de grootbanken die al die tijd de spaarder een fatsoenlijke rente hebben onthouden, staat centraal in de kranten en op sites. Woorden als 'gezeur', 'bangmakerij', 'misplaatst' en 'onzinnig' tekenen de sfeer. Het *AD* hekelt de Rabobank, omdat het de Rabobank zou gaan om het verdedigen van haar marktaandeel.

In juli wordt de mediasteun voor Icesave alleen maar groter. Independer roept de spaarder min of meer op om de Nederlandse banken links te laten liggen. *Trouw* geeft Icesave complimenten omdat het 'spaarders wakker heeft gemaakt'. *De Volkskrant* noemt Icesave de nieuwe standaard. Het *AD* gaat door op jubeltoon en wijst op de hoge rente die snel verdiend is. De spaarder is aan de macht. De Rabobank blijft de zondebok. *Trouw* wijst er 10 juli op dat de Rabobank in België aan de slag is met een internetrekening met een hogere rente; hoe hypocriet kun je zijn, stelt de krant. Als op 28 juli in de *NRC* BinckBank ook de stoute schoenen aantrekt en de IJslandse Centrale Bank een schop verkoopt en de garantie twijfelachtig noemt, zijn de rapen gaar. *NRC* zelf pareert het met 'eigenbelang van BinckBank'. De directeur van de Vereniging Consument & Geldzaken adviseert op 27 juli in *De Telegraaf* om die rente van 5,25% maar te pakken, want Icesave valt onder de Nederlandse garantieregeling.

Ook in de precaire maand augustus blijft iedereen positief. Niks over de miserabele situatie van de IJslandse economie of de IJslandse banken. Elk spoortje van kritiek kan rekenen op veel sympathie voor Icesave, die toch maar het lef had om de bestaande grootbanken de les te lezen. Op 31 augustus geeft *De Telegraaf* Icesave het finale stempel van goedkeuring. Men stelt: 'Landsbanki heeft een indrukwekkend social responsibility beleid en een rigoureuze screening van investeringsaanvragen.' In hetzelfde artikel staat de tekst 'Landsbanki garandeert dat uw spaargeld niet de walvisjacht boven water houdt'. Icesave kan niet meer stuk. In september gaat zelfs het *Financieele Dagblad* overstag. Volgens het *Financieele Dagblad* is het nu eindelijk zover dat de burger de bank plukt in plaats van andersom.

Begin oktober is er nog geen vuiltje aan de lucht. Pas als de bubbel echt barst op 7 oktober struikelen de kranten over elkaar heen om te verklaren dat ze het wel degelijk hadden geweten. Het kon nooit goed gaan met dat IJsland. *De Telegraaf* stelt op 9 oktober dat de spaarders nu het lid op hun neus hebben gehad; ze zijn gezwicht voor schreeuwerige advertenties voor een half procentje rente extra. De sfeer van 'dat half procentje extra' blijft lange tijd hangen.

De Ombudsman van *de Volkskrant* verontschuldigt zich achteraf over de 'nalatigheid' van de redactie; die had wat hem betreft alerter moeten reageren. De vooraanstaande journalist Pieter Klok omschrijft het onheil als volgt: "We voelden vorige week al dat het misging met IJsland en hebben serieus overwogen om te waarschuwen. Maar dan zouden we mogelijk een bankrun veroorzaken en van paniekzaaierij worden beschuldigd." Hij stelt verder: "Tot deze week was het ondenkbaar dat een land failliet zou gaan en dus leek de garantie op de spaartegoeden spijkerhard. De Nederlandsche Bank had natuurlijk moeten waarschuwen."

De journalistiek laat de spaarders in onbegrip achter.

Waarom ging het allemaal zo als het is gegaan?

Misschien komt het wel door de woekerpolisaffaires in de jaren ervoor, waarbij de burger de dupe werd van de hebzucht van de grote verzekeraars. Daarmee werd de toon gezet voor een kritische houding tegen de financiële instellingen die immers hun zakken vulden over de ruggen van de burger. Leve de underdog die die grote jongens een poepie laat ruiken. Icesave was zo'n underdog. En elke keer als een gevestigde speler probeerde te wijzen op de falende IJslanders was dat koren op de molen van de media om de underdog te steunen in zijn strijd tegen het establishment. Het blijft onvoorstelbaar dat de vele berichten uit de professionele financiële wereld, maar ook de krantenberichten uit Engeland, nooit zijn vertaald voor en naar de consumentenwereld. Hieruit blijkt eens te meer dat de ontwikkelingen in die financiële wereld achter deuren plaatsvinden die voor de gewone consument gesloten blijven. Die heeft er geen weet van wat er mis gaat. Een consument die dan wel moet afgaan op wat 'de autoriteiten' hem voorschotelt. Of dat nu de kranten, gezaghebbende websites of De Nederlandsche Bank zelf is. Een DNB die bovendien ook tot op het laatste moment bleef beweren dat er 'niks aan de hand was met Icesave'.

Al of niet bewuste miscommunicatie is overigens een van de kenmerken van het Icesave-drama, zowel voor als na 6 oktober 2008, in Nederland en in IJsland. Een IJsland dat zich in complete chaos afvroeg hoe het zo ver had kunnen komen.

De exodus

Delen uit de speech van Atli Steinn Gudmundsson op het Austurvollur-plein in januari 2009.

"Vandaag heb ik de gelegenheid u de beslissing van mij en mijn vriendin uit te leggen om deze zomer naar Noorwegen te emigreren. Wij hadden de keus tussen Nederland en Noorwegen, de twee landen met de minste werkeloosheid binnen de Europese Economische Zone. Na het horen van verhalen van vrienden die naar Noorwegen waren verhuisd, besloten we dat dat onze bestemming zou worden. De taal heeft meer verwantschap met de onze en het krijgen van een baan is er gemakkelijker nu in Nederland het werkeloosheidscijfer is gestegen. Daarbij was het prettig te weten dat onze vrienden het heel goed deden in Noorwegen en dat de maatschappij daar goed zorgt voor haar burgers in nood. Mijn ervaring in mijn eigen land is dat de regering bij een storm dezelfde richting meeblaast.

Ik beken u nu dat ik bij de verkiezingen in 2009 voor de Social Democrats heb gestemd. Die fout maak ik maar één keer in mijn leven. Ik geloofde in Johanna Sigurdardottir. De minister van Sociale Zaken die had gevochten voor de underdog toen ik nog een tiener was. Mijn hart was vol vertrouwen toen Johanna tijdens de verkiezingscampagne naar voren trad en beloofde dat het land een veilige haven zou zijn voor de eigendommen die nu op 1 maart geveild gaan worden.

Het bleek allemaal zo anders. De haven die Johanna Sigurdardottir beloofde is de grootste leugen van alle campagnebeloftes en is hard op weg de grap van het jaar 2009 te worden. Gehuld in donkere geheimen en torenhoge rente percentages. In plaats van zich te bekommeren om werkeloze gezinnen die failliet gaan, werd er koers gezet richting Brussel, richting de EU die vanaf 2012 voor alles een oplossing zou brengen. Maar tegen die tijd is er niets anders over dan verschroeide aarde.

Landgenoten, ik zal na dit wel nooit premier of president worden en het zal dus wel de laatste keer zijn dat ik voor zo'n grote menigte hier op Austurvollur sta en ik grijp dan ook de kans. Ik grijp de kans jullie te vertellen dat ik dit land verlaat voordat de hooggeleerde minister van Financiën belasting gaat heffen op de lucht die we inademen.

Ik grijp de kans jullie te vertellen dat ik niet van plan ben 103.000 vierkante kilometer te delen met mensen die een bank kochten van de winst die ze met een dubieuze brouwerij in Rusland hadden gemaakt. In werkelijkheid was het geld om de bank te kopen afkomstig van een andere bank die nu is verdwenen in het monster dat crisis heet. Maar van ons die hier nu staan, wordt verwacht dat we de gigantische schuld terugbetalen die diezelfde mensen schuldig zijn aan Engelse en

Nederlandse spaarders die niets verkeerds hebben gedaan maar gepakt zijn door het genie Landsbanki. Het is vandaag de dag niet benijdenswaardig om in IJsland geboren te zijn waar we allemaal individueel gratis en voor niks 10 miljoen kronen [red.: circa 60.000 euro] in het rood staan.

Ik besmeur 's nachts geen huizen van mensen met rode verf, ik bedreig geen business-vikingen of leugenachtige politici. Ik vertrek. Door mijn vertrek geef ik mijn mening over de rotzooi die in IJsland op elke hoek voor het oprapen ligt. De eindeloze debatten in de Althingi die zelfs tijdens de lunchpauzes doorgingen; er is niets, helemaal niets, om naar uit te kijken!

Ik heb geen zin om te lezen dat mensen als Sigurjon Arnason, die nadat ze het land in de schulden hebben gestort, nu Financieel Management doceren aan de Reykjavik University. Ik heb geen zin om te lezen dat hij in januari op de Canarische Eilanden in de zon lag, terwijl wij hier een betalingsregeling met Engeland en Nederland probeerden te treffen.

Ik heb er zelfs nog veel minder zin in om Bjorgolfur Gudmundsson door de straten van Reykjavik te zien rijden in zijn 12 miljoen kronen kostende SUV, wetend hoe vaak hij failliet is geweest of om me Bjorgolfur Thor voor te stellen walsend door zijn Londense villa.

Wanneer gaan deze heren het land terugbetalen voor de schade die ze veroorzaakt hebben?

Wanneer gaan ze iets tegen ons volk zeggen?

Wanneer openen ze hun vette bankrekeningen in Tortola of andere belastingparadijzen en repareren ze de schade die ze deze en de volgende generaties hebben toegebracht toen ze naar goud zochten over de ruggen van consumenten?

Wanneer?

Ik wil hier de woorden van de overleden vakbondsleider Gudmundur Jaki herhalen: "What fucking nerve."

IJslandse aannemers hebben bouwprojecten nodig voor ze van de honger omkomen. Dit is het moment om aluminiumfabrieken, hightechziekenhuizen en IT-plannen in de ijskast te zetten. Wat IJsland nu nodig heeft is één gigantische gevangenis in Syberische stijl ergens op de hooglanden. Dat zou ik nou geniaal noemen.

We zitten hier in een land met immense problemen en de woede van de Britse en de Nederlandse regering. Is dit hetzelfde land dat in 1973 kanonnen afvuurde op Britse trawlers en zich niets aantrok van de Britse woede? Ik zie niet in waarom Gordon Brown meer mans zou zijn dan Edward Heath en Harold Wilson, zelfs niet met een terroristenwetje in de hand. Natuurlijk moet elke Brit en elke Nederlander zijn geld tot de laatste cent terugkrijgen. Voor minder ga ik niet. Maar de terugbetalingen moeten wel zo zijn dat dit land niet door de schulden verzwolgen wordt. Zij die verantwoordelijk zijn, moeten eerst over de brug komen en moeten al hun geld, waar ze het ook verborgen hebben, op tafel leggen.

Icesave is één ding, maar dan hebben we ook nog de schuld vanwege de inflatie en die door de ineengestorte munt. Financiële instellingen zouden ook hier hun verantwoordelijkheid moeten nemen maar Johanna Sigurdardottir heeft een cordon om hen gelegd.

Mijn leningen zijn de afgelopen 16 maanden tot 40 miljoen gestegen. Zes maanden aan een stuk steeg mijn valuta lening bij Frjalsi Fjarfestingabankinn gemiddeld met 77.000 kronen per dag. Op geen enkele manier kan ik deze vermeerdering betalen. Op geen enkele! In de brief van de advocaat van de bank die me informeerde over de openbare veiling van mijn eigendom, stond dat de kosten voor deze brief 923.107 kronen waren, exclusief btw. Het is errug duur geworden om tegenwoordig een brief te schrijven.

Wij IJslanders zijn houders van heel wat wereldrecords. Die van valutaleningen, belastingen en bridge; maar ook die van de hoogste ivoren toren van het westelijk halfrond: het ministerie van Sociale Zaken. Daar zetelt namelijk een voormalig lid van het bestuur van Kaupthing. Deze brutaal uitziende man heet Arni Pall Arnason en kortgeleden werd hij geïnterviewd door de radiozender Bylgjan. Het zal jullie niet niet verbazen dat de helft van de mensen die naar het programma belden aan Arni vroegen wanneer hij iets aan de situatie ging doen. Arni zei dat hij al heel veel had gedaan en verwees naar de oplossing van de regering. Het probleem is dat zijn oplossingen zo complex zijn dat niemand ze begrijpt. Toen economen ze hadden vertaald in gewone-mensentaal, bleek dat het beste scenario neerkwam op een schuldenvermindering van maximaal 17%. Wat een megaverschil, vooral als in menig huishouden beide kostwinners zonder werk zitten. Waar is de reddingsboei? Arni verklaarde die avond op het journaal dat niemand er baat bij had als de openbare veilingen uitgesteld werden. Voor de debiteuren was het het beste schoon schip te maken. Daar zaten we dan. De hooggeleerde minister dacht dat IJsland een tekort had aan lege huizen die aan banken en financiële instellingen toebehoorden. Mooi. Volgens het journaal had alleen Landsbanki al 428 huizen teruggeëist en zou dat getal nog wel verder oplopen.

Arni leek ook te denken dat alles prima in orde was en dat het land richting rustiger vaarwater zeilde. Wie kan hem dat kwalijk nemen? Ik zou misschien ook denken dat alles jofel is als ik met een ministerssalaris, een dure auto en een privéchauffeur in mijn kantoor zat. Wie kan het iets schelen dat er elke dag weer veertig werklozen bijkomen of dat mensen het land ontvluchten om ergens anders in waardigheid te gaan wonen? Iemand zou geen minister van Sociale Zaken mogen worden zonder eerst in een sociale woningwetwoning in Thorufell te hebben gewoond en te hebben moeten rondkomen van 50.000 kronen, een buspasje en een zwemkaart per maand. Ik begrijp best dat een stewardess van Loftleidir ook een goede minister van Sociale Zaken zou kunnen zijn, maar het heeft ons een ongelukkige premier opgeleverd.

Beste landgenoten,
Laten we de vreselijke keuzes die nu voor ons op tafel liggen, nooit accepteren.
Laat ons nooit toestaan dat particuliere ondernemingen aan criminelen toebehoren die ons levend begraven in schuld.
En laat ons nooit meer meemaken dat onze politici in een vol Haskolabio-theater ons vertellen dat 'we het volk niet vertegenwoordigen'. Want we zijn een sterk volk dat door dik en dun een eenheid is gebleken. Een volk onder de volkeren.
Maar ik heb er genoeg van en zeg vaarwel tegen dit land. Jullie, mijn landgenoten, mijn medeslachtoffers, ik steun jullie en verlaat jullie met de woorden: 'IJslanders sta op!'"

6. De chaos in IJsland
na 6 oktober

Þetta reddast – Things will manage themselves
IJslands spreekwoord

In 1994 stroomden de IJslanders naar Thingvellir om het 50-jarig bestaan van de republiek te vieren. Op die prachtige dag kwamen velen urenlang vast te zitten in het verkeer, want een kwart van de bevolking was op weg naar de plek van het oudste parlement ter wereld. Het vieren van de IJslandse nationaliteit was iets van alle IJslanders geworden nu het land zo'n snelle transformatie had ondergaan. In minder dan een halve eeuw was het land van een agrarische gemeenschap een staat geworden met een van de hoogste levensstandaarden ter wereld. Enkele jaren later zou Damon Albarn, voorman van de britpopband Blur en een vaste bezoeker van IJsland, ook de grote gemeenschapszin van de IJslanders noemen als reden waarom het land hem zo aantrok. IJsland was in veel opzichten een egalitaire gemeenschap geweest; een waar de sociaaldemocratische principes van gelijke kansen gepraktiseerd werden.

Historicus Gudmundur Magnusson had net het boek *Het nieuwe IJsland, de kunst om jezelf te verliezen* geschreven toen halverwege 2006 Geir Haarde aan het roer kwam. In dat boek beschrijft hij hoe in de goede tijden de rijken niet te koop liepen met hun rijkdom, maar iets tot stand probeerden te brengen in plaats van zich bezig te houden met overnames, fusies en investeringen. Sinds 1995 had IJsland een sterke groei laten zien in de Gini-coëfficiënt, dat de verdeling van de rijkdom in een land laat zien. Het geld in IJsland zat maar bij een paar mensen, maar nu moest iedereen voor hun hebzucht betalen.

De geïsoleerde IJslanders hadden de twee wereldoorlogen anders meegemaakt dan de andere Europeanen: ze hadden onder andere minimale oorlogsschade geleden. Tijdens de Koude Oorlog was IJsland van wereldbelang vanwege zijn strategische positie en daardoor ontving het veel geld van het Marshallplan. Zodoende kon je zelfs zeggen dat het land voordeel had gehad van de oorlogen. Maar nu noemde de geschiedkundige Gudmundur Jonsson in zijn boek *The Collapse* de economische ramp van 2008 de oorlog van IJsland. Geen enkele levende IJslander had ooit zoiets meegemaakt, het had effect op iedereen en de consequenties worden nog maar net zichtbaar.

Historicus Gudmundur Halfdanarson had het buitengewone saamhorig-heidsgevoel van de IJslanders geroemd, maar in de donkere dagen van 2008/2009 werd de sociale cohesie van IJsland verbroken. Het land was op 6 oktober 2008 in diepe rouw. Het volk was in de war, probeerde te begrijpen wat er was gebeurd en vreesde het ergste. In de tijd erna rees het werkeloosheidscijfer tot ongekende hoogte, steeg de inflatie tot boven de 20% en waren hypotheken en leningen, aangegaan in vreemde valuta, verdubbeld. Leningen in IJslandse kroon die sinds de jaren tachtig gekoppeld waren aan het indexcijfer, stegen in gelijke mate met de inflatie. De IJslanders moesten opeens leren leven met valutabeperkingen die waren afgeroepen om de kapitaalvlucht naar het buitenland te beperken. De bouw, die net een enorme hausse achter de rug had, viel compleet stil en liet door heel Reykjavik half-afgebouwde spookprojecten achter. De prijs van een karretje boodschappen steeg met 60%. Op een bijeenkomst naar aanleiding van het einde van Kaupthings callcenter stonden volwassen kerels te huilen vanwege hun hoge persoonlijke leningen. Een jonge vrouw met drie kinderen werd hysterisch; zij en haar man hadden allebei hun baan verloren, zij bij een bank, hij in de bouw. Nu zaten ze met een hypotheek in vreemde valuta en de zorg voor hun kinderen. De afdeling psychiatrie van het nationale ziekenhuis bood hulp aan; desondanks pleegden enkele bankiers in de winter van 2008/2009 toch zelfmoord. In de zomer van 2009 ging een man in het forensenstadje Alftanes zijn opgeëiste huis en auto met een graafmachine te lijf; hij kon het niet verkroppen dat de bank nu zijn bezit afnam. Elke IJslander werd prompt een expert in buitenlandse reserves, depositogarantiestelsels en politieke theorieën. De reputatie van IJsland lag aan flarden, net als het zelfbeeld van de bevolking. Het land dat de globalisering had omarmd, werd nu door diezelfde wereld uitgekotst. IJslandse studenten die in het buitenland studeerden, konden vanwege de valutabeperkingen plots niet meer bij hun geld en moesten lenen bij vrienden en buren om boodschappen te doen en de huur te betalen.

De bankiers en zakenmensen die eerst door hun eigen personeel en hun eigen media waren toegejuicht, werden nu beschuldigd van verraad. Palmi Haraldsson, de zakenpartner van Jon Asgeir Johanesson, vertelde dat hij niet meer met zijn kinderen naar het zwembad durfde. Larus Welding nam de benen naar Londen waar Bjorgolfur Thor, Sigurdur Einarsson, de broertjes Lydur en Agust Gudmundsson en Hannes Smarasson al langer woonden. Hreidar Mar Sigurdsson werd op het vliegveld van Kevlavik uitgejouwd en van Sigurjon Arnason werd beweerd dat hij een restaurant binnenkwam en er door andere gasten werd uitgegooid. Bij een voetbaltoernooi voor pupillen in Akureyri kwam er een jongetje vermomd en een ander joch bracht zijn moeder mee om hem te beschermen. Magnus Thorsteinsson van Samson werd failliet verklaard en verhuisde naar Sint-Petersburg in Rusland. Bjorgolfur Gudmundssons persoonlijke bankroet van bijna 100 miljard kronen was niet alleen het grootste uit de IJslandse geschiedenis, maar brak ook het Britse record. Tot iedereens onsteltenis werd bekend dat Samson in 2002, ten tijde van de privatisering van Landsbanki, de helft van de 12,3 miljard kronen – nodig om Landsbanki te kopen van Bunadarbankinn – had geleend en dat bedrag nog steeds schuldig was aan Kaupthing. En nu wilden de eigenaren ook nog eens onderhandelen over een korting op die lening! Hreidar Mar Sigurdsson, Magnus Gudmundsson, Ingolfur Helgason, en Steingrimur Karason van Kaupthing werden in hechtenis genomen op verdenking van marktmanipulatie en hun voorzitter, Sigurdur Einarsson, werd bezocht door Interpol; maar hij weigerde zijn Londense huis te verlaten om mee te komen voor verhoor. Als Kaupthing een Amerikaans bedrijf was geweest, zou het het op vijf na grootste bankfaillissement van de Amerikaanse geschiedenis zijn geweest. Groter nog dan het bedrag dat met het faillissement van energiereus Enron was gemoeid. De bankeigenaren en het management staan jarenlange gevangenisstraffen te wachten en zij kunnen beschuldigingen van Resolution Committees, de fiscus, de openbaar aanklager maar ook onderlinge beschuldigingen tegemoet zien.

IJslanders citeren regelmatig de Chinese uitspraak 'het zijn interessante tijden', als de schandalen over de IJslandse wondereconomie een voor een het daglicht zien. Mensen zijn verveeld en vermoeid geraakt van de lawine aan deprimerend nieuws en ze verlangen naar de tijd van *gurkutid*, toen media nog berichtten over de langzame of snelle groei van komkommers en andere groenten. En toen begon de potten-en-pannenrevolutie.

De roep van het volk

De roep om het aftreden van de regering begon meteen in oktober en de IJslanders – tot dan toe bekend om hun geringe belangstelling als het op demonstreren aankwam – begonnen de straat op te gaan. Een dame kwam naar een protestbijeenkomst met een stoel uit een kantoor van het Landsbanki-filiaal in Akureyri met de boodschap erop dat ze terug wilde wat ze had verloren. Een man die zichzelf *Skap Ofsi* noemde, wat je kunt vertalen als 'woedend', besmeurde midden in de nacht auto's en huizen van bankiers en zakenlui met rode verf. Musicus Hordur Torfason en dirigent Gunnar Sigurdsson organiseerden op zaterdagmiddagen volksbijeenkomsten op het Austurvollur Plein in het centrum van Reykjavik, die al snel hele volksstammen aantrokken die kwamen protesteren. Andere openbare samenkomsten die ze organiseerden, knapten in mum van tijd uit de zaaltjes waar ze gehouden werden. Het volk liet hun regering de rode kaart zien en dwong haar te luisteren. Tijdens een bijeenkomst in het Haskolabio-theater waar 1000 inwoners vragen stelden aan de regering en leden van het parlement, waagde de leidster van de Social Democrats Ingibjorg Solrun Gisladottir het zich hardop af te vragen of het publiek wel de mening van de hele bevolking vertegenwoordigde. Het volk, in de zaal en thuis, kromp ineen. *Waren de IJslandse leiders echt zo ver afgedwaald van de realiteit?*

Ingibjorg was ziek geworden op hetzelfde moment dat Glitnir instortte en was in New York geopereerd aan een hersentumor, en ze was er gebleven om te revalideren. Daarmee was een van de twee leiders van de coalitie afwezig geweest tijdens het meest fatale moment van het land. De sterke vrouw die, toen ze tien jaar eerder in de oppositie zat, het had aangedurfd het op te nemen tegen David Oddsson en de Independence Party, zat nu aan de andere kant van het spectrum en regeerde met ijzeren vuist. Haar tegenspeler Geir Haarde had na de verkiezingen voor de Althingi een vredesgebaar gemaakt en de sociaaldemocraten accepteerden dit. Zo vormden de twee grootste partijen een sterke coalitie. Samenwerking met de Independence Party werd voor andere partijen al snel een gevaarlijke onderneming. De Centre Party die gewoonlijk 20 tot 35% van de stemmen kreeg – voordat hun leider Halidor Asgrimsson op het paard van David Oddsson ging wedden –, mocht in het nieuwe IJsland blij zijn met 10 tot 15%. De Social Democrats zaten pas anderhalf jaar in de regering en droegen weinig verantwoordelijkheid voor de politiek van de afgelopen twintig jaar, maar de partij werd nu toch gezien als een van de 'Instortingspartijen'. Daar zorgde de propaganda van de Independence Party wel voor!

Het werk dat de regering moest verzetten, was onmenselijk. Het banksysteem was in elkaar gestort, de reputatie van IJsland in het buitenland was geruïneerd en er was geen enkele andere mogelijkheid dan het IMF te benaderen. Sinds 1976 had geen enkel ontwikkeld land hun hulp nodig gehad. Wat zou de prijs zijn van de hulp van het IMF? Zou IJsland de controle over haar natuurlijke rijkdommen verliezen? En waarom zou de IJslandse Jan Modaal de rekening moeten betalen van het Landsbanki-avontuur op de Engelse en Nederlandse spaarmarkt? De menigte op het Austurvollur plein groeide met de week. Al tijdens de eerste demonstratie werd, voor het oog van de wereldpers, de vlag van Landsbanki verbrand en tijdens een volgende klommen jongeren op het dak van de Althingi en zwaaiden van daar met de vlag van de supermarkt Bonus. De slogan die het tijdsbeeld goed weergaf, werd meegedragen door een van de demonstranten, Gunnar Mar Petursson: *Helvitis fokking fokk* – bloody fucking fuck. Het was moeilijk om op één ding of één iemand te schelden toen alles zo *fucked up* was in het land.

De enige hulp kwam van IJslands zuiderburen de Faroer-eilanden. Zij kwamen met 45 miljoen euro. De Scandinavische landen – die lang als IJslands neven hadden gegolden – waren verrassend terughoudend bij de reddingsacties. Met de staart tussen de benen richtte de regering zich dan ten slotte toch tot het IMF, dat op 20 oktober 2008 een lening goedkeurde van 2,1 miljard Amerikaanse dollar. Met het IMF aan boord verpandden de Scandinaviërs een extra 2,5 miljard dollar. Eerder dat jaar vertelde Timothy F. Geithner (Amerikaanse ministerie van Financiën) aan David Oddsson dat Jean-Claude Trichet (ECB) hem richting *the kiss of death* had geduwd toen hij had gesuggereerd dat IJsland naar het IMF moest stappen. De man die twintig jaar lang dé grote man in IJsland was geweest, lag nu onder vuur. De mensen die jaren op hem hadden gestemd, eisten nu zijn aftreden.

Binnen de Social Democrats was er het besef dat de roep om verkiezingen groter werd. Maar men had moeite de Independence Party te overtuigen, want die zagen zichzelf als de meest geschikte partij om de rotzooi op te ruimen. Ingibjorg Solrun Gisladottir was het ermee eens dat het onverstandig was aan de reddingsboot te gaan rukken middenin een reddingsoperatie. Maar de veilige haven die de regering had beloofd toen de noodwet van kracht werd, liet lang op zich wachten. De enorme binnenlandse onrust vertaalde zich in grote aantallen blogs, commentaren en meningen die het internet vulden. De IJslanders hadden, in ruil voor hun comfortabele leventjes waar komkommers het avondjournaal beheersten, een zekere mate van corruptie getolereerd, maar zagen nu dat geen enkele prominente bestuurder de verantwoordelijkheid nam voor alles wat tot de val had geleid: ze wilden dat er koppen rolden. Ontslag nemen vanwege slecht beleid was in de IJslandse politiek praktisch ongekend. De paar politici die het hadden gedaan, hadden dat, zogezegd, gedaan in het belang van de partij. Het volk eiste ook dat David Oddsson zijn positie bij de Centrale Bank zou opgeven. Hij was de meest invloedrijke figuur geweest bij het creëren van de samenleving die nu ten val was gekomen; zijn rol binnen de Centrale Bank was een doorn in het oog van velen.

Maar dat was nog niet alles. De IJslanders wilden ook dat het hoofd van de FME, Johannes Fr. Jonsson, die al die tijd had zitten slapen, zich zou terugtrekken. En dan had je nog de bankiers en de zakenlui. De mensen waren niet gecharmeerd van het idee zaken te moeten doen met iemand die in de goede tijden de prominenten van het land waren geweest en nu misschien nog steeds rondreden in een Hummer of Mercedes, terwijl de gewone burgers huizen en banen kwijtraakten. Voor de gedweeë burgers van IJsland was het onverteerbaar dat zij de torenhoge rekening zouden moeten betalen voor een corrupt avontuur van een stel particuliere bedrijven die op de Europese geldmarkt met hoge rentetarieven hun klanten hadden gelokt.

En toen werd op 21 november 2008, Haukur Hilmarsson, de man die op het dak van het parlementsgebouw had staan zwaaien met de vlag van Bonus, gearresteerd. De volgende dag was de menigte aangezwollen tot 10.000 (op een bevolking van 320.000!). Een donderspeech door Katrin Oddsdottir, namens de volksbeweging die het protest organiseerde, verwoordde de gevoelens van de IJslanders; die stonden op het punt te gaan muiten als de bevoorrechte politici op hun plaatsen zouden blijven zitten. Katrin zei onder andere dat het volgens haar niet tegen de democratische principes zou zijn als de bevolking de overheidsgebouwen zou binnenstormen en die mensen eruit zou zetten. Na die bijeenkomst liepen honderden richting het politiebureau, in een poging Haukur vrij te krijgen. Eerst werd geprobeerd om met de politie te praten maar toen dat niet lukte, werd de menigte zo boos dat ze het bureau bestormde. Nadat de deuren het begaven, werden ze binnen ontvangen met traangas. Uiteindelijk werd de zaak gekalmeerd door de man van Alfheidur Ingadottir, parlementslid voor Left Green, die de borgsom voor Haukur betaalde.

De Left Green partij nam de leiding in de politiek van die dagen. Hun voorzitter, langzittend parlementslid en voormalig minister Steingrimur J. Sigfusson, was in de goede jaren een schertsfiguur geworden in de pers. Voor de verkiezingen in 2007 dreven de banken de spot met hem door te zeggen dat, als hij ooit minister van Financiën zou worden, IJsland met zekerheid failliet zou gaan. Nu het dan zo ver was gekomen, was dat niet onder leiding van Steingrimur gebeurd maar onder de Independence Party, met de slogan 'Het belangrijkste voor het goed functioneren van een gemeenschap is een economisch management waar de mensen vertrouwen in hebben'. Nu was het Steingrimur die verkiezingen eiste, zodat de kiezers konden bepalen wie hen uit dit moeras moest gaan trekken. Toen zelfs de jeugdafdeling van de Independence Party aankondigde achter het aftreden van het management van de Centrale Bank en de Financial Authority te staan, had de regering moeten weten dat er geen ontkomen meer aan was. Op 1 december bezetten demonstranten de hal van de Centrale Bank om het ontslag van Oddsson te eisen. Woedende spreekkoren en de politie die dreigde traangas te gebruiken waren het resultaat. Pas nadat politiechef Geir Jon Thorisson voorstelde dat eerst de politie en dan de demonstranten het pand zouden verlaten, keerde de rust terug en verdween de massa in het donker van december. De politie was niet hun vijand. Hun onderbemande, onderbetaalde en steeds meer overwerkte corps zat in hetzelfde schuitje als de demonstranten zelf. Het waren net als zij mensen van alle leeftijden die hun spaargeld, aandelen en pensioenen in rook hadden zien opgaan. Eén van hen zei later dat hij op zeker moment in die potten-en-pannenrevolutie niets liever had gedaan dan zijn rug naar de demonstranten te keren en met hen meelopen om hun protest tegen hun waanzinnige regering kracht bij te zetten.

De regering dacht dat ze door het aanstellen van een Special Investigation Committee, die de oorzaken van de economische crisis moest onderzoeken, aan de eisen van het volk tegemoet was gekomen. Ondanks dat stond de populariteit van de regering op een magere 30% en zelfs dat werd snel minder. Een poging om de IJslandse kroon weer vlot te trekken mislukte al binnen enkele dagen. De valutabeperkingen werden noch in 2008, noch in 2009 en zelfs niet tot midden 2010, ingetrokken. De tijden waren veranderd en met de Kerst op komst merkten liefdadigheidsinstellingen dat een steeds groter aantal mensen in nood verkeerden. Traditioneel zijn de twee weken rond Kerst dé tijd voor IJslanders om met de familie te eten, te drinken en lol te hebben. Op veel van die familiebijeenkomsten werden discussies gevoerd op een harde en directe manier die de IJslanders tot dan toe vreemd was geweest. De sociale omgangsvormen waren beschadigd; een hard gelag in zo'n klein land.

Januari 2009: IJslands potten-en-pannenrevolutie om een *inept government*

Oud en nieuw is in IJsland een explosieve aangelegenheid waarbij door de inwoners grote hoeveelheden vuurwerk worden gekocht. Na het diner en het kampvuur kijkt iedereen naar het satirische tv-programma Aramotaskaup, waar een uur lang grappen worden gemaakt over de gebeurtenissen van het afgelopen jaar. Twee jaar daarvoor was een sketch gegaan over de vraag waarom de doorsnee-IJslander niet meer kon lijken op Hannes Smarason, de in Armani geklede zakenman met zijn privéjet, die zo hoog in de boom zat bij de FL Group. De show liet nu de deplorabele staat zien van een land van *bloody fokking fokk*. Toen het programma om 23.30 was afgelopen, nam het kabaal toe tot het om middernacht in een exploderende hemel het nieuwe jaar inluidde. De gebeurtenissen van die dag waren niet minder knallend geweest. Het jaarlijkse lunchinterview op Channel 2, *Kryddsild*, opgenomen in het historische Hotel Borg in het centrum van Reykjavik, naast het Althingi-gebouw, was onbereikbaar door een enorme menigte demonstranten. Normaliter was het een saaie vertoning van omroepbobo's en partijvoorzitters van het parlement die de uitdagingen van het afgelopen en de vooruitzichten van het nieuwe jaar bespraken. Dit jaar echter werd het programma achter gesloten deuren opgenomen en heerste er een grafstemming. Het kabaal van de mensen buiten verontrustte de mensen op de set zichtbaar toen plotseling het scherm op zwart ging. De demonstranten hadden de elektriciteitsdraden doorgeknipt en hadden naar binnen weten te dringen. De aanwezige politici werden via de achterdeur naar buiten geleid. Tot 2008 had geen enkele politicus ooit bewaking nodig gehad. Nu riepen meer en meer van hen de bescherming van bodyguards in. De menigte werd met traangas het gebouw uitgedreven. De demonstranten werden door een hoofdstedelijke dokter en zijn broer (econoom was bij de Centrale Bank) voor 'communisten' uitgemaakt. IJsland begon aan 2009 als een verdeelde natie.

De messen werden geslepen op internet. De blog van tv-presentator Egill Helgason werd een must voor iedereen die iets over de ontstane situatie op te merken had. Het blog van de gepensioneerde verslaggever van het roddelblad *DV*, Jonas Kristjansson, ging fel te keer en veroordeelde IJslandse politici en zij die nog steeds op hen stemden. Lara Hanna Einarsdottir zette een hele rits video's van nieuwsuitzendingen, talkshows en documentaires op een rij die – op zo'n manier samengevoegd – een afschuwelijk beeld gaven. De in Amerika wonende Iris Erlingsdottir deed op haar blog en in de *Huffington Post* in het Engels verslag over de corruptie en op de site AMX.is liet links haar opinie over wat er zich afspeelde, horen. Het sprekende en vrije hart van de natie was alleen maar online te vinden, want de reguliere media waren gesmoord door hun eigenaren. *Frettabladid* en Channel 2 behoorden toe aan Baugur en Jon Asgeir Johannesson, *Morgunbladid* was onderdeel van het failliete rijk van Bjorgolfur Gudmundsson, en de nationale omroep deed zijn best maar beschikte over te weinig middelen. Maar er broeide iets. Er kwam iets aan het licht over Baldur Gudlaugsson.

Hij, de man van *The Locomotive*, de man van het privatiseringscomité, het Icesave-comité en minister van Financiën had zijn aandelen met een waarde van een paar honderd miljoen kronen in Landsbanki verkocht, na het gesprek die zomer met Alistair Darling. Terwijl de nieuwe banken adverteerden met hun producten en oplossingen, hadden mensen van de regering al lang eieren voor hun geld gekozen. De IJslanders vroegen zich af of er überhaupt wel iets veranderd was.

Op dinsdag 20 januari 2009 kwam het parlement voor het eerst bijeen na het kerstreces. Op Facebook werd opgeroepen tot protest en werden mensen aangemoedigd om met potten en pannen lawaai te komen maken voor het Althingi-gebouw, om zo de vergadering daar te torpederen. De dag ervoor had Olafur Helgi Kjartansson, hoofd van politie van Selfoss, 370 man laten arresteren die niet waren komen opdagen bij hun bankroetverklaringen. Een duizelingwekkend aantal in een stadje van 6000 inwoners. Dit soort overheidsmaatregelen deden de rust vanzelfsprekend niet toenemen. De timing van Olafur Helgi was erbarmelijk. Hij gaf ermee aan hoever hij van de realiteit afstond. Zijn actie liep wat dat betrof parallel aan de Althingi-agenda van de dag erna. Daar kwamen betalingen aan orgaandonoren, een wet op de verkoop van alcohol in supermarkten (een stokpaardje van de jongerenafdeling van de Independence Party) aan de orde maar de grootste problemen waar het land mee te kampen had, kwamen niet aan bod. Ook het probleem van de immense binnenlandse schuld bleef op de plank liggen roesten. *What were they thinking?*

Toen een groep van tussen de 200 en 300 demonstranten, waaronder leden van de *Movement of Revolutionary Students* van de Universiteit van IJsland, voor de Althingi begonnen te zingen en ze het gele lint dat om het gebouw heen was gespannen, vernielden, braken er schermutselingen uit. In de loop van de dag zwol het aantal betogers aan tot 2000 die 'Inept government, Inept government' – 'Stelletje prutsers, Stelletje prutsers', scandeerden. Ze hadden potten en pannen en andere dingen bij zich waar ze lawaai mee konden maken. Een vrachtwagenchauffeur die het jaar daarvoor had geprotesteerd tegen de verhoging van de benzineprijzen, zorgde voor het nodige aantal decibels door een gasfles aan zijn claxon te bevestigen. Binnen vroeg Steingrimur J. Sigfusson aan de regering en de kamervoorzitter wat ze wel niet dachten om met deze agenda te komen terwijl het land eraan onderdoor ging. De leden van de Independence Party beschuldigden Left Green van het medeorganiseren van de protesten; een belediging voor al die mensen die de januarikou trotseerden om hun ongenoegen te laten horen. De potten-en-pannenrevolutie had geen leider of organisatie. Facebook en blogs waren het platform waar mensen elkaar troffen en elkaar aanmoedigden actie te ondernemen. Nieuwe tijden, inderdaad.

Terwijl binnen de Althingi-leden maar doorkletsten, dreigde de politie buiten traangas in te zetten. Toen de demonstranten gewelddadig werden, gebeurde dat ook. De politici glipten via een tunnel weg, negentien mensen werden aangehouden en gearresteerd. De jongste was vijftien jaar oud. Het journaal van die avond liet beelden zien van iets ongehoords voor IJslandse begrippen. De volgende dag kwamen de demonstranten in opstand tegen degenen die geweld wilden gebruiken en deelden zij rozen uit aan de agenten die in volledige gevechtsuitrusting de wacht hielden bij het parlementsgebouw. Er ontstond een brandje in de buurt van het gebouw dat al snel een behoorlijk vuur werd toen de kerstboom, die een cadeau was geweest van de stad Oslo, op de vlammen werd gegooid. De sfeer was surrealistisch: een grote groep westerlingen die, midden in de winter, zingend en op potten en pannen slaand, hun parlement omsingelde. Het kabaal duurde tot ver na middernacht en de dagen erna duurden de demonstraties voort; slechts een keer werd gepauzeerd uit respect voor een begrafenisplechtigheid in de naastgelegen Domkirkjan. Daarna ging het schreeuwen van 'Inept Government' en het trommelen op de meegebrachte huisraad gewoon weer door. Er werden stenen gegooid, traangas gebruikt, mensen raakten gewond, inclusief een agent die in het ziekenhuis belandde nadat hij door een stoeptegel was geraakt. En nog steeds riep het volk: 'Inept Government'.

Het duurde lang, maar uiteindelijk richtte Geir Haarde zich tot de bevolking. In mei zouden er verkiezingen worden gehouden, maar de zittende regering zou tot die tijd aan de macht blijven. Daarop deelde hij mee dat er bij hem keelkanker was gediagnosticeerd en dat hij daarvoor behandeld zou worden. Dat was shockerend nieuws: eerst Ingibjorg en nu Geir. Het verhaal van IJsland was echter voor velen al veel eerder opgehouden geloofwaardig te zijn. Beide leiders van de coalitie hadden kanker gekregen op het moment dat het land hen het meest nodig had. Bovendien herinnerden mensen zich dat David Oddsson en Halldor Asgrimsson, de twee vorige premiers, ook kanker hadden gehad, de eerste in 2004, de laatste in 2002. De IJslanders begonnen openlijk vraagtekens te zetten bij het 'ziek zijn' van beiden. Wie moest je nog geloven?

Op 26 januari viel de coalitie uiteen. De Social Democrats hadden verschillende voorstellen gedaan om door te gaan. Ze wilden dat een buitenstaander of Johanna Sigurdardottir de premierspost zou overnemen. Daar wilde Geir Haarde niet aan en dat betekende het einde. De parlementsverkiezingen zouden in april worden gehouden. Een minderheidsregering van Social Democrats en de Left Greens, beschermd door de Centre Party, zouden het land tot die tijd overnemen. Het *Inept Government* had het gebouw eindelijk verlaten.

> ### Zonder bescherming
> *Aan een heel scala binnenlandse sprookjes kwam nu een eind. IJsland bleek niet het minst corrupte land te zijn zoals Transparancy International in 2008 had beweerd: de banken waren gebouwd op drijfzand en de regering functioneerde niet zoals het hoorde. De meeste Scandinavische landen hadden hun speciale relatie met hun Vikingneven in IJsland verruild voor nieuwe familiebanden in de EU.*

Land zonder familie en vrienden

Hoe kwam het dat deze moderne, democratische, geïndustrialiseerde Europese natie bij niemand kon aankloppen in deze donkere tijden?

Baldur Thorhallsson, een politiek wetenschapper aan de Universiteit van IJsland, sluit zich aan bij de mening dat het komt door IJslands gebrek aan toevluchtsoord. In het kort komt de theorie erop neer dat elk land behoefte heeft aan bescherming tegen gevaren uit de grote boze buitenwereld; dit zou speciaal voor kleine landen gelden. Die bescherming verkrijgen ze door bilaterale banden aan te gaan met grotere naties of via internationale organisaties. Toen de economische crisis IJsland vermorzelde, bleek dat de regering had nagelaten dit soort banden aan te gaan.

Vroeger hadden de IJslanders geprofiteerd van de toevluchtsoorden die sinds 1262 eerst de Noorse en later de Deense koninkrijken hen hadden geboden. Door de mythes rondom de onafhankelijkheidsstrijd geloven veel IJslanders dat ze in die tijden onderdrukt werden. De waarheid is echter dat, zonder de toe-eigening door hun sterkere Scandinavische buren, het leven in het harde klimaat en in isolatie op IJsland veel en veel moeilijker zou zijn geweest. Europese zeevaarders boden IJsland ook bescherming in de vorm van handel en transport. En het vormen van de republiek IJsland (1944) en de daaraan parallellopende industrialisering waren veel problematischer geweest zonder steun van de Verenigde Staten. De eerste zestig jaar van het bestaan van de republiek werden bepaald door de bilaterale band tussen IJsland en Amerika. De financiële hulp die IJsland kreeg via het Marshallplan, zorgde voor een infrastructuur en borgde de soevereiniteit via internationale instituten die de VS na de Tweede Wereldoorlog hadden opgericht. Het IJslandse lidmaatschap van de VN, de NAVO en Bretton Woods gaven Amerika een betrouwbare partner en een NAVO-basis in het noordelijk deel van de Atlantische Oceaan, strategisch gelegen tussen Washington en Moskou. Zonder de bescherming die de VS hen bezorgde, zouden de Kabeljauwoorlogen met Engelsen in de jaren zestig en zeventig vast en zeker anders zijn verlopen.

Het probleem met bilaterale relaties is dat de sterkere partij de lakens uitdeelt. Ze kan opstaan en vertrekken als de relatie haar niets meer brengt. En dat is precies wat er gebeurde toen Amerika haar aandacht verlegde naar andere delen in de wereld, na het eindigen van de Koude Oorlog. David Oddsson probeerde de Amerikanen te weerhouden om te vertrekken. Hij ging daarin zelfs zo ver dat hij het beruchte document *The Coalition of the Willing* ondertekende, de lijst met landen die de Amerikaanse invasie in Irak goedkeurde, een beslissing die in IJsland hoogst onpopulair was. Ondanks dat steeg in december 2006 het laatste gevechtsvliegtuig op van de militaire basis bij Reykjavik en was de speciale band tussen IJsland en de VS voorbij. De IJslandse regering vergat voor nieuwe bondgenoten te zorgen omdat ze verblind was geraakt door de economische wonderen in de hoogste versnelling.

De samensmelting van IJsland en Europa was niet gemakkelijk geweest. De IJslanders van de 20e eeuw waren opgegroeid met het idee dat hun soevereiniteit heilig was en de recente gebeurtenissen in Europa hadden hen een onaangenaam gevoel gegeven. Ze waren bang te verliezen wat ze pas sinds zo kort hadden verworven. Het soevereiniteitsbeginsel was een belangrijk politiek thema in het land. Toen IJsland in 1970 tijdens een recessie – waarin de aandelen in visbedrijven waren ingezakt – lid werd van de EFTA, was dat met de nodige aarzeling, maar wel met het besef dat het lidmaatschap noodzakelijk was om toegang te krijgen tot de Europese markten. Toegang tot die markt was ook het doorslaggevende argument toen IJsland in 1993 lid werd van de European Economic Area (EEA). Tot Icesave had geen enkel onderwerp zulke verhitte debatten in de Althingi opgeleverd als het lidmaatschap van de EEA, en er is zelfs een moment geweest dat de populaire president Vigdis Finnbogadottir overwoog de wet niet te tekenen. Dat zou een primeur zijn geweest voor een IJslandse president. Nadat ze haar persoonlijke aarzelingen had overwonnen en ze als boegbeeld van de 'Republiek-Generatie' toch tekende, had ze zichzelf ervan overtuigd dat IJsland zich met Europa moest verbinden omdat daar de toekomstmogelijkheden voor de jeugd van het land lagen. Toen het EEA-lidmaatschap rond was, vond de regering dat ze alles had wat ze nodig had. Verdere verbintenissen met de EU werden daarom onnodig geacht. Daarvoor had IJsland bovendien een zeer belangrijke reden, zo niet een hoofdreden: de visserijbepalingen. De visserij is met afstand de belangrijkste economische activiteit van het land; om de controle over de viswateren te verliezen aan buitenlanders is voor IJslanders onbespreekbaar. Met het lidmaatschap van de EEA had IJsland alles in huis wat het land wilde: toegang tot de Europese markt met slechts een minimum aan regels plus volledige controle over de eigen viswateren. David Oddsson was absoluut tegen de EU, die hij afschilderde als ondemocratisch en bureaucratisch.

Zonder het bilaterale toevluchtsoord van de VS en zonder de bescherming dat een lidmaatschap van de EU zou hebben geboden, was IJsland, meer nog dan Griekenland, Ierland en andere Europese landen, in 2008 hard geraakt en stond het alleen: een eiland in de letterlijke en figuurlijke betekenis van het woord.

Icesave

De vrije kapitaalmarkt en de toestemming van de IJslandse banken om in de landen van de EEA filialen te openen, maakten de weg vrij om van andere banken te lenen en spaargelden in vreemde valuta aan te trekken en zo een stormachtige groei door te maken. Al het toezicht was echter in handen van binnenlandse organisaties.
Rapport van het ministerie van Buitenlandse Zaken, IJsland 2009

Toen Landsbanki in oktober 2006 in Engeland haar online spaarrekeningen introduceerde, waren die, zoals we al eerder schreven, meteen populair vanwege de hoogste rentes en de gebruiksvriendelijkheid. Icesave betaalde tot 1 oktober 2008 over elk bedrag boven de 350 pond een gegarandeerde rente van minimaal 0,25% meer dan het tarief van de Bank of England en tot 1 oktober 2011 gegarandeerd niet lager dan dat. Dit ongebruikelijke aanbod was begonnen als antwoord op de kritieken dat IJslandse banken té afhankelijk waren van de financiële markten en ze daarom op zoek waren naar spaargelden. Alle drie de IJslandse particuliere banken waren in de zomer van 2006 begonnen met reclamecampagnes op de thuismarkt die de mensen moest aansporen: 'spend on savings' – 'geef je geld uit aan sparen', zoals de slogan van Landsbanki luidde. De campagnes waren een eclatant succes en het management van Landsbanki bedacht dat dit trucje in andere landen ook wel eens zou kunnen werken; zo werd Icesave geboren.

Geir Haarde betuigde zijn medeleven met de Nederlandse spaarders die op maandag 6 oktober onaangenaam werden verrast en tot de ontdekking kwamen dat de website van Icesave uit de lucht was. Hij zei erbij dat de IJslandse regering druk bezig was de zaak onder controle te krijgen. Diezelfde morgen verscheen Alistair Darling op de Britse tv om de kijker mede te delen dat "geloof het of niet maar de IJslandse regering heeft mij gisteren nog verteld dat ze niet van plan zijn hun verplichtingen hier na te komen". Wat hij zei klopte niet, maar die vergissing was exemplarisch voor de miscommunicatie tussen Engeland en IJsland. Later werd een telefoontje tussen Darling en de minister van Financiën Arni Mathiesen als reden gegeven voor de harde reactie. De Britse regering vond de grote transfers van de Engelse tak van Kaupthing richting IJsland onacceptabel, ze bracht IJsland de acht miljard pond in herinnering die voor de val van Lehman Brothers vanuit Engeland, met voorbedachten rade, richting Amerika waren verdwenen. Tijdens een persconferentie diezelfde morgen haastte Darling zich te melden dat de Britse regering had besloten de deposito's voor 100% te garanderen. Darling en premier Gordon Brown stelden alles in het werk om de financiële problemen met een 500 miljard pond tellend reddingsplan binnen de perken te houden. Brown stelde tevens dat de regering juridische stappen tegen IJsland overwoog. De mogelijkheid degenen met spaargeld bij IJslandse banken níet volledig te compenseren, was compleet onvoorstelbaar en wat er ook maar nodig was zou gedaan worden om die gelden terug te krijgen: "Ik heb met de IJslandse premier gesproken en hem te verstaan gegeven dat dit neerkomt op een illegale actie. We bevriezen daarom van IJslandse bedrijven hier in Engeland alle middelen die ons maar ter beschikking staan. We zullen verdere maatregelen richting de IJslandse autoriteiten nemen als die nodig zijn het geld terug te halen."

Zo gaat het nu mis!

Transcript van het telefoontje tussen Arni Mathiesen, de IJslandse minister van Financiën, en Alistair Darling, Engelse minister van Financiën, op 7 oktober 2008. Een cruciaal telefoontje voor de relatie tussen Engeland en IJsland. Let vooral op het begin van het gesprek.

Mathiesen (M): 'Hallo'.

Darling (D): 'Hallo'.

M: 'Dit is Arni Mathiesen, de minister van Financiën'.

D: 'Hallo, we hebben elkaar een paar maanden, een paar weken geleden, ontmoet.'

M: 'Nee, we hebben elkaar nooit ontmoet. U heeft de minister van Handel ontmoet.'

D: 'Oké, sorry.'

M: 'Geen probleem.'

D: 'Dank u voor het aannemen van dit gesprek. Zoals u weet, hebben wij een enorm probleem met Landsbanki, we hebben hier een filiaal dat 4 miljard pond aan deposito's heeft en dat is nu gesloten en ik moet weten wat u in verband daarmee gaat ondernemen. Kunt u me dat uitleggen?'

M: 'Ja, dat is uitgelegd in een brief die we eergisteravond door het ministerie van Handel hebben verstuurd. Vanaf toen hebben we een nieuwe wet laten ingaan waarbij de deposito's voorrang krijgen en waarbij we de FME de autoriteit geven banken over te nemen, soortgelijke wetgeving als u in Engeland heeft, en Landsbanki valt nu onder de controle van de FME, en die zijn nu aan het uitzoeken hoe ze dit moeten doen, maar ik denk dat de nieuwe wet kan helpen dit probleem op te lossen.'

D: 'Wat betekent dat voor de spaarders die spaargeld hebben in uw Londense filialen?'

M: 'We hebben het garantiefonds volgens de richtlijnen en hoe dat werkt, is uitgelegd in die brief met het verzoek aan de regering dit fonds te steunen.'

D: 'Dus de rechten die mensen hebben, ik denk zo rond de 16.000 pond, krijgen dat uitbetaald?'

M: 'Nou, ik hoop dat dat het geval zal zijn. Ik kan dat nu niet zien of garanderen, maar we werken nu zeker aan een oplossing van deze zaak. Dit is iets waarvan we zeker niet willen dat het boven ons blijft hangen.'

D: 'Mensen vragen ons nu al wat hier aan de hand is. Wanneer heeft u dit afgewerkt?'

M: 'Nou, dat kan ik echt niet zeggen. Maar ik denk dat het het beste is als de FSA hierover in nauw contact blijft met de FME om te zien hoe de planning hieromtrent verloopt.'

D: 'Begrijp ik dat u de deposito's van de IJslandse spaarders garandeert?'

M: 'Ja, we garanderen de deposito's in de banken en filialen hier in IJsland.'

D: 'Maar niet die van filialen buiten IJsland?'

M: 'Nee, niet erbuiten maar dat stond al in de brief die we gestuurd hebben.'

D: 'Maar is dat niet in tegenspraak met het EEA-verdrag?'

M: 'Nee, wij denken van niet en denken dat dit in overeenstemming is met wat andere landen de afgelopen dagen hebben gedaan.'

D: 'Nou, wij hebben dat niet gedaan toen we problemen hadden met Northern Rock. Het deed er niet toe waar je je geld had staan, wij garandeerden al je spaargeld.'

M: 'Nou, ja, dat is in het begin ook aan de orde geweest. Ik ben ervan overtuigd dat u dat pas later heeft opgelost.'

D: 'Het probleem, ik begrijp uw probleem, het probleem is dat er mensen zijn die hun geld op een bank hier hebben gezet en er nu achterkomen dat u hebt besloten hun belangen niet te behartigen. Dit zou IJsland in de toekomst ernstig kunnen beschadigen.'

M: 'Ja, dat realiseren we ons en we zullen alles proberen wat we kunnen dit geen probleem te laten worden. We zitten in een heel, heel moeilijke situatie…'

D: 'Dat zie ik…'

M: '…en net deze week, nu we de binnenlandse situatie niet kunnen beheersen, kunnen we echt niets doen aan zaken in het buitenland. Dus moeten we ons eerst met de binnenlandse situatie bezighouden, en daarna zullen we zeker doen wat we kunnen, en persoonlijk ben ik optimistisch dat de wet die gisteravond is aangenomen de positie zal versterken. En wij beseffen wat er zou kunnen gebeuren en willen niet in …'

D: 'Ja…'

M: 'maar het punt is ook minister, dat we maandenlang geprobeerd hebben met iedereen om ons heen te praten en geprobeerd hebben ze te vertellen dat we in de problemen zaten en hen om hulp hebben gevraagd en daar maar heel weinig steun bij hebben gekregen.'

D: 'Ik begrijp dat, maar ik moet u zeggen dat toen ik uw collega's en die anderen ontmoette, wat ik te horen kreeg, in feite, neerkwam op dingen die niet klopten. En, zoals u weet, in de positie waarin we nu verkeren, zullen er in dit land heel veel mensen zijn die geld hebben gestort en nu op het punt staan vreselijk veel geld te verliezen en die zullen het moeilijk vinden om te begrijpen hoe dat is gebeurd.'

M: 'Nou, ik hoop dat dat niet het geval zal zijn. Ik was niet bij die bespreking, dus ik kan niet zeggen…'

D: 'Ja, dat weet ik. Kunt u me wel vertellen, of het garantiefonds waar u naar verwijst, dat geld heeft om uit te betalen?'

M: 'Ze hebben wat geld, maar zoals bij de meeste van dat soort fondsen, zijn ze erg beperkt in vergelijking met de bedragen waar ze garant voor staan.'

D: 'Ja, ja, dus u weet het niet. Kijk, ik moet dit weten, om het de mensen te kunnen vertellen. Het is goed mogelijk dat dat fonds niet voldoende geld heeft. Klopt dat?'

M: 'Tja, dat is heel wel mogelijk.'

D: 'Nou, dat is dan een vreselijke positie om in te zitten.'

M: 'Ja, we zitten hier in een vreselijke positie en de wet die gisteravond is aangenomen is een noodwet en, zoals ik al zei, we proberen eerst de binnenlandse situatie veilig te stellen om daarna de anderen te bedienen.'

D: 'Wat ik…Begrijp ik daaruit dat de belofte die Landsbanki ons heeft gedaan, dat het 200 miljoen pond aan liquide middelen als dekking zou krijgen, ook weg is?'

M: 'Ja, die liquide middelen hebben ze niet gekregen.'

D: 'Nou, weet u, ik begrijp uw positie. U moet begrijpen dat de reputatie van uw land verschrikkelijk zal gaan worden.'

M: 'Ja, we begrijpen dat. We zullen onze uiterste best doen dat te voorkomen. We moeten nu de binnenlandse markt redden, voor ik u voor andere zaken garanties kan geven.'

D: 'Uiteraard waardeer ik alle hulp die u kunt geven.'

M: 'Uiteraard…'

D: 'Natuurlijk…We moeten de mensen hier uitleggen wat er is gebeurd. Het zal, vanzelfsprekend, zonder twijfel, repercussies hebben voor anderen. Het is een hele, hele moeilijke kwestie dat mensen dachten dat hun geld gedekt was om er nu achter te komen dat het garantiefonds geen geld heeft.'

M: 'Ja, zoals we in onze brief al zeiden…'

D: 'Oké, ik zal alles wat u aan hulp kunt geven, waarderen.'

M: 'Ja, de FSA en de FME zullen met elkaar in contact moeten zijn over…'

D: 'Oh, dat zullen ze vast en zeker doen. Ik weet dat u niet op de bijeenkomst was en er geen deel van uitmaakte. We hadden onze twijfels over wat ons daar werd verteld en ik ben bang dat we daar gelijk in hadden.'

M: 'Ja, dat kan zo zijn.'

D: 'Nou goed, laten we contact houden. Wat u ook maar kunt doen om te helpen, zal heel welkom zijn.'

M: 'Ja, als er iets is aan uw kant, neemt u dan alstublieft contact op.'

Het verbaasde de IJslandse CEO's dat de Britten, bij het begin van de crisis, gecoördineerde pogingen deden iets van de situatie te redden; vergeleken met hen waren de IJslanders verlamd. Daarbij kon Engeland het zich veroorloven veel geld te spenderen om zijn systeem te redden; IJsland kon op dat moment nergens zeker van zijn. De noodwet dekte alle spaargelden bij IJslandse banken, maar niet de deposito's bij buitenlandse filialen. Toen Landsbanki in IJsland surseance van betaling kreeg en er een grote som geld van Kaupthing Engeland naar IJsland werd overgemaakt, legde Paul Myners van het Britse ministerie van Financiën zijn positie uit aan Arni Mathiesen. De Engelsen hadden gereageerd zoals ze hadden gedaan om de Engelse belangen te beschermen. Ze vonden dat de IJslandse regering de positie van de Engelse spaarders tijdens de crisis niet voldoende aan hen had uitgelegd. Arni antwoordde: "Zoals we in onze brieven hebben uitgelegd, zullen we onze verplichtingen natuurlijk nakomen en die van het fonds, volgens de richtlijnen."

Rond diezelfde tijd beval Financiën de tegoeden van Landsbanki te bevriezen. Ze konden dat doen door de antiterroristenwet van 2001 in te roepen. Dit plaatste Landsbanki op dezelfde zwarte lijst van Hare Majesteit als Noord-Korea, de Taliban en Al Qaida en hielp niet bepaald mee de gevoelige kwestie op te lossen. En korte tijd vermeldde de lijst zelfs het land IJsland, de Centrale Bank van IJsland en de FME. Even na tienen die ochtend werden de deposito's van het Heritable-filiaal van Landsbanki overgeboekt naar ING Direct.

Zijn IJslanders terroristen?

In oktober 2008 hadden Engelse consumenten, via Icesave, 5 miljard pond spaargeld aan Landsbanki toevertrouwd. Nederlandse klanten hadden er een bedrag van bijna 2 miljard euro gestald. Volgens de richtlijnen van de EU moest het IJslandse depositogarantiestelsel elke individuele spaarder tot € 20.887,- garanderen. Dit om de impact te verminderen die burgers zouden kunnen ondervinden als banken in zwaar weer zouden komen, en om het vertrouwen in financiële instellingen te voeden. Toen de Engelse regering het op zich nam om alle individuele spaarders volledig te compenseren, volgde de Nederlandse regering tot een bedrag van € 100.000,- (na overleg in Brussel). Beide naties zouden zich daarna tot de IJslandse regering wenden om bij haar het bedrag tot € 20.887,- terug te claimen. Dit zou voor het failliete IJsland neerkomen op een totaalbedrag van € 3,91 miljard, een bedrag van € 48.000,- per inwoner (IJsland telt maar 313.000 mensen) en 50% van het bnp. Om kort te gaan: elke partij had zo haar argumenten over wat eerlijk was. Het uitbetalen van binnenlandse deposito's en het uitsluiten van buitenlandse spaarders deed de Engelsen en de Nederlanders grijpen naar het argument van discriminatie volgens EU-richtlijn 94/19/EB, die weer de basis was voor de IJslandse wet 98/1999.

De antiterroristenwet was nog nooit tegen een Westerse staat ingezet en de verontwaardigde reacties in IJsland waren dan ook niet van de lucht. De wet had niet alleen de tegoeden in de bank bevroren, maar ook problemen opgeleverd voor IJslandse particulieren en bedrijven die normale en volstrekt legale zaken in Europa deden, maar die zich nu geconfronteerd zagen met Europese banken die weigerden hun betalingen uit te voeren. IJslandse banken die midden in een reorganisatie zaten, leerden te leven met valutabeperkingen. IJslanders, waaronder studenten die elders in Europa woonden, klaagden dat ze de huur niet konden overmaken of geen geld hadden voor eten of lessen. Reguliere IJslandse zakenmensen zagen decennialang opgebouwde vertrouwensrelaties en kredieten met buitenlandse leveranciers verdwijnen. Kaupthing, die tot die tijd werd gezien als overlever van de ramp, verschrompelde onder de antiterroristenwet.

Tijdens een persconferentie in het Idno Theater in Reykjavik bedankte Geir Haarde de Britse regering voor de garantiestelling van de Icesavespaargelden. Hij maakte duidelijk hoe wetswijzigingen aangaande het DGS de IJslandse regering bij bankfaillisementen in staat stelde voorkeursclaims in te stellen, zodat deposito's voorrang hadden. Hij zei hoop te hebben dat de tegoeden bij Landsbanki het grootste deel van de deposito's in Engeland zouden kunnen dekken. De regering zou het DGS steunen en was vastberaden geen schaduw te werpen over de langdurige vriendschap die er tussen IJsland en Engeland bestond.

De regering fluisterde nu wat het later luid zou roepen. IJsland meende dat ze had gebankierd volgens de Europese richtlijnen voor depositogarantiestelsels en was van mening dat die niet langer golden nu het totale systeem onderuitging. Het hele IJslandse banksysteem was ingeklapt. Je kon niet van een staat verwachten dat ze lasten van zo'n ramp kon dragen. Een paar IJslanders waren in Engeland een winkel uitgezet alleen omdat ze uit IJsland kwamen, anderen wisten dat te voorkomen door zich uit te geven voor inwoners van andere Scandinavische landen.

Geir Haarde had een ontmoeting met Ian Whitting, de Britse ambassadeur in IJsland en uitte zijn ongenoegen over de behandeling die

IJsland van zijn regering kreeg. Geir sprak ook met Alistair Darling, die hem vertelde dat Geir dan wel voor zijn inwoners opkwam, maar dat Darling dat net zo goed deed voor de zijne. Hun gesprek leverde blijkbaar niet veel op want Gordon Brown bevroor alle IJslandse bedrijfstegoeden en kondigde aan dat er later die dag meer maatregelen bekendgemaakt zouden worden. Dat stond gelijk aan een trap na aan iemand die al was uitgeschakeld. De situatie in IJsland was chaotisch, de IJslandse regering had geprobeerd hun Engelse collega's ervan te overtuigen dat ze hun best zouden doen de verliezen van hun burgers te minimaliseren, en er waren honderden zo niet duizenden IJslandse bedrijven en particulieren die gewoon eerlijk zaken deden met Engeland en die nu slachtoffer van de maatregelen werden.

Is het interessant om, met de kennis van nu, te kijken of de IJslandse en Britse regeringen de crisis kalmer en coöperatiever hadden kunnen bestrijden?

IJslands geïsoleerde regering die internationale samenwerking – meer dan de meeste andere Europese regeringen – had tegengehouden, ontbrak het aan de noodzakelijke diplomatieke vaardigheden en had geen begrip van de finesses van internationale betrekkingen om haar standpunt goed over te brengen. De Britse regering op haar beurt, lag thuis onder vuur, begreep de IJslandse situatie niet genoeg en nam de kans waar om haar sterke greep te tonen. Het probleem dat beide landen als één front hadden moeten bestrijden, was: hoe krijgen al die mensen hun Icesave-geld terug? Hoe konden deze mensen er net zo afkomen als zij die gespaard hadden bij Northern Rock in Engeland, bij Washington Mutual in de VS of de IJslanders die bij één van hun eigen banken in IJsland hun geld hadden neergezet? Als dat niet gebeurde, zou het vertrouwen in de financiële sector ernstig beschadigd worden en de crisis verder verergeren. Het machtsvertoon van Engeland had in IJsland een averechts effect.

"Zij zullen ons dit geld terug betalen", zei Gordon Brown. "Zij dragen nu de verantwoordelijkheid voor de IJslandse banken." Voerde hij nu zijn eigen Falkland-oorlog om zo de aandacht af te leiden van zijn eigen mislukte regering?

IJsland tegen Europa

Op 4 november 2008 woonde Arni Mathiesen in Brussel een vergadering bij van de EU-ministers van Financiën en de EFTA-landen. De boodschap van de andere landen was duidelijk: IJsland moest zijn verplichtingen die de richtlijnen stelden, nakomen. Arni suggereerde de zaak te laten voorkomen, maar de overige ministers gaven de voorkeur aan arbitrage.

Toen hij Geir Haarde en Ingibjorg Solrun Gisladottir niet kon bereiken, gaf Arni met tegenzin toe. In de vijfkoppige arbitragerechtbank zouden afgevaardigden van de IJslandse regering, de Europese Centrale Bank, de Europese Commissie en de EFTA Surveillance Authority plaatsnemen. Binnen een dag lag er een unaniem oordeel: de IJslandse staat moest hun depositogarantiestelsel aanvullen in het geval de middelen van het fonds onvoldoende zouden zijn. Toen Ingibjorg Solrun en Geir Haarde eindelijk van de arbitragerechtspraak hoorden, waren ze kwaad en onttrok IJsland zich aan de uitspraak van de arbitragecommissie.

De publieke opinie in IJsland was dat het land niet verplicht was om spaargelden in particuliere banken te garanderen nu het systeem in elkaar was geklapt. Kort nadat de noodwet van kracht was geworden, betoogden hoogleraar in de rechten Stefan Mar Stefansson en advocaat Larus L. Blondal in een opiniërende column dat in deze specifieke situatie de richtlijnen van het DGS alleen konden gelden voor zover het fonds het benodigde geld ter beschikking had. Het discriminerende effect van de wet – eigen deposito's die wél, en buitenlandse deposito's die níet gedekt werden – zou bij een rechtszaak standhouden. Gunnar Thor Petursson, een andere advocaat, hield vol dat een staat niet verplicht was zijn DGS tot in het oneindige te steunen. Dit standpunt werd volgens de jurist bevestigd door een rapport van de Centrale Bank van Frankrijk uit 2000 waarin stond:

"Ondanks dat het doel was de stabiliteit van het banksysteem te vergroten, is het depositogarantiesysteem zoals dat in Frankrijk en in de meeste landen functioneert, niet bedoeld om om te gaan met een systematische crisis; in dat geval zijn andere middelen nodig."

De IJslanders waren er als de kippen bij om op te merken dat de voorzitter van de Centrale Bank van Frankrijk in die dagen niemand anders was dan Jean-Claude Trichet, nu directeur van de Europese Centrale Bank. Een hoogleraar van de Universiteit van IJsland, Arsaell Valfells, merkte op dat de Britse regering wel belastinggeld had opgestreken van de Icesave deposito's, maar de verantwoordelijkheid nu verlegde naar IJsland. Engeland had zelf ook geweigerd de deposito's bij Engelse banken op de eilanden Man en op Guernsey te garanderen, dus hoe kwamen ze erbij om van IJsland te verwachten dat IJsland dat wél zou doen?

De economen Daniel Gros en Stefano Micossi kwamen met het argument dat een kernprobleem van Europa is dat zijn grootste banken 'niet alleen te groot zijn geworden om te falen, maar ook te groot zijn om gered te kunnen worden'. Hierdoor kunnen Europese centrale banken en regelgevers niets met bestaande procedures aanvangen en als zij niets doen, kunnen de grotere landen alleen maar bidden en hopen dat deze giganten niet imploderen. Eirikur Bergmann, hoogleraar politicologie aan de Bidfrost Universiteit, was van mening dat Engeland – met het inroepen van de wet die Landsbankis tegoeden bevroor – impliceerde dat Engeland daarmee de verantwoordelijkheid van de bank overnam.

Op 10 en 11 november 2008 vond er in Brussel een ontmoeting plaats tussen een delegatie uit IJsland en afgevaardigden uit Denemarken, Zweden en zeven andere EU-landen. De delegatie gaf daar uiting aan haar standpunt dat het IJslandse volk niet verplicht zou moeten worden het gewicht van Icesave te dragen. De andere landen zagen geen redelijkheid in deze argumenten: IJsland was tenslotte bij lange na niet de enige die in de problemen zat door de economische crisis. In plaats daarvan maakten ze hun standpunt duidelijk, en dat was dat IJsland met Engeland en Nederland tot overeenstemming over Icesave zou moeten komen of het zou de steun van het IMF verliezen en zelfs het lidmaatschap van de EEA zou op losse schroeven komen te staan. Voor dit moment ging de EU voorbij aan het feit dat de valutabeperkingen die in IJsland van kracht waren in tegenspraak waren met een van de vier vrijheden van de EU: vrij verkeer van geld. IJsland stond alleen en met de rug tegen de muur.

Op 12 november 2008 kreeg de IJslandse afvaardiging in Brussel de opdracht een oplossing te vinden voor Icesave in de vorm van een lening die twintig jaar rentevrij zou moeten zijn.

Twee dagen later maakte de regering bekend dat het haar verplichtingen voor de Icesave-deposito's had toegegeven, ervan uitgaande dat de bezittingen van Landsbanki het grootste deel van de geraamde kosten van 600 miljard kronen zou dekken. Het nieuws werd in IJsland met verontwaardiging ontvangen. Het verwarde volk had het land vernederd zien worden door een overeenkomst met het beruchte IMF. Niemand, zo stelde men, was nu bereid om de tol te betalen voor een corrupte bankaffaire in Engeland.

InDefence en de lokale politici

Dat de IJslandse regering en de falende banken de pr-kant onhandig hadden gespeeld, was wel duidelijk. IJslanders vroegen zich herhaaldelijk af waarom de IJslandse kant van de zaak in de Engelse en Nederlandse media en parlementen niet beter werd neergezet. In antwoord daarop ontstond InDefence, een belangengroep die uit het niets tevoorschijn kwam en een tegengeluid wilde laten horen; zij wilden de rechten en de reputatie van het land verdedigen. De betrokkenheid van InDefence na de ineenstorting is bijzonder. Het begon als een groepje geëngageerde burgers die zich zorgen maakten over de verhoudingen tussen IJsland en Engeland, en werd al snel een belangengroep die zowel lokaal als internationaal de wenkbrauwen deed fronsen. InDefence was opgericht door een groepje IJslanders dat in Engeland had gestudeerd of er zakelijke banden mee had. Het opende een website waarop IJslanders werd gevraagd een petitie te tekenen tegen het oneigenlijke gebruik door Engeland van de antiterroristenwet. Twee dagen later hadden meer dan 40.000 mensen hun naam op de lijst gezet en verschenen er honderden foto's waarop mensen borden ophielden met de tekst 'IJslanders zijn geen terroristen'. In maart 2009 kwamen vertegenwoordigers van InDefence naar Londen waar ze – onder begeleiding van stampende beats van de drummer van de post-rockband Sigur Ros en een vrouw verkleed als 'The Lady of the Mountain', de vrouwelijke incarnatie van IJsland – de petitie aanboden aan leden van het Britse parlement.

Sinds oktober 2008 hebben drie IJslandse regeringen pogingen gedaan om met de Britten en de Nederlanders tot een oplossing te komen over de betaling van de € 20.887,- per spaarder, door middel van een lening van de beide landen. De Amerikaanse advocaat Lee Buchheit, expert in staatsschulden, bood al in het begin zijn hulp aan. De IJslandse regering stelde in plaats daarvan een onderhandelingsteam samen van leden van de Independence Party en Social Democrats, dat onder leiding stond van Baldur Gudlagsson van het ministerie van Financiën. Het tweede team werd gevormd door Social Democrats en Left Greens, met voormalig ambassadeur Svavar Gestsson aan het roer, een politieke vriend van de nieuwe minister van Financiën Steingrimur J. Sigfusson. Svavars team kwam met de Nederlanders en de Britten tot een vergelijk dat Steingri-mur als een 'fantastisch resultaat' bestempelde. Op 5 juni 2009 tekende hij de deal die bepaalde dat er de eerste zeven jaar geen betalingen gedaan zouden worden en de rente 5,5% zou bedragen. Een niet-aflatende storm in de Althingi over deze afspraken raasde de hele zonnige zomer van 2009 voort. De IJslandse huishoudens bloedden, de werkeloosheid steeg, de inflatie kwam in dubbele cijfers terecht en er werd niets aan gedaan, om-dat de regering het niet eens kon worden over Icesave.

Na de economische val was er een massale politieke leegloop. Na de al-gemene verkiezingen in april kreeg IJsland voor de eerste keer een uitslui-tend linkse regering. Het land had het lidmaatschap van de EU aange-vraagd, een langgekoesterde wens van de Social Democrats. Steingrimur J. Sigfusson was nu, nu IJsland failliet was, minister van Financiën. En Johanna Sigurardottir werd IJslands eerste vrouwelijke premier (en was tevens het eerste staatshoofd ter wereld dat openlijk voor haar lesbische geaardheid uitkwam). Terwijl links de slag won, werden de Independence Party en de Centre Party, die van 1995 tot 2007 aan de macht waren ge-weest en onder de leiding waarvan het economisch wonder zich had vol-trokken, steeds verder teruggedrongen. Geir Haarde en Arni Mathiesen hadden de politieke arena verlaten; de eerste probeerde zijn keelkanker te overwinnen, de laatste pakte zijn oorspronkelijke beroep van dierenarts weer op. Ingibjorg Solrun Gisladottir gaf het stokje van de Social Democrats over aan Johanna Sigurdottir en het imago van de Centre Party was al tien jaar niet meer wat het geweest was.

Maar dingen veranderen niet zomaar. De nieuwe voorzitter van de Independence Party, Bjarni Benediktsson, een afstammeling van de vroegere premier, was de boodschapper van nieuwe machtsverhoudingen binnen de partij. Bjarni's eigen reputatie had wel een deukje opgelopen door zijn betrokkenheid bij Milestone, samen met de eigenaren van de verzekeringsmaatschappij Sjova, die de kas van het bedrijf hadden geplunderd om een vastgoedinvestering van Milestone in Macau te financieren, maar de partij had een nieuw gezicht nodig en Bjarni was de gedoodverfde kroonprins. Voor het partijcongres in maart kwam een intern hervormingscomité met een hele serie progressieve voorstellen en de nodige zelfreflectie voor de partij die nu de bijnaam 'de Valpartij' had gekregen. Maar helaas, tijdens het congres namen de zaken een volstrekt andere wending en de voorgestelde veranderingen bleven een papieren zaak.

De nieuwe regering had een wetswijziging doorgevoerd die het mogelijk maakte David Oddsson uit de Centrale Bank te werken. Hij en zijn volgelingen aarzelden niet terug te slaan. Volgens David en zijn volgelingen, die nu druk waren met het uitgeven van kranten, boeken en websites, was de val alleen toe te schrijven aan corrupte bankiers die door de Social Democrats waren beschermd. Icesave was, volgens hen, een goed voorbeeld van wat er allemaal mis was met de EU. Een andere theorie was dat IJsland in de handen van het IMF was gedreven door jaloerse buren. David was tot iedereens verrassing tot hoofdredacteur van *Morgunbladid* benoemd (door de visserijlobby, die de krant bezit), geheel in de IJslandse traditie van nepotisme. In een modern westers land vrijwel onvoorstelbaar, maar hij runde van de een op de andere dag *Morgunbladid*, de grootste krant van het land.

Politiek is in de praktijk niet zo simpel als de theorie wil doen geloven. Ja, David Oddsson en zijn maten waren vrijdenkers, maar in de praktijk draait politiek in IJsland, net als overal, om geld en macht. Bjorgolfur Gudmundsson had, met een van zijn overname-exercities, *Morgunbladid* gekocht, een traditioneel rechtse krant en een IJslands instituut van betekenis. Toen hij bankroet ging, kwam de krant in handen van Glitnir, de grootste crediteur. Nadat er 4 miljard kronen op de balans was afgeschreven, werd de krant doorverkocht aan een groep vismagnaten die werden aangevoerd door Gudbjorg Matthiasdottir van het eiland Vestmann. Zij had het geluk gehad haar aandeel van 1,71% in Glitnir een dag voor de bank genationaliseerd werd, te verkopen voor 3,5 miljard kronen. Een deal die door de openbaar aanklager was onderzocht. De visserijlobby was traditiegetrouw een bondgenoot van de Independence Party, op wie ze konden rekenen als het op het behoud van visquota aankwam; quota die hen rijk hadden gemaakt. De aanvraag van de nieuwe regering van het EU-lidmaatschap konden ze niet tolereren. De teerling was geworpen.

De regering was niet gebaat bij een verdeeld Left Green, maar de partij leek niet bij elkaar te houden. Of, zoals Johanna Sugurdardottir het zei: "Het hoeden van katten is nou eenmaal onmogelijk." Voor de klassieke linkse partij die had geschitterd in de oppositierol, was dit de eerste keer sinds 1991 dat ze in de regering zat. Nog voor de coalitie met de Social Democrats was geformeerd, uitte voorman Steingrimur J. Sigfusson harde kritiek op het feit dat IJsland hulp had gezocht bij het IMF voor de deals inzake Icesave. Deze kritiek was helemaal in lijn met de grondbeginselen van de Left Greens. Toen Steingrimur eenmaal op Financiën zat, werd hij realistischer en raakte hij ervan overtuigd dat de problemen van het land nog veel erger waren geweest zonder de hulp van datzelfde IMF, en steunde hij een deal voor Icesave en een continuering van het IMF-programma. De radicalere vleugel van zijn partij gaf zich echter niet zo snel gewonnen. De Left Greens waren altijd anti-EU geweest, vóór de kroon, sceptisch over het IMF, anti-NAVO en vol van nationalistische retoriek, vergelijkbaar met extreem-rechts van de Independence Party. De minister van Gezondheid en ervaren vakbondsleider Ogmundur Jonasson en zijn aanhangers hadden sterke bedenkingen over de concessies die de partij deed op hoofdpunten, om toch maar vooral deel uit te kunnen maken van een regering met de Social Democrats. Ogmundurs groep in de Althingi was niet gemakkelijk over te halen mee te stemmen met een deal voor Icesave. In september trad hij af als minister, naar eigen zeggen onder druk van zijn eigen partij, omdat hij niet wilde meewerken aan een concensus over Icesave.

Maar de felste tegenstander van de Icesave-deal was de oprichter van InDefence en de voorzitter van de Centre Party, Sigmundur David Gunnlaugsson. Hij was een van de afgevaardigden van InDefence die later de petitie in Londen zou aanbieden en dé man achter de succesvolle coup bij de Centre Party, toen deze fundamentele herzieningen nodig had. Sigmundur David was een paar jaar daarvoor voor het eerst opgevallen door zijn kritische ideeën rondom de stadsontwikkeling van Reykjavik en hij werd gezien als een nieuw type leider. Maar de politieke verhoudingen binnen de Centre Party zijn te ingewikkeld voor een nieuwkomer om zo maar een sleutelpositie te kunnen innemen. De vader van Simundur, Gunnlaugur Sigmundsson, was zelf parlementslid voor de Centre Party geweest, en hij en zijn hele familie hadden rijkelijk geprofiteerd van de transfer van Kogun, een IT-bedrijf, onder ander opgericht om het IADS-systeem (Iceland Air Defense System) te ondersteunen. Gunnlaugur was er CEO geweest en had de stap gemaakt van de overheid naar de private sector.

De oppositie in IJsland werd dus gevormd door twee miljardairs die met zilveren lepels waren grootgebracht: Sigmundur David en Bjarni Benediktsson.

De politiek van de vicieuze cirkel

In de aanloop naar het referendum over de Icesave-deal verscheen er in *Time Magazine* een artikel met de kop 'Waarom Washington in de knoop zit'. Het beschreef de 'politiek van de vicieuze cirkel' waarbij ook de IJslandse knoop verklaard werd:

Door dit soort legale sabotage legden Republikeinen een waarheid over het Amerikaanse volk bloot: Amerikanen haten politiek gebekvecht en ze spuien hun boosheid ongeacht wie er aan de top staat. Toen de Gingrich-Republikeinen zo ongeveer in staking gingen tijdens de eerste twee jaar van Clintons bewind, werd de publieke opinie steeds gemener. In 1994 was het vertrouwen in de regering tot een historisch dieptepunt gedaald, iets wat de Republikeinen goed uitkwam, want Clintons gezondheidsplan mocht niet slagen; het zou de macht van de regering alleen maar vergroten. Clintonzorg haalde het niet, de Democraten verloren in het Congres en de Republikeinen leerden de geheimen van de vicieuze politiek: als de partijen polariseren, gebeurt er simpelweg niks. En als er niets gebeurt, keren de mensen zich vanzelf tegen de regering.

Als jij degene bent die buiten de macht staat, val je de regering voortdurend aan en win je!

De IJslandse regering kwam er langzaamaan achter dat – na de verkiezingen van april 2009 – niet langer de Nederlanders en de Britten hun tegenstanders waren in de Icesave-affaire, maar de oppositiepartijen: de Independence Party en de Centre Party. Waarom aandringen op hervormingen als een impopulaire regering de kiezers vanzelf naar je toe drijft? Als partijen ergens over onderhandelen, bepalen ze vooraf hun doelstellingen. De IJslandse regering had vooraf niets bepaald over rentetarieven of betalingscondities. Dit was nu hun zwakke plek en de oppositie kon daar gebruik van maken.

De Icesave-deal die in juni was gesloten, werd de hele zomer in de Althingi bediscussieerd. Op 28 augustus 2009 nam het parlement eindelijk wet 96/2009 aan die vijf dagen later door de president werd goedgekeurd. Het bevatte bepalingen waarin stond dat IJsland de leningen alleen zou terugbetalen als het daartoe in staat was en dat op het faillissement van

Landsbanki de standaardprocedures van toepassing waren. Het probleem was echter dat de Nederlanders en de Britten niet met deze bepalingen hadden ingestemd en ook absoluut niet van plan waren dat te gaan doen. Dat betekende dat de Althingi in de herfst aan een nieuwe onderhandelingsronde begon die duurde tot eind december 2009, toen er een meerderheid was in de kamer die de wet 96/2009 goedkeurde zonder de gewraakte bepalingen. Die tweede ronde had bol gestaan van de nationale retoriek. De Independence Party riep dat de Social Democrats alles zouden doen om IJsland de EU in te loodsen, zelfs als het daarvoor in Brussel op de knieën moest en leden van de Centre Party scholden op degenen die de 'Akte van Verraad' wilden ondertekenen. Het nationale debat werd met de dag verhitter en verdeelde het land. Op dat moment was InDefence begonnen te focussen op de oneerlijkheid van Icesave en had het een tweede petitie opgesteld waarin de president gevraagd werd de wet niet te tekenen. Zestigduizend mensen tekenden en op 2 januari werd die petitie, bij een groot vuur, op de residentie van de president in Bessastadir overhandigd aan Olafur Ragnar Grimsson, de president van IJsland.

Op Oud-en-nieuwfeestjes werd over de beslissing van de president druk gespeculeerd. Zou hij wel of niet tekenen? Die avond keek het volk traditiegetrouw naar de oudejaarsconference die nog meer te ridiculiseren had dan in 2008. De kop van Olafur Ragnar werd voorgesteld als de grootste fan van een groep zakenlui en bankiers die het land ruïneerden, terwijl hij decadente feestjes voor hen organiseerde op de residentie, waar hij met medailles strooide alsof het snoepjes waren. De slotsketch liet de populaire muzikant Pall Oskar zien die het huis van de president schoonmaakt op de tonen van Michael Jacksons *Smooth Criminal*. Toen Olafur Ragnar op 5 januari weigerde de wet te tekenen en een referendum uitschreef, het eerste sinds de oprichting van de republiek, waren de reacties verdeeld: men was of laaiend enthousiast of fel veroordelend:

Misschien is dit onze nieuwe versie van democratie: Facebook democracy.
Kristjan Gretarsson op Facebook bij een discussie over petities als die van InDefence.

Ik heb gemengde gevoelens. De Independence Party heeft nooit geëist dat de regering om deze zaak moest aftreden, wij wilden alleen een eerlijke behandeling.
Bjarni Benediktsson, Kamerlid namens de Independence Party.

Laten we een eind maken aan deze eindeloze zaak. Laten we de Icesave-deal goedkeuren.
MordurArnason, voormalig Kamerlid Social Democrats.

Ik neem aan dat de Centrale Bank voorlopig geen valuta meer zal ontvangen. De Scandinavische landen willen dat IJsland betaalt voor Icesave. Amerika doet niets voor IJsland omdat ze hier geen legerbasis meer heeft en Rusland weigert ons geld te lenen. Behalve de Faroe-eilanden heeft IJsland geen buitenlandse vrienden. We zullen overal gedegradeerd worden tot de categorie van junks en nergens in het buitenland leningen kunnen krijgen. Door jullie idioten, en de president, bevinden we ons in een erbarmelijke situatie. Buitenlandse handel is met afstand onze belangrijkste bron van inkomsten en we zijn daarom afhankelijk van goede relaties met andere landen. Met een woedende bevolking thuis en een demagoog in Bessastadir staan we met onze rug tegen de muur.
Jonas Kristjansson, voormalig redacteur diverse bladen

Olafur Ragnar Grimsson zegt ervan overtuigd te zijn dat het niet tekenen van het verdrag zal leiden tot eenheid in het land. Ik denk dat bij deze uitspraak de wens de vader van de gedachte is. Maar welke andere opties heeft de regering, behalve aftreden?
Egil Helgason, tv-presentator

De mannen van het jaar: InDefence!
Einar Bardarson, aanhanger van de Independence Party, eigenaar van en presentator bij een radiostation

Bedankt Oli, we zijn je er één schuldig. Darling & Brown.
Dofri Hermannsson, Social Democrat, in een sms'je dat in IJsland de ronde deed.

Het werkt niet meer om drie wetsorganen tegelijkertijd te laten opereren: Eén in het kabinet, één in de Althingi en de derde op Bessastadir. Dit is belachelijk.
Grimur Atlason, Left Green

Ik ben een nuchter type, maar ik moest huilen tijdens de speech.
Brigitta Jonsdottir, Kamerlid voor The Movement

Volgens analisten bij Islandsbanki reflecteert de markt de verwachtingen van investeerders dat de Centrale Bank eind januari de rente zal verlagen, de waarschijnlijkheid dat de herbeoordeling van het IMF uitgesteld zal worden en dat het praktisch zeker is dat de financiële beoordelingen van de regering naar beneden zullen worden bijgesteld.
VB, de IJslandse zakenkrant

Ik zie niet hoe hij tot een andere conclusie had kunnen komen.
Ogmundur Jonasson, Kamerlid voor Left Green

Ik kijk ernaar uit om met iedereen die dat wil te discussiëren over wat er precies is gezegd in officieel document #29 en hoe de ECOFIN-vergadering geïnterpreteerd zou moeten worden. Is IJsland verantwoordelijk of niet? Zijn de rentepercentages, in het licht van die van de ECB, acceptabel? Konden de mensen die spaarden bij Icesave weten dat zij risico liepen zodat zij nu zelf op de blaren moeten zitten? En als we dat vinden, moeten we dan ook maar de rekeningen op de eilanden Man en Guernsey inpikken, waarvoor noch de IJslandse noch de Britse regering verantwoordelijkheid wil dragen? Maar nee, niemand denkt dat wij vechten voor rechtvaardigheid. Iedereen denkt dat we alleen aan de IJslandse belangen denken.
Silja Bara Omarsdottir, hoogleraar politicologie aan de Universiteit van IJsland

Een wel heel verbazingwekkende zin in de verklaring van de president over Icesave: "Uitspraken gedaan in de Althingi en door individuele parlementsleden tonen aan dat een meerderheid van de Althingi voor een referendum is." Zo'n voorstel was er in de Althingi gedaan. Er werd over gestemd en het werd verworpen. Kan dit dan meetellen als een argument om een nationaal referendum te houden? Je zou verwachten dat de parlementsleden zelf verantwoordelijk zijn voor hun stemmen en het kan toch niet zo zijn dat de president van de republiek zelf de stemmen gaat hertellen die in de Althingi zijn uitgebracht.
Gudmundur Svanur Runarsson, blogger

Geen commentaar. Ik ben aan de kant gaan staan en doe met deze dans niet mee.
Ingibjorg Solrun Gisladottir, voormalig leider van de Social Democrats

Als de uitkomst van het referendum het afwijzen van de Icesave-deal betekent, heeft de regering twee keuzes. De deal afblazen of opstappen. Doen ze dat niet, dan zijn ze de tegenstanders van het volk en dat moet voor elke regering vreselijk zijn.
Erikur Bergmann, hoogleraar aan de Universiteit van Bifrost

Ik ben erg verheugd over deze conclusie, dit heeft verreweg de voorkeur. Hopelijk maakt dit nu een einde aan de sociale tweespalt die door de zaak was ontstaan. Het veto van de president is een overwinning van de democratie en ik denk dat hij deze wijze beslissing na rijp beraad heeft genomen. Ik kan niet anders dan blij zijn met deze president.

Sigmundur David Gunnlaugsson, voorzitter van de Progressive Party

Het lijkt erop dat we aan weer een jaar van woede zijn begonnen. De IJslanders hebben alle hoop verloren. Zijn jullie ook zo ziek van dit alles? We zijn maar met 300.000 mensen en we zouden deze recessie gemakkelijk de baas kunnen worden als we als een front zouden optreden; onafhankelijk van politieke partij en zonder woede. Maar iedereen is tegen iedereen. Zijn we niet in de eerste plaats IJslanders en dan pas iets anders?

Thorkell Mani Peterusson, radiopresentator

Ik vraag me af hoeveel % van ons genoeg verstand heeft van deze zaak om er in een referendum over te kunnen stemmen.

Maria Arnadottir in een Facebook-discussie

Waarschijnlijk heeft de persoonlijke ambitie van de president hem tot dit besluit gebracht. Hij wil niet herinnerd worden als de cheerleader van de zakenlui die het land bankroet hebben gemaakt. Hij houdt ervan in de schijnwerpers te staan.

Hannes Holsteinn Gissurarson, hoogleraar aan de Universiteit van IJsland en vriend van David Oddsson

Het is wel duidelijk dat degenen die nu een feestje vieren, dezelfde zijn als die de armoede over de IJslanders hebben gebracht.

Jon Frimann Jonsson, blogger

Olafur Ragnar was zich bewust van zijn grote verantwoordelijkheid. Er was een kloof tussen het parlement en het volk maar de president heeft zijn volk gevonden en het volk zijn president. Tussen die twee is geen kloof. De president heeft de kant van het volk gekozen.

Olafur Arnarsson, auteur en blogger

De aard van deze zaak is dat het om onderhandelingen tussen landen gaat. Je kunt gesprekken niet voeren door middel van een referendum. Moet de volgende conclusie dan wéér door een referendum worden getoetst en dan weer en weer? Dit soort zaken moeten in het democratisch gekozen parlement worden uitgevochten. Het is al moeilijk genoeg met het parlement te onderhandelen, laat staan met een heel volk.

Vilhjalmur Tjorsteinsson, investeerder, Social Democrat

De man in Bessastadir heeft zich met zijn veto volstrekt onverantwoordelijk getoond. De regering moet opstappen, het land is stuurloos. De partijen die de val hebben veroorzaakt zullen terug aan de macht komen.

Met de Independence Party, die door de FL Group wordt gefinancierd, aan de macht zal niemand die de oorzaak is geweest van de crash gestraft worden, behalve dan zij die bij de partij in ongenade zijn gevallen. Daarnaast is er nog een gevecht gaande met de Nederlanders en de Britten waarbij de Kabeljauwoorlogen kleinigheden zullen lijken. Dit zal ook een soort Kabeljauwoorlog worden, eentje die is begonnen door mensen die lijken op kabeljauwen op het droge. Moge God dit verdoemde land helpen.

Stefan Snaevarr, hoogleraar aan de Universiteit van Lillehammer

Mijn condoleances aan 30% van deze natie nu een meerderheid heeft beslist met deze exercitie door te gaan en daarmee de wederopbouw van IJsland vertraagt. Het heeft geen zin in deze bittere tijden tegen de politici te gaan schreeuwen. Het volk is nu zelf verantwoordelijk voor de gevolgen. Alles wat er nu gaat gebeuren, is te danken aan 70% van de IJslanders en aan InDefence natuurlijk.

Baldur McQueen, blogger

IJsland zat nu in een volstrekt onzekere positie, een referendum zou beslissen over de betaling van de staatsschuld. Svavar Gestsson was van het toneel verdwenen en Lee Buchheit, de advocaat die in het begin zijn diensten had aangeboden, kwam aan het roer van het onderhandelingscomité en was vastbesloten overeenstemming te bereiken voor de datum waarop het referendum gehouden zou worden, zodat het onnodig zou worden. Op die manier zou de oppositie haar stem kunnen laten horen. De regering gaf toe dat er brede steun van het thuisfront nodig was om tot een deal te kunnen komen. Maar ondertussen liet de Centre Party haar ware gezicht zien. Sigmundur David Gunnlaugsson, de oprichter van InDefence, zei in februari tegen verslaggevers dat het referendum hoe dan ook gehouden zou moeten worden, zelfs als er een betere deal op tafel lag.

Wat zo logisch kan lijken in de echte wereld wordt in de politiek ineens volstrekt onlogisch...

Icesave en het IMF

De vertraging had nu effect op de reputatie van IJsland en de relatie met andere landen en dat versterkte de verdeeldheid onder de bevolking. Hoeveel zou het níet tekenen van de Icesave-deal IJsland in monetaire termen wel niet gaan kosten? In de krant *Frettabladid* schatte de vakbond The Employers Union dat vertraging bij de zware industrie de komende drie jaar een lagere groei in het bnp van 500 miljoen tot 1,3 miljard euro zou kunnen veroorzaken. Gunnlaugur H. Jonsson raamde de kosten van werkeloosheid en de exodus op 700 miljoen euro per maand. Elke maand vertraging van de totstandkoming van de Icesave-deal was derhalve een zeer dure maand, ook als er uiteindelijk een lagere rente zou komen voor de Icesave-betalingen (3,8 miljard euro tegen dan 5,5% rente). Een verlaging die nooit op zou kunnen tegen de gemiste kansen voor de werkgelegenheid. De regering liet kostbare tijd verloren gaan die ze beter aan het bestrijden van de economische crisis had kunnen besteden en die ook nog eens vertraging opleverde bij de hulp van het IMF. De conclusies van het fonds hadden nogal op zich laten wachten en het geld dat IJsland zo hard nodig had, was daardoor lang opgehouden. In januari 2010 weigerde de president Olafur Ragnar Grimsson een wet te tekenen die de Althingi al was gepasseerd en die een deal tussen IJsland, Engeland en Nederland had bevestigd. Hij schreef een referendum uit en daarbij werd de wet afgewezen. Na dit referendum sprak Olafur Ragnar tegenover een Noorse krant zijn teleurstelling uit over de Scandinavische landen die de belangen van IJsland bij het IMF hadden geblokkeerd: "Het lijkt erop dat het IMF een soort Veiligheidsraad is waar bepaalde landen een veto hebben. Als je naar Icesave kijkt, zijn er sterke juridische argumenten die ervoor pleiten dat we volgens de EU-richtlijnen niet gehouden kunnen worden de deposito's van failliete banken te garanderen. In het licht van deze onzekerheid is het IMF gebruikt om een oplossing te forceren die juridisch discutabel is." Het is waar dat de leningen van het IMF afhankelijk waren van wat er inzake Icesave zou worden besloten. Dit wordt publiekelijk niet erkend, maar bij diverse gelegenheden in de IJslandse en internationale media wordt het wel geïnsinueerd. Age Bakker, de Nederlandse vertegenwoordiger in het IMF, ontkende niet dat hij de opdracht had op de Nederlandse en Engelse belangen te letten bij de steun aan IJsland vanuit het IMF. Alistair Darling was opgetogen over de betrokkenheid van het IMF bij IJsland, omdat het hopelijk zou helpen dezelfde compensatie voor de Engelse spaarders te krijgen als de IJslanders hadden gehad.

In juli 2009 zei premier Johanna Sigurdardottir dat de vertraging van de IMF-hulp het gevolg was van de weigering van de Scandinavische landen om IJsland te helpen, die volgens haar een oplossing omtrent Icesave als voorwaarde hadden gesteld.

In augustus van dat jaar verzekerde Johanna dat het IMF Icesave nooit had gebruikt om haar mee te dreigen. "Maar aan de andere kant zeiden ze wel dat het niet hielp als de Icesave-deal niet rondkwam."

In oktober 2009, na het tekenen van de overeenkomst die later door de IJslandse president verworpen zou worden, zei de Nederlandse minister van Financiën Wouter Bos dat hij een 'positieve reactie' verwachtte van het IMF.

Toen de president de Icesave-deal in januari 2010 middels een veto afwees, zeiden Finse woordvoerders dat dit verdere vertraging van Scandinavische hulp zou kunnen betekenen. Mark Flanagan, de zaakbehartiger van het IMF voor IJsland, zei: "Het IMF zal de situatie met de IJslandse autoriteiten bespreken en de andere landen die bij het financieringsprogramma betrokken zijn, raadplegen."

Begin maart, een paar dagen voor het referendum, gaf een columnist in *The Economist* de IJslanders een waarschuwing: "De Scandinavische landen die bilaterale leningen aanbieden naast het IMF-reddingspakket, weigeren om hiermee door te gaan. Zonder hun steun zit de IMF-deal op slot. De financiële druk neemt toe. Om zijn schuldeisers gerust te stellen moet IJsland in 2011 2 miljard Amerikaanse dollars en in 2012 500 miljoen Amerikaanse dollars zien te vinden."

Begin maart, een paar dagen voor het referendum, zei Frans de Nerée tot Babberich van het CDA: "We kunnen niet positief zijn over de lidmaatschapsaanvraag van IJsland voor de EU als dit land zijn internationale verplichtingen niet nakomt. Dat in de eerste plaats. Daarbij zijn we dan ook nog eens onzeker of we de aanvraag voor leningen van het IMF positief moeten waarderen." De Deense minister van Buitenlandse Zaken Lene Espersen had een duidelijk antwoord: "We willen IJsland wel helpen maar op een voorwaarde (…) dat het parlement in Reykjavik de regering steunt in de Icesave-zaak." Zijn Zweedse collega Carl Bildt verklaarde: "Icesave is de sleutel."

Dominique Strauss-Kahn, algemeen directeur van het IMF, zei op 30 maart 2010 dat verdere hulp alleen kon met een bestuursmeerderheid en dat hij niet zeker was of die er zou zijn: "Ik heb steeds gezegd dat Icesave voor het IMF geen voorwaarde is, maar er moet wel een meerderheid voor zijn in ons bestuur. Ik weet zeker dat als Icesave helemaal is opgelost, die meerderheid er zal komen. Als dat echter niet zo is, weet ik niet of het zal lukken." Dit was in tegenspraak met zijn commentaar op 14 januari toen hij nog zei dat een oplossing "voor het IMF geen conditie was voor hulp aan IJsland". Toen de minister van Financiën Steingrimur J. Sigfusson om commentaar werd gevraagd over de uitlatingen van Strauss-Kahn in maart, was zijn reactie dat het hem verbaasde dat hij zo openlijk voor zijn mening uitkwam: "Je kunt tussen de regels door lezen dat de zaak niet opschiet vanwege politieke redenen, de mensen bij het IMF hebben geen andere redenen om de zaak niet af te werken. Dat we onvoldoende politieke steun hebben, is al heel lang bekend."

Het leek er in alles op dat de hulp die IJsland in 2008 had gezocht, was gekoppeld aan Icesave. Dit betekent dat ondanks hun welwillendheid, de beslissingen van internationale organen door politiek bepaald werden. Het is daarom geen verrassing dat de Britten en de Nederlanders aan alle touwtjes trokken die ze binnen het IMF maar in handen konden krijgen. De stugge houding van de Scandinavische landen is daarom des te verwonderlijker. Waren zij en het IMF het niet geweest die te kennen hadden gegeven dat hun hulp niet afhankelijk was van een oplossing voor Icesave? Het staat in elk geval als een paal boven water dat de vertraging van het IMF de situatie van veel IJslanders geen goed deed.

Slechte democratie

Zelfs als populisme een rol heeft gespeeld bij het veto van Olafur Ragnar Grimsson over de Icesave-affaire, dan is dat nog maar de halve waarheid. Toen Olafur Ragar in 1996 als president aantrad, erfde hij van zijn voorgangers het aura dat om dit ambt hangt: het presidentschap als symbool van eenheid, met een enigszins koninklijke glans, maar ver verwijderd van de alledaagse werkelijkheid. Vigdis Finnbogadottir (een vorige president) had met haar eigen meningen en achtergrond geworsteld toen ze een veto over het EU-lidmaatschap overwoog, maar had uiteindelijk toch besloten niet op haar strepen te gaan staan, want als president was je immers meer een symbool dan een beslisser.

Olafur Ragnar sloeg echter een andere weg in. Zijn verkiezingswinst in 1996 kwam voor velen uit de lucht vallen; zij hadden niet verwacht dat een oudbakken linkse politicus staatshoofd kon worden. Zijn familie was actiever bij de campagne betrokken geweest dan IJslanders tot dan gewend waren en hij was een vaste gast in de roddelbladen. Onvermoeibaar promootte hij in het buitenland de IJslandse handel en had hij meer hang naar glamour en high society dan zijn voorgangers hadden gehad. Nadat zijn populaire vrouw aan kanker was overleden, vond hij in de Britse socialiste Dorrit Moussaief (in Israël geboren, voormalig society-editor voor *Tatler*, een Engels societyblad) een nieuwe liefde. Haar contacten zouden erg belangrijk worden voor de president. IJslandse bankiers en zakenlui bezochten feestjes op Bessastadir met illustere gasten als Martha Stewart en Roger Moore. Olafur Ragnar schreef voor Sigurdur Einarsson en Bjorgolfur Thor aanbevelingsbrieven aan invloedrijke buitenlanders, waarin hij hen zijn persoonlijke vrienden noemde en hij hun kwaliteiten roemde.

Van huis uit politicoloog, definieerde Olafur Ragnar maar al te graag voor zichzelf een politieke rol als president, zeker in het geval dat de grondwet mogelijkheid tot twijfel liet bestaan. Geen van zijn voorgangers had ooit een wet afgekeurd die door het democratisch gekozen parlement was aangenomen. Hij zou de eerste zijn die met die traditie brak, zelfs tot twee keer toe. Olafur had voor Icesave al eens eerder zijn veto uitgesproken. Toen in 2004 het imperium van Baugur groeide, had de Independence Party een wetsvoorstel ingediend dat het eigendom op het gebied van de media zo zou reguleren, dat conglomeraten geen al te grote invloed konden krijgen. De wet zelf zat goed in elkaar, maar veel IJslanders verdachten David Oddsson ervan dat het hem niet om het democratisch gehalte, maar enkel en alleen te doen was om Jon Asgeir Johannessons invloed binnen de perken te houden. Na grote druk en de nodige petities sprak de president toch zijn veto uit en moest een referendum de zaak beslissen. De Independence Party die vermoedde dat zij de zaak kon verliezen, trok het wetsvoorstel daarop in.

Met het referendum op komst was het de vraag wat het volk zou gaan kiezen. Hoogleraar politicologie Svanur Kristjansson en hoogleraar in de rechten Bryndis Hlodversdottir gaven op een seminar aan de Universiteit van IJsland te kennen dat mensen bij nationale referendums vragen over financiën normaliter verwerpen; vooral als die betrekking hebben op de overheidsschuld. Volgens hen was dit referendum geen schoolvoorbeeld van goed werkende democratie en ging het op drie cruciale punten de fout in:

1. De vraag zelf was niet met uitsluitend ja of nee te beantwoorden. Lees maar even mee:

   'Wet nr. 1/2010 voorziet in het wijzigen van wet nr. 96/2009 om de minister van Financiën, namens de staat, de lening van het garantiefonds en investeerders uit Engeland en Nederland te garanderen om betalingen aan spaarders van Landsbanki te doen.

   De Althingi heeft wet nr. 1/2010 aangenomen maar de president weigert te tekenen.

   Moet wet nr. 1/2010 worden goedgekeurd?'

   De mogelijkheden zijn: 'Ja, die moet worden goedgekeurd' of 'Nee, die moet niet worden goedgekeurd.'

   Door 'nee' te stemmen zou de kiezer geldigheid geven aan de overeenkomst van augustus en daarmee aan de maatregelen waar de oppositie zich hard voor had gemaakt. Maar met die overeenkomst waren de Britten en de Nederlanders nooit akkoord gegaan en deze was dus niet wettig. De enige reële optie voor IJsland was doorgaan met de onderhandelingen en dat probeerden ze dan ook.

2. Alle relevante informatie moet voor het publiek toegankelijk zijn om zo hun mening te kunnen vormen.

   Wie in februari 2010 'Icesave' googelde, kreeg 1.970.000 hits. Leden van de Althingi klagen voortdurend over de papierwinkel die ze altijd moeten doorworstelen. Hele legers financiële experts, politici en advocaten van beide kanten van de Atlantische Oceaan betoogden dat IJsland inderdaad zou moeten betalen en gaven daarbij tal van argumenten. De gemiddelde burger had noch de tijd noch de expertise om deze zak objectief en eerlijk te kunnen beoordelen.

3. De consequenties moeten duidelijk zijn.

En op dat punt had niemand een antwoord. Vele kiezers dachten dat ze betalingen ten principale zouden verwerpen, terwijl anderen stemmen juist zagen als een kans om de regering een rode kaart uit te reiken.

Het referendum had voor ieder persoonlijk een eigen gewicht en inhoud.

Svanur had het over de rechteloosheid die er in IJsland heerste. Een echte democratie houdt geen referendum omdat de president een bevlieging heeft. Met deze beslissing had Olafur Raganr Grimsson het motto van de laatste decennia 'Als het niet illegaal is, doen we het' gewoon doorgezet. Bovendien was Svanur een oude vriend en bondgenoot van Olafur Ragnar Grimsson. Hij was het er eenvoudig niet mee eens dat in het geval de grondwet geen duidelijke richtlijnen gaf voor het handelen van de president, hij het in een oogwenk zelf kon beslissen. De IJslandse politici hadden te lang genegeerd dat er een grondwetsherziening moest komen die ook de rol van Olafur Ragnar zou definiëren.

In de laatste dagen voor het referendum deed het onderhandelingsteam haar uiterste best om tot een acceptabele deal te komen. Maar elke stap moest ook afgestemd worden met alle politieke partijen. De onderhandelaars aan Nederlandse en Engelse kant beklaagden zich over de trage gang van zaken aan IJslandse kant, maar ook de onbetrouwbaarheid. Als aan het begin van de week voorstel A acceptabel leek, bleek aan het eind van de week voorstel B ineens aan de orde. Onmogelijk om mee te werken, onervaren en onprofessioneel, volgens hen.

Op 5 maart, de dag voor de noodlottige dag, deelde Steingrimur J. Sigfusson mee dat het referendum doorging. Zijn uitspraak 'Hoe kunnen mensen denken dat er een deal te maken is als er mensen in het onderhandelingsteam zitten die helemaal geen deal willen?' sprak boekdelen. Zaten IJslands vijanden in het eigen land en niet in Londen of Amsterdam? Degenen die het referendum pushten, wilden gehoord worden en daarmee een sterk signaal de wereld in sturen: IJslanders gaan niet de schulden van criminelen betalen. Steingrimur en Johanna Sigurdardottir deden niet mee en bleven bij het stemmen thuis.

NEE

Ik hoop dat deze kleine discussie sommige zielen, die zich er tot nog toe niet druk om hebben gemaakt of zich er niet over hebben geïnformeerd (wat eigenlijk simpel is), zal aanzetten om toch geïnteresseerd te raken in beslissingen over hun toekomst en die van hun kinderen in plaats van waardevolle tijd te verliezen met het slaan op potten en pannen op Austurvollur. Ik hoop dat die mensen een geïnformeerde beslissing zullen nemen over hun toekomst en die van hun kinderen en anderen zullen aanmoedigen hetzelfde te doen. Dat is wat ik van plan ben, want ik vertrouw een oude, grijze, onopgeleide en sexueel in de war zijnde stewardess niet als het om de toekomst van mij en mijn kinderen gaat of om de toekomst van alle andere mensen waar ik om geef.
Een supporter van de Independence Party en de vrouw van een IJslandse Business Viking in een Facebook-discussie de week voor het referendum.

Op 6 maart 2010 stemde 93,2% van de kiezers tegen de Icesave-overeenkomst die de president weigerde te ondertekenen. Sigmundur David Gunnlaugsson en Bjarni Benediktsson vonden de uitkomst een ramp voor de regering en stelden nieuwe verkiezingen voor. Twee dagen na het referendum verkondigde Mar Gudmundsson, de directeur van de IJslandse Centrale Bank, dat de deal met het IMF en de Scandinavische landen binnen een paar weken afgerond zou zijn en de leningen beschikbaar zouden komen. Toen de IJslandse regering op 16 april ten slotte toestemde een oplossing voor de Icesave-affaire te zoeken, was het dan eindelijk zover.

Op 26 mei 2010 stuurde de EFTA Surveillance Authority (ESA, de waakhond van de EFTA) een officiële brief naar de IJslandse regering waarin ze eiste dat de deposito's volgens de Europese richtlijnen gegarandeerd zouden worden. Per Sanderud, ESA-president, zei dat de kredietwaardigheid van het Europese grensoverschrijdend bankverkeer op het spel stond en speelde daarmee in op het belang dat spaarders hechten aan het veilig weten van hun geld. Zonder overeenstemming zou het voor het hof van de EFTA brengen van de zaak de volgende stap zijn. "Als er geen besluit valt, zal de situatie na een vonnis hoogst onaangenaam zijn", sprak Gylfi Magnusson, minister van Economische Zaken. Hij voegde eraan toe dat het al moeilijk genoeg was om Nederland en Engeland weer terug te krijgen aan de onderhandelingstafel. Pas in de eerste week van juli 2010 hadden IJsland, Engeland en Nederland weer formeel contact met elkaar (sinds een week voor het referendum begin maart 2010). Hij zou niet zo verbaasd hebben moeten zijn. Na zestien maanden onderhandelen zonder resultaat, veroorloofden de Britten en de Nederlanders het zich geen haast meer te hebben. De vraag was of IJsland dat ook kon. Gylfi somde op waarom een snel besluit zo belangrijk was voor IJsland:

"We willen die hele Icesave-affaire afsluiten en doorgaan met ons IMF-programma. We hopen beide zaken tegelijk te kunnen aanpakken, maar laat in elk geval de eerste niet tot vertraging leiden voor de tweede. Het zou behoorlijk slecht nieuws zijn voor IJsland als het IMF-programma dit jaar nog maanden lang opgehouden wordt."

Bijna twee jaar nadat de economische crisis was begonnen, was de toekomst van IJsland en haar positie in de wereld nog steeds net zo onzeker.

Eind juli keerde de kanker terug en heb ik de financiële markt niet meer in de gaten kunnen houden

"Medio mei 2008 kreeg ik te horen dat ik kanker had. Ik zou geopereerd moeten worden en het was dus duidelijk dat er voor mij en mijn vrouw een onzekere tijd zou aanbreken. Het beursklimaat voor de middellange termijn was somber en ik wilde geen risico lopen met de aandelen die ik op dat moment had. We hadden plannen om ons huis te verbouwen dus er mocht niets mis gaan. Na uitgebreid onderzoek heb ik besloten de aandelen te verkopen en het vrijgekomen geld onder te brengen bij Icesave. Initieel leek dit een gouden zet. Zo stond de AEX medio mei nog net onder de 500 punten en ging het daarna bergafwaarts en bood Icesave 5 en later zelfs 5,25% rente.

Na de operatie leek het er eerst goed uit te zien, maar eind juli keerde de kanker terug en moest ik half augustus met een chemokuur beginnen. Pas op 16 oktober werd ik uit het ziekenhuis ontslagen en leek ik kankervrij te zijn. Helaas heb ik last van een zeldzame bijwerking, waardoor mijn aorta nu voor meer dan 50% door een bloedprop wordt afgedicht en is tweederde van mijn milt al afgestorven. Met zoveel tegenslag is je spaargeld extra nodig.

In de tussenliggende periode heb ik weinig tot geen aandacht aan geldzaken kunnen besteden, zo lamlendig was ik. Wat me overeind hield, was dat mijn vrouw zwanger is geraakt in de periode tussen de operatie en de chemokuur. Aan de andere kant geeft dat ook weer andere zorgen en een nog hogere druk om te gaan verbouwen. Op dit moment kunnen we alleen niet bij ons geld.

Enerzijds waardeer ik andere dingen in het leven en denk ik vaak: ach, het is maar geld. Maar anderzijds voel ik mij gigantisch bedrogen door Icesave en door DNB. Ik ben echt niet onbezonnen en heb de voorwaarden en regels bij Icesave goed gelezen voor ik mijn geld daar heb gestald. Het kan en mag toch niet zo zijn dat je in een land als Nederland je geld kwijtraakt als je spaart op een bank die onder toezicht staat van De Nederlandsche Bank. Dan had ik beter kunnen blijven beleggen, dan wist ik tenminste dat ik risico liep. Dit is echt te gek voor woorden!"

7. De kater in Nederland na 6 oktober

Dit hoofdstuk in het bijzonder kenmerkt zich door de persoonlijke ervaringen en herinneringen van Gerard van Vliet. Van Vliet is vanaf de 6e oktober, samen met een aantal andere mensen, een groot deel van zijn tijd bezig met het terughalen van het geld van de gedupeerde spaarders.

Spanning, enorme spanning in vele tienduizenden Nederlandse gezinnen of het spaargeld er nog is. De week van 6 tot 13 oktober 2008 werd door velen als een lijdensweg ervaren. Spaarders zaten uren, tot diep in de nacht, achter de pc om te proberen de website van Icesave op te komen. Als ze dan eindelijk toegang kregen en het geld hadden overgeboekt, was er de spanning of het allemaal daadwerkelijk was gelukt. Dat betekende voortdurend inloggen op het systeem van de bank die als tegenrekening fungeerde. In menig gezin was de spanning ondraaglijk. Ruzies over wie nu zo 'dom' was geweest om die IJslanders te vertrouwen, waren aan de orde van de dag. Uiteindelijk moest men tot de conclusie komen dat er geen geld beschikbaar was geweest bij Landsbanki om de opdracht tot overmaken uit te voeren. Weg vakantiegeld, weg pensioen, weg studiegeld voor de kinderen, weg depot voor het huis, weg belastingreservering.

Icesaving: gewone mensen

Zo'n 250 gedupeerde spaarders met meer dan 100.000 euro op hun rekening bij Icesave hebben zich sinds begin 2009 verenigd in de Vereniging Icesaving. Met elkaar probeert men het spaartegoed (totaal 25 miljoen voor de 250 leden) alsnog terug te krijgen. Het vierkoppige bestuur besteedt een groot deel van zijn tijd aan het ingewikkelde, internationale spel om het onrecht dat de spaarders is aangedaan aan de kaak te stellen. Bij een onderzoekje onder de 250 leden van Icesaving bleek dat 60% van de bij Icesave gestalde bedragen huis-gerelateerd waren. Vaak bedoeld voor de aanbetaling van een nieuw huis. Men had het geld van de verkoop van het eigen huis tijdelijk gestald, want in die tijd was het de gewoonte eerst je eigen huis te verkopen voordat je ging uitkijken naar een nieuw huis. Het resterende spaargeld had meestal een andere bestemming, zoals pensioen of studiegeld voor de kinderen. Uit niets bleek dat er sprake zou zijn van vermogende spaarders. Die zaten eerder bij de Luxemburgse vestiging van ABN AMRO, kort daarvoor gered door minister van Financiën Bos.

Diezelfde week gonsde het van de geruchten. Er zou wel geld zijn, maar 'het was door De Nederlandsche Bank geblokkeerd'. Het was 'maar tijdelijk, totdat er weer geld uit IJsland zou komen'. Die geruchten werden de wereld in geholpen doordat men bij het Icesave-kantoor in Amsterdam, net als in Engeland, eigenlijk ook niet wist wat er allemaal speelde. De contacten met Reykjavik waren er zo goed als niet. Ook in IJsland zelf wisten maar een paar mensen wat er echt speelde. Dat het allemaal snel was gegaan, was wel duidelijk. Het personeel in Amsterdam had tot op het laatste moment de hoop dat het wel goed zou komen. De informatie uit IJsland was dat er voldoende geld was om alles op te vangen: 'Kijk maar naar de cijfers.' Maar dat de toeloop van spaarders die hun geld terug wilden hebben – in navolging van Engeland, waar het begon – zo groot zou worden, had niemand verwacht. Zelfs de directie van Landsbanki in Amsterdam ging het allemaal te vlug. Ze hadden zelf aanmerkelijke bedragen op Icesave-rekeningen staan, wat ook voor familie en vrienden het geval was. Later bleek dat alleen de beide echte (statutaire) directeuren meenden wat tegoed te hebben, de rest van het personeel kreeg alles terug uit het Nederlandse depositogarantiestelsel.

Dit hebben ze nog tegoed
Uit de claimlijst van Landsbanki blijkt dat van de beide Landsbanki-directeuren Bas Stoetzer ruim 85.000 euro heeft geclaimd en Robert Verwoerd ruim 93.000 euro. Beide claims zijn overigens afgewezen. Beide heren zijn inmiddels werkzaam bij Holland Corporate Finance Debt Advisory en schromen niet de naam van Landsbanki in hun cv te vermelden.

Maandag 6 oktober 2008 blijkt achteraf de *live or die*-dag geweest te zijn. Dat mochten de spaarders pas op zaterdag 11 oktober 2008 vernemen uit een e-mail die ze kregen van 'Het Icesave Nederland Team'. Degenen die de hele week in spanning hadden gezeten – ik was er een van –, konden vijf stressdagen declareren bij Landsbanki. Alles wat na maandag 6 oktober 2008 12.00 uur was afgeschreven, zo stond in het e-mailbericht van 'Het Icesave Nederland Team', was niet overgemaakt. Pas op 13 oktober kreeg DNB van de rechtbank toestemming om in te grijpen bij Landsbanki in Amsterdam. De stille bewindvoerder die er die week namens DNB rondliep, bleek niet in staat goed te communiceren met de klanten, wat toch de hoogste prioriteit zou moeten hebben als je klanten voorop-stelt boven een financieel systeem of het belang van de banken. Zoals een bankman onlangs tegen me zei: "Leuk dat bankieren, maar die klanten moet je negeren." Grap of realiteit?

Boos

Bij mij begon in de loop van de week van 6 tot 13 oktober sowieso al een soort van boosheid te ontstaan. Maar liefst € 420.000,- dreigde verloren te gaan. Hoe wilden we in Kenia gaan uitleggen dat een Westerse bank failliet was gegaan? In Kenia kan zoiets gebeuren en kijk je wel uit alles op één paard te zetten, maar in Nederland was het toch ondenkbaar dat je spaargeld zomaar verdween? Toen Bos alle Icesave-spaarders 'dom en onverantwoord' noemde, werd ik opstandig. Hoezo 'dom en onverant-woord'? Ik had wel degelijk gekeken of het goed zat. En vele anderen met mij.

Waarom Icesave?

Eerder al in dit boek heb ik heb mijn eigen argumenten om met Icesave in zee te gaan al aangegeven. Ook de rol van de pers, die underdog Ice-save veelal steunde, is aan de orde geweest. Bij het onderzoek dat is ge-houden onder de leden van Icesaving bleken de tegenrekeningen vooral Rabobank, ING en ABN AMRO te zijn, rekeningen bij de grootbanken. Navraag leerde dat veel leden kozen op basis van publieke informatie, zoals op de site van de Consumentenbond, maar ook afgingen op de helpdesk van De Nederlandsche Bank, die tot op het laatste moment Ice-save *safe* verklaarde. Een enkeling was erg ver gegaan in het achterhalen van informatie, bijvoorbeeld door in Reykjavik een gesprek te hebben bij Landsbanki. Wat duidelijk is, is dat alle spaarders ervan uitgingen dat een westerse bank die in Nederland zaken deed toch echt wel betrouwbaar moest zijn.

En dat 'procentje meer' is ook een mythe die nergens op is gebaseerd. De rente van 5% was vergelijkbaar met een- of driemaandsdeposito's bij andere, kleinere banken (inclusief DSB). De Belastingdienst rekende dat-zelfde percentage aan wanbetalers, banken vroegen bij rood staan op je rekening als snel 7%. Op een persoonlijke lening die een bank aan je verstrekt mocht je vrolijk 9% betalen. En heb je een creditcard, dan mag je van geluk spreken als het percentage onder de 13% ligt. Desondanks is de les eigenlijk dat je beter rood kunt staan dan kunt sparen. In het eerste geval valt er vaak nog wel een regeling te treffen, in het laatste geval…

Ook de gemeenten en provincies die al snel aangaven kapitale bedra-gen bij Landsbanki te hebben neergezet, waren niet over een nacht IJs-lands ijs gegaan. Geheel binnen de regels van de wet FIDO, de wet die aangeeft dat lokale overheden nooit risico mogen nemen met hun ge-meenschapsgeld en dat geld dus alleen mogen onderbrengen bij banken die aan bepaalde, redelijk strenge eisen voldoen. En laat nu Landsbanki met haar rating voldoen aan de regels en eisen van diezelfde overheid!

Mijn boosheid sloeg om in woede toen Bos op 7 oktober 2008, na de Europese top, bekendmaakte dat de garantie tot € 100.000,- zou worden opgetrokken, omdat "er rust en vertrouwen moet komen op de Nederlandse markt". Dat terwijl in IJsland iedereen de volgende dag weer toegang had tot zijn spaargeld en in Engeland de regering heel snel aangaf dat ze de spaarders niet in de steek zou laten. Ook daar dus geen enkele afstemming met de Engelsen, waar toch genoeg reden voor was. Als je uitgaat van de 10% eigen risico die je had bij de tweede laag van het DGS (van € 20.887,- naar € 40.000,-), waarom dat dan niet gehanteerd als uitgangspunt en iedereen 90% gegeven van zijn spaargeld? Pas op 9 oktober 2008 gaf Bos aan dat die grens ook voor de Icesave-spaarders zou gelden, die wat hem betreft "linksom of rechtsom" hun geld moesten terugkrijgen. In dezelfde *NOVA*-uitzending gaf Wellink aan dat hij niet anders had kunnen handelen dan hij had gedaan, omdat hij anders "een run op de bank had veroorzaakt" en dat kon natuurlijk niet. Daarmee gaf hij direct aan dat volgens hem de bánken zijn bescherming nodig hadden, en niet de spaarders. Vanzelfsprekend waren vele spaarders des duivels over zijn laconieke uitlating.

De rol van Bos

Wouter Bos was de held en redder in de nood van het Nederlandse bankwezen in de oktoberdagen van 2008. De heldhaftige (of was het geldhaftige) redding van Fortis ABN AMRO zorgde voor veel opwinding onder de ambtenaren van zijn departement. Eindelijk mochten zij nu eens bankje spelen in plaats van die arrogante bankiers. Al snel echter bleek dat Bos eigenlijk geen idee had van waar hij het over had, als het om Icesave ging. Hij was eind augustus door Wellink 'vanaf de zijlijn' ingelicht over mogelijke problemen, maar pas in de week van 6 oktober 2008 werd hij er actief bij betrokken (in tegenstelling tot zijn Engelse collega Darling, die er bovenop had gezeten). Uiteraard wist Bos wel hoe hij er politiek en publicitair mee om moest gaan, daar was hij een meester in. Hoogtepunt was ongetwijfeld de confrontatie tussen Bos en Borghouts (de commissaris van de Koningin in Noord-Holland, waar men 98 miljoen bij Landsbanki had ondergebracht, iets dat Borghouts uiteindelijk zijn kop kostte). In de uitzending van Pauw & Witteman *van 31 oktober 2008 belde Bos spontaan in om Borghouts van repliek te dienen. Waarbij Bos de historische woorden gebruikte dat "de grotere spaarders hardwerkende mensen zijn, die hun droom in rook hebben zien opgaan. Daaronder zijn schrijnende gevallen. Deze spaarders verdienen voorrang op de provincies en gemeenten". Naar later bleek loze woorden, want het ging hem er alleen maar om dat hij zijn eigen 1,3 miljard euro aan voorgeschoten IJslandse DGS-gelden terugkreeg. Daarbij moest niemand hem voor de voeten lopen. Ook de spaarders niet.*

Tijdens het overleg met de Tweede Kamerleden in de vaste Kamercommissie Financiën bleek keer op keer dat hij door zijn ambtenaren verkeerd werd voorgelicht. Wat er bijvoorbeeld nu precies was gebeurd in Engeland, behoorde niet tot zijn actieve geheugen. Veel gegeven antwoorden op vragen van Kamerleden waren op zijn minst incompleet.

Op 4 december 2008 weerhield dat Miriam Bouwens er niet van om Bos, namens de Icesave-gedupeerden, een fotoboek over IJsland te overhandigen, met de fraaie titel Lost in Iceland. *Ook daarvoor bleef een bedankje uit.*

Alle reden voor actie dus, want dat maak je dan los bij iemand die als vakbondsbestuurder stakingen heeft georganiseerd, maatschappelijke acties heeft opgezet, goed de weg kan vinden in de politiek en de media en per dag bozer wordt op de onredelijkheid van Wouter Bos. Binnen een mum van tijd had ik een site opgezet: Icesaving.nl, met daarop alle relevante informatie voor medegedupeerden. Op hetzelfde moment werd op meerdere plekken aanzet gegeven voor actie: Avut, Icelost, saveicesavers, Icesaveclaim, om er een paar te noemen. Gebruikers vonden elkaar op en via internet. Dankzij de snelheid van het internet, door Icesave zo succesvol benut en door DNB zo onderschat wat betreft de snelheid van geld opnemen, wisten slachtoffers elkaar al heel vlug te vinden.

Op 16 oktober 2008, 10 dagen na de fatale datum, waren de eerste 75 gedupeerde spaarders boven de € 100.000,- bij elkaar in Alphen aan de Rijn. In een onwennige sfeer probeerden diverse mensen een slaatje te slaan uit de onmacht van die gedupeerden. Een advocatenkantoor wilde wel aan de gang gaan, maar dat ging dan wel een flinke duit kosten. Een bureau 'dat zoiets wel eerder had gedaan' wilde wel namens ons gaan optreden. Hoe het zo kwam weet ik ook niet meer, maar voor ik het wist stond ik voor de groep aanwezigen, wist het vertrouwen te krijgen om namens hen op te treden en had ik een kerngroep van zeven gedupeerden om me heen die wel wilden helpen met het vele regelwerk. Het begin van een enerverende en intensieve strijd voor rechtvaardigheid!

De volgende dag, 17 oktober 2008, stond er een pagina over de bijeenkomst in het *Algemeen Dagblad* ('Mogen wij onze miljoenen terug?'). Diezelfde avond hadden we als spaarders een dramatisch optreden in *Pauw & Witteman*, waar we ons verhaal konden doen. Met name het verhaal van Jan Oudt sprak iedereen aan: Jan had van zijn nijvere oom € 300.000,- geërfd. Had daar al een autootje van gekocht en het geld weggezet bij Icesave, in afwachting van een belastingaanslag van € 200.000,-. Met de € 100.000,- die hij terug kon krijgen vanuit het DGS zat hij goed in de problemen. En als je Jan Oudt heet, maak je je daar als rechtschapen burger, die nooit iets fout doet, terecht heel druk om. Jan, die werkzaam is op een callcenter, kan z'n hele leven lang dat bedrag niet bij elkaar verdienen. Voor Jan de reden om zich blijvend in Duitsland te vestigen in afwachting van de dingen die gaan komen. (Overigens heeft Icesaving voor Jan een speciaal uitstel geregeld. Zolang de Icesave-zaak nog loopt, hoeft hij alleen belasting te betalen over de ontvangen € 100.000,-, een schrale troost.)

Trauma, hoezo TRAUMA?
Als er een treinramp plaatsvindt, staan er professionele traumateams klaar om de gewonden bij te staan. En terecht, want de gevolgen zijn jaren later nog merkbaar. Als er voor 300 mensen een persoonlijk diepgaand trauma plaatsvindt, zoals met het Icesave-drama, worden die mensen aan hun lot overgelaten. Elke traumaspecialist kan je vertellen hoe ingrijpend het is als

je pensioengeld, waar je jaren voor hebt gespaard, ineens verdwenen is. Als je het huis niet kunt betalen waar je wel voor hebt getekend. Als je je kinderen niet kunt laten studeren. Als je je droomproject niet kunt realiseren.

Bij het faillissement van Van der Hoop Bankiers constateerde Wellink in zijn eigen jaarverslag, uiteraard geschreven door een uitstekende copywriter en niet door de heer Wellink zelf, dat er sprake was van 'een traumatisch gebeuren en een zeer hard gelag voor de spaarders'. Maar toen er door de Icesave gedupeerden werd gevraagd om steun, gaf DNB niet thuis. Ook bij Bos en het ministerie van Financiën had medemenselijkheid geen prioriteit. Bos sprak in Pauw & Witteman *over 'schrijnende gevallen', maar liet de spaarders daarna net zo gemakkelijk vallen.*

De daaropvolgende dagen wisten veel gedupeerden ons te vinden. De persoonlijke drama's waren stuk voor stuk tragisch. Normaal sta je niet stil bij de gevolgen van zo'n plotselinge persoonlijke ramp, maar voor de ruim 300 mensen die gezamenlijk 49 miljoen euro kwijtraakten op 6 oktober 2008, was het inderdaad een compleet drama. Ik was die eerste tijd dag en nacht bezig om mensen te woord te staan of per e-mail voor te lichten. Elke *UPdate*, de nieuwsbrief die werd verspreid, werd door de gedupeerden letter voor letter gespeld. Het is o zo belangrijk om mensen in zo'n situatie op de hoogte te houden om hun eigen gevoel van onmacht niet te laten omslaan in lichamelijke problemen. Drie gedupeerden, zelf geschoold als hulpverlener, stonden mensen bij die het niet meer aankonden. Er moesten dus meer mensen zijn die de weg naar ons nog niet hadden gevonden! Voor ons was dat de reden om een brief te schrijven aan DNB met de vraag of ze de spaarders die we niet kenden, konden waarschuwen dat we er voor hen waren als dat nodig mocht zijn. We wisten namelijk ondertussen dat veel spaarders voor hun eigen omgeving niet durfden te erkennen dat ze Icesave-siachtoffer waren. Schaamte, maar ook de felle reacties van mensen in hun omgeving die vonden dat die 'domme' mensen toch beter hadden moeten weten. Met dank aan Wouter Bos, die dat met zijn woorden had aangericht. DNB reageerde met een onbenullig briefje dat men niks voor ons kon betekenen. Men was niet bereid een e-mail te sturen naar de meer dan 100.000 gedupeerden met een verwijzing naar ons. Tot zover de fraaie woorden van Wellink in zijn eigen jaarverslag 2005 over de affaire met Van der Hoop bankiers; woorden waarmee hij naar de buitenwacht toe aangaf dat hij zich de traumatische ervaring voor de spaarders zeer aantrok. Wat bij de Icesave-affaire helaas nergens uit bleek.

Intussen was er een felle strijd losgebrand tussen het advocatenkantoor dat zich opwierp voor de spaarders en onze eigen actiegroep. Het advocatenkantoor wilde een fiks deel (15%) van het tegoed, naast een eerste bedrag in cash, voordat men ging optreden. Veel spaarders lieten zich overreden dat dan maar te doen, geen weet hebbend van de mogelijkheden. Toen duidelijk werd dat het geen makkelijke strijd zou worden en we in IJsland ons gelijk zouden moeten halen, haakte het kantoor uiteindelijk af. Aan dat eerste moment in IJsland ging heel veel vooraf. De kerngroep zorgde ervoor dat de Tweede Kamerfracties constant werden bestookt met e-mails. Daarnaast werd de pers maximaal geïnformeerd. De eerste gesprekken met politici kwamen aarzelend tot stand.

Kamerleden: democratie werkt...?

Alsnog de complimenten voor Bas van der Vlies (SGP), het enige Kamerlid dat direct na het Icesave-drama persoonlijk de moeite nam de Icesave-slachtoffers een hart onder de riem te steken. Zeker in het begin wilde geen enkel Kamerlid zich aan de Icesave-materie branden. PvdA en CDA schermden minister Bos af, SP en GroenLinks vonden het niet bij hun partij-imago passen de 'rijke spaarders' te steunen, waardoor de VVD, bij monde van Kamerlid Weekers, in eerste instantie de enige was die vragen stelde. Al snel gevolgd door Van Dijke van de PVV. Eigenlijk waren het de Eerste Kamersenatoren Van Driel (PvdA) en Terpstra (CDA) die al gelijk Bos het vuur na aan de schenen legden. Tijdens de begrotingsbespreking in de Eerste Kamer stelden ze uiterst deskundige vragen, maar ze werden verwezen naar de evaluatie naar de rol van DNB in de Icesave-affaire, die Bos inderhaast had toegezegd. Een perfecte 'move' van Bos, die daarmee alle lastige vragen van zich af kon houden.

In de loop der tijd hebben we de houding van de politici zien veranderen van terughoudendheid naar actieve ondersteuning van de gedupeerde spaarders. Met menig Kamerlid is een gesprek geweest om uit te leggen wat er nu precies speelde, en regelmatig zijn UPdates *verzorgd over wat er in IJsland allemaal speelde. Toch blijft het kennelijk moeilijk om het dossier te blijven volgen. Als gedupeerden hebben we er dan ook alles aan gedaan om Kamerleden vooraf aan het overleg met de minister te informeren. Zelfs met handsignalen en instemmend of ontkennend knikken tijdens het overleg in de Kamer werd getracht invloed uit te oefenen. Waar ben je als spaarder als een Minister iets onzinnigs beweert en je niet ter plekke een Kamerlid kan influisteren wat er nu werkelijk speelt?*

Het eerste politieke overleg, tussen Bos en de Kamerleden, was uiterst verwarrend. Niemand wist precies wat er aan de hand was.

Ineens kregen we op 28 oktober 2008 hulp uit onverwachte hoek. Willem Buiter, hoogleraar aan The London School of Economics, maakte bekend dat hij al in april 2008, op verzoek van Landsbanki, een rapport had uitgebracht. (Dit rapport mag hij niet openbaar maken, ook niet na presentatie ervan.) In dit rapport schetst hij haarscherp de situatie en raadt hij Landsbanki aan als de bliksem vestigingen te starten in Europa, zodat men bescherming heeft van de depositogarantiestelsels van de betrokken landen in plaats van het gebrekkige IJslandse DGS. De andere keus die Buiter geeft, is het vervangen van de kroon door de euro, om in staat te zijn zelf als *lender of last resort* te kunnen optreden als het fout gaat. En hij ziet dat 'fout gaan' aankomen. Hij mag zijn rapport op 11 juli 2008 presenteren in Reykjavik voor een gezelschap van bankmensen, academici, mensen van het ministerie van Financiën en mensen van de Centrale Bank. Hij beklaagt zich eind oktober 2008 over het feit dat men zijn rapport compleet heeft genegeerd. Als troost (voor zichzelf en waarschijnlijk ook vanuit rechtvaardiging) publiceert hij het alsnog. Zijn rapport, gebaseerd op de feiten van begin 2008, is een bevestiging van het feit dat iedere deskundige van dezelfde gegevens had kunnen uitgaan als Buiter, en bovendien tot dezelfde desastreuze conclusies had kunnen komen als Buiter. DNB beschikte minimaal over dezelfde deskundigheid als Buiter in z'n eentje had. Waarom was DNB dan niet in staat dezelfde conclusies te trekken?

Dezelfde 28 oktober mochten we ook voor het eerst op bezoek bij topambtenaren van het ministerie van Financiën, om ons beklag te doen over het gebrek aan steun dat we kregen vanuit Nederland. Op het euforisch gestemde ministerie, waar men net baas van ABN AMRO was geworden, werden we zonder enig mededogen ontvangen. Nee, dat mededogen lag eerder bij 'die arme IJslanders die zo de dupe waren'. Ons pleidooi om hulp te krijgen, omdat er toch sprake was van discriminatie, kreeg volstrekt geen steun. Dat moesten we, zo werd ons botweg verteld, zelf maar uitzoeken. Ook onze constatering dat De Nederlandsche Bank toch echt boter op haar hoofd had, raakte, wat de ambtenaren betreft, kant noch wal. DNB had niets fout gedaan, stelden zij. Die had het allemaal uitstekend gedaan, net als zij overigens. De toezegging van minister Bos aan de Kamerleden dat zijn ministerie wel zou optreden als een gezamenlijk incassobureau en daarmee de spaarders zou helpen, kon ook niet concreet worden gemaakt. Als spaarders moesten we simpelweg de grote jongens (lees: de betrokken ambtenaren) niet voor de voeten lopen, dat was de duidelijke boodschap. Het was de directe aanleiding om onze eigen strijd te gaan strijden. Met als eerste stap een bezoek aan IJsland.

11-15 november 2008, de eerste VOC-missie te IJsland

'Wat moet je in Godsnaam in IJsland gaan doen?' Deze vraag kregen we meer dan eens, toen we aankondigden naar IJsland te gaan, op VOC-missie: Volg Onze Centen. Het was de tijd dat Balkenende de mond vol had van de VOC-mentaliteit die we als Nederlanders moesten hebben. Al direct nadat Icesave *down* was, was Rudy Bouma van *NOVA* naar IJsland afgereisd. Hij was ook slachtoffer van Icesave en probeerde in IJsland te achterhalen waar z'n centen waren. Bouma kreeg Geir Haarde, de minister-president van IJsland, zover om voor de camera te reageren. Die kon alleen maar herhalen dat het wel goed zou komen. Er zat, zo verklaarde Haarde, genoeg in de pot van Landsbanki om uit te betalen en alle spaarders hadden immers van zijn welwillende regering voorrang gekregen?

Omdat Bos al snel had verklaard dat iedereen tot € 100.000,- zijn geld terug zou krijgen, was de grootste druk al snel van de ketel. Wie moest er dan nog naar IJsland? Het plan om te gaan was vooral ingegeven door de vele vraagtekens die we als spaarders hadden: een Resolution Committee die de boedel van Landsbanki zou gaan beheren, maar ons volstrekt onbekend was; een IJslandse regering die alleen maar voor haar eigen mensen had gezorgd; een bewindvoerder in Nederland die ook niet wist wat er allemaal speelde en ons vragen stelde.

Maar hoe krijg je het als luis in de pels voor elkaar om de juiste mensen te spreken? Nou, door te dreigen om met veel pers naar IJsland te gaan en ter plekke herrie te schoppen. Goed pr-moment voor een toch al ontredderd IJsland. Dus ik belde de IJslandse ambassadeur in Londen, Gunnlaugsson, die een zenuwachtige indruk maakte. Het eerste wat hij aangaf, was dat IJsland tijdens de watersnoodramp van 1953 toch ook had klaargestaan voor Nederland. Als kleine jongen had hij nog geld ingezameld en IJsland had een speciale postzegel uitgegeven. Wat hem betreft, was er sprake van een speciale band tussen IJsland en Nederland. Hij was, zo bleek al snel, in het geheel niet op de hoogte van wat er allemaal speelde. Desondanks gaf hij aan zijn best te zullen doen om gesprekken in Reykjavik te arrangeren.

Ambassadeur Gunnlaugsson, de pias

Sverrir Haukur Gunnlaugsson was tijdens de Icesave-crisis ambassadeur voor IJsland in Nederland, wat hij vanuit Londen moest doen. In de hele periode rondom de Icesave-perikelen werd hij volkomen buiten alle nieuws gehouden. Hij wist niks van de gesprekken tussen Landsbanki en de Engelse toezichthouder, maar ook niet van de gesprekken tussen de Engelse Centrale Bank en de IJslandse Centrale Bank. Hij werd dan ook verrast door het verzoek om een gesprek te arrangeren tussen een delegatie van

IJslanders en Alistair Darling, dat op 2 september 2008 plaatsvond. Een desastreus gesprek volgens hem, waarin Darling de IJslanders verweet de situatie te onderschatten en ze direct vroeg "waar hij de rekening voor zoveel onbenul naar toe kon sturen".

Dat Darling de IJslanders niet vertrouwde, bleek ook al uit een telefoontje van zijn assistent naar Gunnlaugsson de dag na het overleg op 2 september, waarin de assistent aangaf dat Darling verre van blij was geweest met het gesprek. Gunnlaugsson moest, geloof het of niet, uit de pers vernemen wat er met Landsbanki gebeurde op 6 oktober. Niemand informeerde hem vooraf, terwijl Engeland toch de belangrijkste handelspartner van IJsland was en er grote belangen op het spel stonden.

Het was een mooi, maar gevaarlijk spel. In Nederland overtuigde ik de pers ervan dat we met een VOC-missie naar IJsland gingen en daar gesprekken zouden gaan voeren, maar details kon ik niet geven. Uiteindelijk kreeg ik het pas ter plekke in IJsland voor elkaar iedereen te spreken.

We gingen met z'n vieren. Grietje Bruinsma was het geld kwijt van de verkoop van haar huisje, waarmee haar dochters zouden moeten gaan studeren. Joost de Groot had het geld van de verkoop van zijn appartement klaar staan om als depot te dienen voor de aannemer die zijn nieuwe huis aan het bouwen was. Miriam Bouwens was mijn partner en is mijn steun en toeverlaat geweest bij veel van de acties (inclusief de totstandkoming van dit boek). Wij wilden graag weten waar het geld was gebleven dat we voor ons project in Kenia hadden klaarstaan op de Icesave-rekening. Toen we op dinsdag 11 november 2008 het vliegtuig instapten, gaf dat een vreemd gevoel. Ik kende IJsland wel, maar wat zou ons daar gaan overkomen? Media als *Twee Vandaag, Algemeen Dagblad, Reformatorisch Dagblad* en RTV Utrecht zaten in hetzelfde vliegtuig. Op Schiphol waren we door andere cameraploegen uitgeleide gedaan. Ik had moeten beloven om voor drie kranten en twee radioprogramma's dagelijks verslag te doen. De hele vlucht zat ik in de zenuwen, zou alles wel goedkomen?

Bij aankomst op Kevlavik, de luchthaven bij Reykjavik, viel me als eerste de reclame voor Landsbanki op. Overal waar je keek, zag je het logo van Landsbanki. Aanleiding voor grappen, maar ook een gevoel van 'shit, allemaal van onze centen'. De deur van de aankomsthal ging open en onthulde twee IJslandse cameraploegen en een aantal journalisten die ons bespingen. 'Waarom zijn jullie in IJsland?', werd op haast beschuldigende toon gevraagd. We hadden met elkaar afgesproken om vriendelijk te blijven, vooral te wijzen op de persoonlijke ellende voor ons als spaarders en begrip te tonen voor wat IJsland doormaakte op dat moment. Het leverde tijdens onze trip veel goodwill op bij de IJslanders. Overal waar we kwamen, werden excuses aangeboden en wilden mensen iets voor ons betekenen. Joost kreeg een gratis hotdog in de meest beroemde hotdogtent van IJsland en beleefde een onvergetelijke avond aan boord van een trawler. In elke winkel die we bezochten, werden we herkend en boden ze ons korting aan. Op de avond van de aankomst spraken we met de mannen achter InDefence, die 80.000 IJslanders achter zich verzamelden in een protest tegen de *Freezing Order* van de Engelsen. Het werd een opmerkelijk gesprek tussen (vermeende) slachtoffers van de crisis, de verontwaardiging van de InDefence-mensen in overeenstemming met die van de gedupeerde spaarders, maar wel met een andere basis.

Engeland is boos: de Freezing Order

Op 8 oktober 2008 bevroor Engeland alle bezittingen van IJsland in Engeland: ondere andere Hamley's (de speelgoedzaak) en Debenhams (het warenhuis). Reden voor het instellen van de Freezing Order lag vooral in de boosheid die de Engelse regering had opgebouwd tegen de IJslandse arrogantie. De Engelse toezichthouder FSA was immers al sinds februari 2008 bezig Landsbanki in toom te krijgen, zonder succes. De Engelse Centrale Bank probeerde al in april 2008 om Oddsson ervan te overtuigen dat het echt anders moest met de IJslandse bankensector. En op het beruchte gesprek van 2 september 2008 tussen Alistair Darling en de IJslanders (Centrale Bank, FME, Landsbanki, regering) kreeg Darling niet het gevoel dat hij serieus werd genomen. Toen dan ook nog eens Darling in een telefoongesprek met zijn IJslandse evenknie Mathiesen te horen kreeg dat de Engelse spaarders konden fluiten naar hun centen, was de maat vol. Darling vond dat hij ronduit besodemieterd was, zeker na het gesprek van 2 september. Genoeg grond om de arrogante IJslanders in de tang te nemen en te houden. Daarom ook werden op 7 oktober al alle deposito's van Heritable Bank, de dochter van Landsbanki in Londen, aan ING Direct verkocht. Kort erop kreeg ING Direct ook de Kaupthing Edge-rekeningen overgeheveld, voor een totaal van 3 miljard euro.

De Freezing Order werd uiteindelijk op 29 juni 2009 opgeheven, na de totstandkoming van de Icesave-deal op 6 juni 2009. Gelet op de voorgeschiedenis was Engeland eigenlijk uiterst tolerant tegenover IJsland. Engeland betaalde circa 2 miljard euro extra, bovenop de bedragen uit het depositogarantiefonds om alle spaarders voor 100% te kunnen betalen. Geld dat ze bij het ter perse gaan van dit boek nog niet formeel aan IJsland hebben teruggevraagd.

De volgende dag, 12 november 2008, kregen we het verlossende telefoontje. We werden ontvangen door mensen van Buitenlandse Zaken en konden onze wensen aan hen kenbaar maken. In Café de Paris, in het centrum van Reykjavik, mochten we, zonder de pers, ons hart luchten bij twee diplomaten, die een luisterend oor boden. Het gesprek werd onderbroken door een luidruchtige dame die mij een huwelijksaanzoek deed. Ze had me op tv gezien en was gelijk weg van me. Mooi, maar toch even minder als je het kennelijke drankgebruik in aanmerking neemt. Die gebeurtenis leerde me dat elke IJslander de media op dagbasis volgt. Icesave is nooit uit het nieuws geweest in IJsland, tot op de dag van vandaag domineert het de gesprekken. Dat dat ook voor bekendheid zorgt in IJsland is dan meegenomen, maar het voornaamste is dat we als spaarders in staat zijn geweest bij elk bezoek media-aandacht te genereren; belangrijk om op de politieke agenda te blijven in IJsland. De diplomaten zorgden nog diezelfde middag voor een gesprek met het Resolution Committee van Landsbanki.

De boedel

Toen Landsbanki ten onder ging hadden ze op papier 32 miljard euro aan bezittingen. De IJslandse wet voorziet dan in een constructie waarbij de bank door kan werken om de inboedel te gelde te kunnen maken. Dat proces wordt door een Resolution Committee gedaan. Die bestaat uit accountants en juristen die tot taak hebben de crediteuren zoveel mogelijk geld uit te keren. Dat kan door een zogenaamde 'fire sales', een noodverkoop waarbij de waarde van dat wat wordt verkocht zwaar wordt gedrukt door de noodzaak van verkoop, of door te wachten totdat de waarde van de bezittingen maximaal is. Over het algemeen is gekozen voor het laatste, mede omdat er niet veel waarde bleek te zitten in de boedel van Landsbanki. Zo werden de leningen, die de bank had verstrekt aan de holdingmaatschappijen van de eigenaren van de bank, met maar liefst 98% afgeschreven. Ze bleken ineens nog maar 2% van hun oorsponkelijke waarde te hebben. Een slordige 1,5 miljard euro die in rook opging, omdat de directie van de bank 'vergeten' was eisen te stellen aan die leningen. En zo bleek er nog veel meer mis te zijn met uitstaande leningen. Met name die in IJsland bleken verre van waardevol.

Het is van belang dat de boedel uiteindelijk zo veel mogelijk opbrengt, onder andere omdat de lening die IJsland van Nederland en Engeland heeft gekregen in de Icesave-deal eruit betaald moet worden. Overigens heeft iedereen die een claim heeft ingediend zijn claim omgezet gezien in IJslandse kronen. De Icesave-deal is in euro's en ponden. Het valutarisico daarvan is voor IJsland; voor de spaarders ligt het risico van valutaverschillen bij de spaarders zelf. Als de kroon meer waard zou worden, biedt dat voordeel, wat niet te verwachten is als er zoveel kronen ineens ingewisseld zouden worden in euro's. Een aparte Winding Up Committee is weer verantwoordelijk voor het toewijzen van alle claims die crediteuren indienen.

Het gesprek met de voltallige Resolution Committee zou op een geheime plaats zijn. Men was als de dood voor negatieve publiciteit. Dit gebrek aan openheid heeft IJsland de afgelopen twee jaar op alle fronten parten gespeeld. De regering communiceerde niet eens met de eigen mensen. Open communicatie om allerlei geruchten te vermijden is IJsland niet gegeven. Men vermijdt liever de pers, die als gevolg daarvan dan maar op zoek gaat naar eigen sappige verhalen. Desondanks stond de IJslandse en Nederlandse pers bij de uitgang te wachten. We konden ze aangeven dat het een prettig gesprek was geweest, maar dat we geen snars wijzer waren geworden. De eerste vraag van het Resolution Committee was geweest of we contact hadden met Pannevis, de in hun ogen illegale bewindvoerder in Nederland. Gelet op de non-verbale communicatie bij die vraag, hebben we maar niet gezegd dat we met hem al diverse gesprekken hadden gevoerd. We kregen sterk de indruk dat het Resolution Committee zelf ook niet wist hoe het allemaal in elkaar stak.

Resolutie Committees: oude wijn in nieuwe zakken

Door de nieuwe banken van de oude los te weken, kreeg de IJslandse regering twee dingen voor elkaar. Op de eerste plaats kregen ze weer een functionerend banksysteem, ook al was het maar een schaduw van het oude. Ten tweede lieten ze zo het onbruikbare karkas achter waar de crediteuren om konden vechten.

Sinds de Resolution Committees en de managers van de nieuwe banken zijn aangesteld, zijn ze door de Independence Party en de Social Democrats met argusogen bekeken. De rijkdommen en de macht van het nieuwe IJsland verdelen is een lucratieve job in een economie waar de werkeloosheid stijgt en de koopkracht daalt. Vreemd genoeg werden Elin Sigfusdottir en Birna Einarsdottir de CEO's van respectievelijk Landsbanki en Glitnir. Elin was de rechterhand geweest van Sigurjon Th. Arnason en was een van de betrokkenen bij de lening van Landsbanki, die de koop van Bunadarbankinn (Kaupthing) mogelijk had gemaakt.

Birna was jarenlang manager geweest bij Glitnir. Na de val werd ontdekt dat, door een fout, een lening – die zij in 2007 had genomen ter waarde van 185 miljoen kronen om aandelen in de bank te kopen – nooit door was gegaan, en dat ze daar niet op kon worden afgerekend. Birna bleef stevig in het zadel, terwijl Elin al na een paar maanden moest opstappen. De positie van Finnur Sveinbjornsson bij Kaupthing was als tijdelijk bedoeld. Er bestond een openlijke vijandigheid met betrekking tot zijn beleid bij de failliete Savings & Loans-bank. Er werden grote vraagtekens gezet bij de vaststelling dat de grootste debiteuren van de bank erg lankmoedig werden behandeld.

> Een oud-bestuurder van een van de IJslandse banken in Londen consta-
> teerde dat de Resolution Committees met net zo veel verve geld uitgaven
> als de bankmanagers voor hen. Volgens hem wilden ze stuk voor stuk de
> duurste hotels, de beste restaurants en het exclusiefste entertainment. Een e-
> mailtje van een lid van het Kaupthing Resolution Committee, op zakenreis
> naar India om een van de bezittingen daar eens van nabij te bekijken, on-
> derbouwt die mening: "Ik wil alleen het aller-, allerbeste, als u het niet erg
> vindt". Alleen een vijfsterrenhotel in Bangalore en een eersteklasretourtic-
> ket waren goed genoeg.
>
> Het Landsbanki Resolution Committee huurde de vroegere voorzitter van
> Baugur, Gunnar Sigurdsson, opnieuw in als voorzitter van de Londense
> speelgoedwinkel Hamleys. Dezelfde Gunar was verantwoordelijk geweest
> voor de ineenstorting van het retail imperium, waar Hamley onderdeel
> van was geweest.
>
> De jaren 2008 tot 2010 waren voor de IJslandse advocaten in elk geval
> bijzonder winstgevend. Larentsinus Kristjansson werd aangesteld als de
> voorzitter van het Landsbanki Resolution Committee en had er geen be-
> zwaar tegen zijn eigen advocatenkantoor Logfraedistofa Reykjavikur als
> deurwaarder van het comité te benoemen. Daarnaast verdiende hij nog
> een salaris van tussen de drie en de vijf miljoen kronen (18.000 tot 30.000
> euro) per maand, bepaald geen slecht baantje dus.
>
> De banken en de Resolution Committees hebben ook grote macht als het
> gaat over wie in deze nieuwe verhoudingen zijn bezittingen kan houden en
> wie niet. Terwijl gewone burgers zagen dat de banken maar al te gretig wa-
> ren om hun huizen in te pikken, werd Leonard, juwelier/horlogehandelaar
> en IJslandse licentiehouder van de Engelse kledingzaken Next, toegestaan
> zijn schulden in een beheersmaatschappij te dumpen, de activiteiten in een
> ander bedrijf over te brengen en door te gaan alsof er niets was gebeurd.
>
> De regering van Left Green en Social Democrats hebben de noodzakelijke
> afstand tussen hen en de Resolutie Committees ook niet echt zeker gesteld.
> Dat kan alleen maar betekenen dat corruptie in het nieuwe IJsland nog
> altijd zo kan floreren als in het oude.

De rest van de week volgden vele persgesprekken en het geven van uitleg op straat als we voor de zoveelste keer werden aangesproken. Het mooiste gesprek was dat met een vrouwelijke predikant die haar excuses aanbood en aangaf dat de IJslanders tegenslagen gewend waren en er wel bovenop zouden komen. Uit alle gesprekken bleek de complete shock waarin de mensen verkeerden. Ze ondervonden allemaal op de een of andere ma- nier de gevolgen van de ondergang van de banken. Aandelen, beleggingsconstructies, obligaties, ze waren allemaal als sneeuw voor de IJslandse zon verdwenen. Gelukkig hadden ze hun spaargeld nog wel. Zij wel.

Zaterdag 15 november 2008 waren we getuige van de potten-en-pannenrevolutie op het grasveld voor de Althingi. Ook daar werden we aangesproken, zoals door de oudere student die ons vroeg of hij nog wel welkom zou zijn in Nederland. Hij wilde in Leiden gaan studeren, maar veronderstelde dat hij niet langer welkom was...

Dat eerste bezoekje van ons aan IJsland zou niet het laatste zijn.

Het begint pas

Kort na ons bezoekje aan IJsland discussieerde de Kamercommissie Financiën op 4 december 2008 voor het eerst over de gevolgen van de val van Icesave. De Kamerleden waren massaal platgemaild door de gedupeerde Icesavers. De kerngroep had alle spaarders van wie een e-mailadres bekend was, e-mailadressen gegeven van relevante Tweede Kamerleden en fractievoorzitters, die vervolgens elke dag werden geconfronteerd met de frustratie van de spaarders. Voor het overleg hadden we de Kamerleden voorzien van een uitgebreid dossier met alle feiten, waaronder vele verhalen over de individuele gevolgen voor de spaarders. Dankzij die informatie werd Bos voor het eerst scherp bevraagd. Hij verwees echter bij alles naar het evaluatierapport dat moest gaan verschijnen over het gedrag van DNB bij Icesave.

Inmiddels hadden we als spaarders weinig keus. De situatie in IJsland was onduidelijk. Met een regering die op vallen stond, een faillissement waar niemand van wist wat het precies ging brengen en een juridisch systeem dat een raadsel was voor de simpele Nederlandse spaarders. Ga daar maar eens wat zinnigs doen. Bovendien liep in Nederland het onderzoek naar het optreden van DNB en had het geen zin daar op vooruit te lopen.

DNB was bezig met de registratie van de spaarders en wilde nog voor het eind van het jaar de eerste DGS-bedragen uitbetalen, terwijl Marinus Pannevis, de bewindvoerder voor het Nederlandse deel van Icesave/Landsbanki, bezig was om te kijken of hij een koper kon vinden voor de restanten van het bijkantoor. De bedoeling was dat de DGS-gelden dan, net als in Engeland was gebeurd met een deel van Kaupthing, gelijk werden overgedragen aan een andere bank, die er dan meer dan 100.000 klanten bij zou krijgen. De verwervingskosten van een nieuwe bankklant zijn vaak niet mis: als je 250 euro per klant rekent, is de waarde van het klantenbestand al snel zo'n 25 miljoen euro. Pannevis bleek een redelijk aantal banken bereid te vinden daarover met hem te gaan praten. Maar daarvoor moest hij wel de medewerking van DNB hebben. Op vragen kreeg hij echter pas na aandringen een nietszeggend antwoord, waardoor het onmogelijk werd het voornemen voor de verkoop van de Icesave-portefeuille te realiseren: DNB begon al aan het uitkeren van DGS-gelden aan de spaarders.

Nu ik weet wat er allemaal speelde, ben ik er vrijwel van overtuigd dat noch DNB, noch het ministerie van Financiën zin had ook maar iets te doen voor de spaarders. De 'onder de 100.000 spaarders' zouden bij een overname van de portefeuille door een andere bank veel eerder hun geld hebben gehad, de 'boven 100.000 spaarders' zouden meegenomen zijn bij de besprekingen in de overname. Wellicht op basis van een voorschot dat zij zouden hebben ontvangen van de overnemende bank, die daarmee hun claim zou overnemen in het faillissement van Landsbanki in IJsland.

Oud-Landsbanki en Nieuw-Landsbanki

Hoe kan het nou dat er twee Landsbanki's zijn? Een 'Old' en een 'New'? Old Landsbanki is de bank die failliet is en nu wordt ontmanteld. New Landsbanki heeft alle IJslandse rekeningen (zakelijk en privé) op 7 oktober overgenomen van Old Landsbanki en is vrolijk verder gegaan.

Hoe dat zomaar kon? Op 6 oktober 2008 nam de Althingi een noodwet aan. Daarin werd de IJslandse toezichthouder FME het recht gegeven de banken over te nemen en ermee te doen wat ze wilde. Prompt nam de FME Landsbanki over en richtte voor de IJslanders New Landsbanki op. De waarde van de rekeningen en leningen die naar New Landsbanki zijn gegaan, zijn na zeer moeizaam overleg op een bepaalde waarde gezet. Voor die waarde, theoretisch een 300 miljoen euro, is nu Old Landsbanki mede-eigenaar van de New Landsbanki. In Old Landsbanki heeft een Resolution Committee de taak alle bezittingen te gelde te maken, zodanig dat het het meeste geld oplevert. Wat dus tijd kan kosten.

De staat IJsland heeft ook (start)geld gestoken in New Landsbanki, en is daardoor ook mede-eigenaar. Op die manier kregen alle IJslanders dus weer, van de ene op de andere dag, toegang tot hun spaargeld.

Die noodwet bleek overigens al geruime tijd geleden te zijn voorbereid. Andrew Gracie, een Engelse expert in herstructurering van financiële systemen, was al in februari 2008 gevraagd om mee te helpen voorbereidingen te treffen voor als het mis zou gaan. Al die tijd, tot 6 oktober 2008, heeft IJsland de voorbereidingen voor een nood-scenario onder de pet gehouden.

Gesprekken met Marinus Pannevis gaven al snel aan dat de relatie die hij had met IJsland uiterst vreemd was. De IJslanders van de Resolution Committtee bij het failliete deel van Old Landsbanki wilden hem weg hebben en zelf toegang hebben tot de pakweg 600 miljoen euro die Pannevis nu in beheer had. Men vond dat Pannevis veel te veel declareerde voor zijn werkzaamheden (inderdaad aanzienlijke bedragen). Bij gesprekken met hen vroegen ze ons keer op keer te verklaren dat we geen contact hadden met Pannevis; we lieten dat wijselijk in het midden. Toch werd uit die gesprekken met Pannevis het beeld van wat er gebeurd was steeds scherper. De mythe van de 500 miljoen euro werd bijvoorbeeld ontzenuwd. Er was geen afspraak tussen DNB en Landsbanki om 'maar' 500 miljoen euro binnen te halen en dan te stoppen. Ook werd helderder wat er nu tussen Landsbanki en DNB was gebeurd; een overigens niet al te bemoedigend beeld. DNB had zeker op het laatste moment veel laten liggen door niet adequaat te reageren op het aanbod van Landsbanki om meer zekerheden te stellen.

DNB en Landsbanki

Wat was er nu precies gebeurd tussen DNB en Landsbanki? Voor de aanvrage tot de topping up, maar ook tijdens het bestaan van Icesave? Was er inderdaad een afspraak over de 500 miljoen euro voor 2008? Heeft Landsbanki eind augustus inderdaad meer zekerheden beloofd en is DNB daar niet op ingegaan? Het antwoord zou te vinden moeten zijn in de brieven, e-mails en verslagen van die contacten.

Ook na veel aandringen wilde Pannevis, de Nederlandse bewindvoerder, er geen inzicht in geven. Hij koos ervoor de volgende keer nog eens door de rechtbank en DNB gevraagd te worden bewindvoerder te zijn bij een falende bank. De voorzitter van de Resolution Committee van Old Landsbanki vertelde dat niet hij, maar New Landsbanki die stukken heeft. Onvoorstelbaar, maar waar. Bij New Landsbanki reageerden ze niet eens op ons verzoek tot inzage. Uiteindelijk hebben we toch, op onze eigen wijze, inzage gekregen en op basis daarvan de reconstructie gemaakt. Maar ook deze gang van zaken bewijst dat je als spaarder niks hebt in te brengen.

Op 23 januari 2009 stapte minister-president Geir Haarde op als gevolg van de toenemende druk in zijn land. Op 25 april 2009 volgden verkiezingen waarmee de sociaaldemocraten en de zwaar verdeelde Left Wing een regering konden gaan vormen.

Op 28 mei 2009 hadden we als bestuur van Icesaving een gesprek met de voorzitter van de onderhandelingscommissie van IJsland, Svavar Gersson, die vooral vol zat van zijn eigen ervaringen en met name die van zijn zoon, die van plan was het land te verlaten. Na zijn emotionele speech van een uur had hij nog vijf minuten om ons beleefd aan te horen en ons te beloven al onze opmerkingen mee te nemen. "'Discriminatie', zegt u? Sorry hoor, wij IJslanders zijn veel zieliger." Elke afspraak om toch maar met elkaar te bellen werd genegeerd, voor ons uiteindelijk aanleiding om een klacht bij de minister-president in te dienen.

Diezelfde dag dat we Gersson spraken, kregen we voor het eerst inzicht in wat Old Landsbanki nu echt nog waard zou kunnen zijn. 'Waard zou kunnen zijn', omdat de waarheid daarover pas realiteit wordt als er iets wordt verkocht en er daardoor geld beschikbaar komt. Zo bleek een groot aantal uitstaande leningen niks waard te zijn. Van de pakweg 32 miljard euro die men op papier zei te bezitten, was de inschatting dat als er op termijn vijf miljard euro beschikbaar zou komen, het al mooi zou zijn. En dat kon door allerlei oorzaken wel vijf tot zeven jaar gaan duren. Daar word je als spaarder, die in feite op het geld zit te wachten, niet vrolijk van. Met 250 spaarders sta je tegenover grote spelers, zoals De Nederlandsche Bank, de Engelse Treasury, maar ook obligatiehouders. De laatsten dreigden helemaal de dupe te worden van het spel. Door de noodwet van 6 oktober 2008 zijn ze helemaal naar de achterste rij geplaatst als het om een uitkering uit het faillissement gaat. De IJslanders hebben de depositohouders, waarvan ze met hun eigen DGS-fonds zelf de grootste zijn, voorrang gegeven. In een 'normaal' faillissement zijn alle crediteuren gelijk en zouden de obligatiehouders dus ook mee mogen delen, maar daar was dus een stokje voor gestoken door de IJslanders; waar uiteraard de obligatiehouders geen genoegen mee nemen en nu met allerlei juridische procedures proberen de noodwet geschrapt te krijgen. Ook bij de afwikkeling van Old Landsbanki verzetten ze zich met hand en tand tegen de gevolgen ervan. En zolang die juridische procedures lopen, krijgt niemand geld uitgekeerd. Wij dus ook niet.

6 juni 2009: Icesave-deal?

Op 6 juni 2009 kon je in de ambtelijke kringen van Financiën in Nederland breeduit lachende gezichten waarnemen. Iedereen dacht dat de Icesave-deal rond was tussen IJsland, Engeland en Nederland. Helaas werd het een langdurige geschiedenis, die tot deze zomer van 2010 niet tot resultaten heeft geleid. Direct erop, op 11 juni 2009, kwam het langverwachte DNB-rapport uit: DNB wist (zo constateerden de beide juridische onderzoekers) eigenlijk heel goed wat er allemaal mis was gegaan met Icesave, maar koos ervoor niks te doen.

De vaste Kamercommissie Financiën mocht op 25 juni 2009 de degens kruisen met minister Bos over het rapport. Alle fracties keerden zich tegen hem. Als DNB zoveel had geweten, zaten er toch wel grote gaten in het toezicht als je het zo uit de hand kon laten lopen, zo meenden ze. Vendrik van GroenLinks noemde het optreden 'te laks, te laat' en vertolkte daarmee de mening van alle aanwezige Kamerleden. Tang van de PvdA noemde de professionaliteit van DNB twijfelachtig. En vreemd genoeg was minister Bos het daarmee eens. Hij gaf aan dat het gezag van DNB was aangetast en dat dat niet kon.

Bij het overleg bleek ook dat er nu met grote spoed wel een regeling lag voor het toetsen van toetreders tot het DGS. Die had er toch ook al eerder kunnen zijn? Het antwoord was politiek vaag en nietszeggend. Blanksma van het CDA nam het voortouw bij het vragen van steun voor de spaarders. Die moesten wat haar betreft op alle steun kunnen rekenen die maar mogelijk was, inclusief juridische, zodat ze hun geld in IJsland zo snel mogelijk terugkregen. Bos moest toezeggen dat hij voor 15 oktober 2009 zou rapporteren wat hij voor de spaarders had gedaan. Bos had overigens ook goed nieuws. Dankzij de inspanningen van Johan Barnard, de topambtenaar van Financiën (die uitvoerig werd gecomplimenteerd met het behaalde resultaat), was er een Icesave-deal. De 1,3 miljard was veiliggesteld. Hoe anders zou het uitpakken….

Wie is Wouter Bos?

Vlak voor de commissievergadering van 25 juni 2009 kwam Bos voor het eerst, spontaan, naar mij toe om zijn interesse te tonen. Die spontaniteit was snel voorbij toen één van de leden van Icesaving, die postbode is in Amsterdam en het geld van zijn verkochte huisje zag verdampen, de confrontatie met Bos aanging. Bos bleef hem antwoorden schuldig en was blij dat hij naar zijn plek aan de vergadertafel kon 'vluchten'. Na afloop van de vergadering, waar nogal wat leden van Icesaving bij aanwezig waren, kwam Bos naar mij toe met de mededeling dat hij nu snel een bijeenkomst wilde. Ondanks die mededeling was hij er niet bij toen we op 1 juli 2009 weer tegenover dezelfde recalcitrante ambtenaren zaten.

Op geen enkel moment in dit voor meer dan 300 mensen rampzalige Icesave-drama is er ook maar een moment van begrip of belangstelling geweest voor de persoonlijke kant. Elke andere ramp zou op hoog staatsbezoek hebben kunnen rekenen!

Op die eerste juli 2009 zaten we dus weer tegenover dezelfde Nederlandse ambtenaren. Die dus wederom niet van plan waren ook maar een vinger uit te steken voor ons. Maar goed, ze wilden wel een gebaar maken. Als wij DNB niet zouden lastigvallen met berichten en procedures, zouden zij overwegen om de kosten van een procedure in IJsland tegen de instanties daar (te schatten op een 400.000 euro) te bekostigen. Dat mocht uiteraard niemand weten, de kosten zouden ook via niet te volgen wegen worden weggewerkt. We zaten als bestuur van Icesaving even met onze mond vol tanden bij die mededeling. Dat leek toch echt op chantage, bedoeld om de huid van DNB te redden. We hoefden daar niet lang over na te denken, *no way* gingen we daarmee akkoord. Wederom stelden we de discriminatie met veel verve aan de orde en wederom was er volstrekt geen gehoor voor. Wat de ambtenaren betreft, moesten we het zelf maar uitzoeken.

Weer naar IJsland

Op basis van onze invloed in IJsland waren we, na lang aandringen, uitgenodigd voor een gesprek op het kantoor van de minister-president in Reykjavik. Op het moment dat we, op 7 juli 2009, de deur van het hotel uitlopen worden we gebeld door de man die ons zou ontvangen: "Sorry dat ik zo laat bel, maar we hebben van jullie minister van Financiën begrepen dat hij niet achter jullie staat, dus hoeft van ons de afspraak niet meer." We waren ronduit verbijsterd en leggen al snel de hand op een brief van Bos (uiteraard voorgekookt door zijn ambtenaren), waarin hij aangeeft dat hij de spaarders niet zal steunen in hun pogingen om in IJsland hun geld terug te krijgen. Die kunnen, zo stelt hij in de brief, zelf wel een juridische procedure beginnen als ze dat willen. Onbegrijpelijk als je een week ervoor in de Tweede Kamer hebt toegezegd de spaarders wel te steunen om ze nu als een baksteen te laten vallen. De onbegrijpelijke reden daarvoor is pas onlangs boven tafel gekomen. In dezelfde week moest de deal tussen IJsland, Nederland en Engeland in het IJslandse parlement in stemming komen. Een zeer gevoelig liggende deal, want een meerderheid van het parlement dreigt er niet mee in te stemmen. Het verslag van het overleg tussen de Kamerleden en de minister druppelde ook in IJsland door: de spaarders moet je helpen, ook met juridische hulp. Die boodschap werd in IJsland door de oppositie aangegrepen om een dubbelrol van de Nederlanders aan te tonen. Aan de ene kant een deal maken, aan de andere kant de resterende spaarders helpen ook hun geld veilig te stellen: schande, in de ogen van de IJslanders.

Dus werd door de ambtenaren van Bos – zonder enig overleg met de betrokken Kamerleden en zonder enige schaamte naar de spaarders – een brief gefabriceerd en verzonden naar de IJslandse minister van Financiën, waarin de spaarders in hun hemd werden gezet: 'zoek het zelf maar uit, als minister sta ik niet achter jullie'. En dit werd door de IJslanders aangegrepen om het gesprek met ons op het allerlaatste moment te annuleren.

Recentelijk (juni 2010) bleek dat het ministerie van Financiën op dat moment de Nederlandse spaarders toch al niet serieus nam. Icesaving had het IJslandse parlement een brief gestuurd met het verzoek de Icesave-deal niet goed te keuren en te gaan voor een oplossing die voor iedereen acceptabel zou zijn, zodat de onrust van allerlei juridische procedures zou worden weggenomen. Bovendien werd voorgesteld om als 'vrienden' aan tafel te gaan zitten en bij die oplossing ook economische hulp te betrekken. Twijfels zaaien in het IJslandse parlement en een voorliggende deal af laten keuren? Nee, dat was niet wat Bos met zijn ambtenaren wilde, dus werd besloten de spaarders een hak te zetten. Je zou het als een compliment kunnen beschouwen dat de spaarders zoveel invloed in IJsland werd toegedicht, maar het resultaat was duidelijk: geen afspraken van de spaarders meer met de IJslandse regering.

Dé oplossing

IJsland zucht onder de (potentiële) lasten. De schulden drukken zwaar. Maar is dat nu echt zo? Zo hebben de IJslanders per hoofd van de bevolking meer spaargeld staan dan de gemiddelde Nederlander heeft. Wij hadden eind april 2010 291 miljard euro aan spaargeld (ruim 18.000 euro per persoon) en in IJsland was dat over de 12 miljard euro (37.500 euro per persoon). Belastingen zijn in IJsland ook niet zo drukkend als in Nederland. Er zijn vele terreinen die economisch relevant zijn voor een samenwerking tussen Nederland en IJsland: bijvoorbeeld gezondheidszorg, toerisme, datacentra, landbouw, maar vooral ook energie. De goedkope groene, vaak thermische, energie die IJsland heeft, is bijna oneindig beschikbaar. Tot nog toe zetten ze die voornamelijk in voor het omzetten van bauxiet naar aluminium. Van over de hele wereld wordt bauxiet naar IJsland verscheept, omdat het omsmelten daar zo goedkoop is. In speciale fabrieken wordt het bauxiet verwerkt. Mei 2010 blijkt dat de prijs die men per kilowatt betaalt voor dat omsmelten buitengewoon laag is. Door het op de internationale energiemarkt te verhandelen kan IJsland veel meer geld ontvangen. Maar dan moet het wel via kabels naar Engeland of Noorwegen. Nu wil het toeval dat er al een lijn van Noorwegen naar Nederland ligt (NorNed) en die van Engeland naar Nederland in 2011 gereed is (BritNed). Een kabel (inclusief datatransport) tussen IJsland en één of allebei de genoemde landen is haalbaar. TenneT, die het kabelnetwerk in Nederland (en een deel van Duitsland) exploiteert, ziet een rol als Europese distributeur wel zitten en zou met steun van de Nederlandse regering de regie kunnen pakken van een dergelijk project, waarbij Nederland bovendien groene energie kan aftappen en die kan gebruiken als compensatie voor de eigen CO_2-uitstoot en de afnemende aardgasvoorraad. De IJslanders vangen dan veel meer voor hun energie en kunnen op die manier snel en gemakkelijk hun schuld aflossen; zonder ook maar een cent te betalen nog verdienen ook.

Tsja, en dan keurt het IJslandse parlement de deal niet goed. Ruim 300 Nederlandse spaarders die gediscrimineerd worden, laat je in hun hemd staan en je wordt als minister en topambtenaar gedwongen er zelf in je nakie naast te gaan staan! Gelukkig voor Bos c.s. speelde zich dit mini-drama geheel in de julimaand van 2009 af en dan is de pers niet zo alert. Verhagen waagt in die julimaand als minister van Buitenlandse Zaken nog een poging om de IJslanders bang te maken door te dreigen hen de toegang tot de EU te ontzeggen, waarvoor ze van plan zijn een aanvraag in te dienen. Hij staat compleet alleen, zelfs zijn Engelse collega steunt hem niet.

Als spaarders nemen we direct contact op met het ministerie van Buitenlandse Zaken en een aantal Europarlementariërs. In het contact met BuZa blijkt dat ze – net als wij – vinden dat er sprake is van discriminatie en dat er actie moet worden ondernomen. Dus wordt er op 25 augustus 2009 een gesprek gepland om gezamenlijke actie te ondernemen richting IJsland. In dat gesprek, waar onverwacht ook de man van het ministerie van Financiën bij aanwezig is (surprise!), blijkt dat Buitenlandse Zaken haar mening als een blad aan de boom heeft veranderd. Toch maar geen actie, vinden ze nu ineens. Hoe zou dat nou komen?

In de tussentijd was er al een aantal rapporten verschenen over het falen van de IJslanders. Kaarlo Jannari, voormalig president van de Finse Centrale Bank, had al op 30 maart 2009 een vernietigend rapport opgesteld over de IJslandse bankwereld. Wat hem betreft, was de agressieve groei op geen enkel punt verantwoord. De toezichthouders waren te onervaren en onderbezet om de slimme advocaten van de eigenaren tegenspel te bieden. Juristen die steeds slimmere constructies bedachten om het vereiste toezicht te omzeilen. Maar als het toezicht al sterker zou zijn geweest, was het waarschijnlijk de alom aanwezige nationale trots van de IJslanders geweest, die ingrijpen had bemoeilijkt. De IJslanders waren te veel bezig met het verdelen van de winsten in plaats van het managen van de risico's.

Op 2 september 2009 was het de OECD (Organization for Economic Co-operation and Development) die die conclusies nog eens bevestigde. De betwiste privatisering van de banken was wat hen betreft de bron van alle kwaad. Het feit dat men als banken onderling via holdings belangen in elkaar had, maakte het allemaal zeer kwetsbaar. Het toezicht van de FME was ondermaats en absoluut niet berekend op de complexiteit waarmee ze geconfronteerd werd. Het beste voor IJsland, zo oordeelde de OECD, was zo snel mogelijk de Europese Unie ingaan.

Voor ons als spaarders was de maat vol. Na het gesprek met Buitenlandse Zaken wisten we dat niet de Tweede Kamerleden bepaalden wat er gebeurde, maar de ambtenaren. Een trieste conclusie in een democratie, maar helaas de harde realiteit.

Uiteindelijk waren we wel gedwongen om, op 22 september 2009, de discriminatie dan maar zelf aan te kaarten bij de Surveillance Authority van de EFTA (de waakhond van de EFTA die erop moet letten dat de richtlijnen van de Europese Unie goed worden toegepast). IJsland dient immers de Europese richtlijnen te volgen en die zijn duidelijk: je mag niet discrimineren bij een maatregel die je neemt, behalve als daar uitzonderlijke redenen voor bestaan. De term 'disproportioneel' speelt bij het nemen van die maatregelen een cruciale rol. Als je afwijkt van de regels en je discrimineert daarbij, dan mag het effect daarvan niet 'disproportioneel' zijn, oftewel: de schade die je teweegbrengt bij degenen die gediscrimineerd worden, moet in verhouding staan tot wat er is gebeurd.

De IJslanders, die bij dezelfde vestiging van Landsbanki in Reykjavik hun spaargeld hadden als de Nederlanders, kregen op 7 oktober 2008 weer toegang tot hun geld. De Nederlanders niet, wat dus volgens artikel 4 van het European Economic Area-verdrag niet mag. Als je iets doet, dan geldt voor iedereen hetzelfde. En dat is nu net wat IJsland heeft nagelaten. Het zou zich daarbij kunnen beroepen op de speciale omstandigheden van de crisis en de noodsituatie. Alleen…we weten dat ze al ruimschoots van te voren wisten dat het fout zou lopen. Deskundigen als Buiter wees hen daar immers op, het bijna-faillissement van Landsbanki in april 2008 (toen men in Engeland massaal geld opnam) maakte het tot harde realiteit. En juist omdat het zo'n realiteit was, begon men al ruimschoots van te voren een noodwet voor te bereiden, waar onder anderen Andrew Gracie (de specialist bij de herstructurering van financiële systemen) bij betrokken was. In die tijd tussen pakweg februari 2008 en oktober 2008 had men dus gemakkelijk met de Nederlandse toezichthouder en/of met de Nederlandse overheid kunnen overleggen over de gevolgen van een eventueel ingrijpen, wat niet is gebeurd. Een dergelijk overleg is wel de voorwaarde die wordt gesteld in de Europese richtlijnen, want het kan niet zo zijn dat je eerst zonder enig beletsel een ander EU-land komt binnenlopen, geld ophaalt en daarna simpel roept dat je het niet terug kan geven. Terwijl je van tevoren als IJslandse regering, Centrale Bank en toezichthouder FME al weet dat de kans groot is dat het fout gaat. Overleg was dus wel degelijk mogelijk geweest, maar dat ligt de IJslanders niet zo goed, zoals we weten.

Inmiddels stond het bestuur van Icesaving een schier onmogelijke taak te wachten: het begeleiden van alle claims die ingediend moesten worden bij de Winding Up Board (die alle claims moet goedkeuren en uitbetalen als er geld is) van Old Landsbanki voor 13 oktober 2009. Want – je zou het haast vergeten – er was ook een faillissement van Old Landsbanki aan de orde. En zolang de spaarders niet gecompenseerd worden door IJsland zelf of De Nederlandsche Bank, draaien ze mee in de mallemolen van dat faillissement.

En wederom hebben natuurlijk die Winding Up Board, maar ook partijen als DNB, de Nederlandse regering en de lokale overheden allemaal diepe zakken om dure advocaten in te huren; als spaarders mag je het zelf uitzoeken. Wat we dan ook wonderwel doen, maar het toont haarscherp het verschil aan tussen die professionele partijen en een aantal simpele spaarders, die met elkaar centjes lappen om hun recht te halen in de complexiteit van de IJslandse en Europese wetgeving. En dat in een unieke situatie die nog nooit is voorgekomen. Als spaarders heb je in dat juridische geweld dan eigenlijk geen positie, wat te merken is bij de afhandeling. Ondanks een bezoek in IJsland vooraf om alles op een rijtje te krijgen van wat wel en wat niet mag, blijkt dan ineens dat het toch anders is. Met als triest hoogtepunt een 'Poolse landdag' op 18 november 2009 in een groot hotel in Reykjavik waar iedereen verzameld is die meent iets tegoed te hebben van Old Landsbanki. Niemand weet precies hoe het ervoor staat, en zeker de duurbetaalde leden van het Resolution Committee en de Winding Up Board niet. Overigens allemaal lokale IJslandse juristen en accountants, die zich laten bijstaan door een leger van adviseurs uit binnen- en buitenland. Alleen al van die kosten hadden we als spaarders gemakkelijk betaald kunnen worden! Er volgt dan ook keer op keer uitstel. De obligatiehouders, die het meest de dupe dreigen te worden, zullen tegen alle andere claims bezwaar maken en zo de Winding Up Board dwingen tot juridische procedures bij de IJslandse rechter, die toch al overbelast is.

Waar is het geld gebleven?

De vraag is natuurlijk waar het geld gebleven is dat Landsbanki in juni 2008 nog trots op de balans had staan, maar dat in oktober 2008 compleet was verdampt. Slechte leningen zijn daar in ieder geval een verklaring voor. Maar er is ook sprake van regelrechte fraude. De Resolution Committee van Landsbanki heeft daarvoor een vordering ingesteld tegen de voormalige eigenaren en directeuren van Landsbanki. Zij mogen wat de bewindvoerders betreft een slordige 1,5 miljard euro terugbetalen. De kans daarop is gering. Er is er maar een voormalige eigenaar (Bjorgolfur Thor Bjorgolfsson) die nog geld schijnt te bezitten (zonder dat we weten waar dat zit), de andere twee zijn al failliet verklaard (Bjorgolfur Gudmundsson en Magnus Thorsteinsson). De beide voormalige directeuren (Sigurjon Arnason en Halldor J. Kristjansson) zullen hun geld ook wel goed hebben opgeborgen. Kristjansson zit inmiddels in Canada.

Zoals de lezer eerder in dit boek heeft gezien, loopt eind december 2009 heel IJsland te hoop tegen de Icesave-deal; IJslands president Grimsson weigert de wet te tekenen waarmee hij een referendum uitlokt; op 5 maart 2010 leidt dat tot een massaal 'nee' van de IJslanders. En daardoor staat Nederland nog steeds met lege handen, heeft het nog steeds geen formele handtekening onder die 1,3 miljard voorgeschoten DGS-gelden.

Op 12 april 2010 levert de Special Investigation Commission (in IJsland ook wel: Truth Commission) haar langverwachte rapport in: bijna 2000 bladzijden analyse over de oorzaak van de IJslandse crisis. Zonder juridische consequenties, want de commissie deed alleen onderzoek, de schuldvraag is niet aan de orde. Het is zes maanden later dan beloofd, met name doordat 'de namen' die in het rapport worden genoemd zoveel tijd nodig hadden om de 'beschuldigingen' te weerspreken. Opvallend is dat, alhoewel de schuldvraag formeel niet aan de orde is, de commissie zonder enige aarzeling de IJslandse regering, de Centrale Bank en de toezichthouder FME ernstige nalatigheid verwijt. Op vele punten blijken ze alle drie volstrekt niet in staat te zijn geweest het financiële systeem te managen. Nog erger, ze hebben het moedwillig zover laten komen dat het in elkaar klapt. De bankdirecties worden nog harder neergezet: als volkomen incompetent.

Er mag dus geen misverstand bestaan: de IJslanders zijn zelf de hoofdschuldigen van het Icesave-drama.

Hoor ik daar 'sorry'?

Toen in april 2010 het Special Investigation Report uitkwam, richtte zich dat op de bankiers en meest prominente politici van voor de val. Bjorgolfur Thor van Landsbanki en Jon Asgeir Johannesson van Baugur waren de eerste zakenmensen die in ingezonden brieven hun excuses maakten voor het aandeel dat ze hadden gehad. Die verontschuldigingen werden zwijgend ontvangen, men wilde het eerst weleens zien. Geen woorden maar daden, was de gedachte. Sorry zeggen alleen was niet genoeg om vergiffenis te krijgen.

Voor politici was het blijkbaar veel moeilijker om sorry te zeggen. Thorgerdur Katrin Gunnarsdottir en Illugi Gunnarsson van de Independence Party stapten, om het partijbelang niet te schaden en hun goede naam te redden, tijdelijk op, maar lieten van spijt weinig merken. Ook Bjorgvin G. Sigurdsson en even later sociaaldemocraat Steinunn Valdis Oskarsdottir stapten tijdelijk op. 'Tijdelijk opstappen' wordt in IJsland blijkbaar zonder problemen geaccepteerd, na verloop van tijd ga je gewoon weer verder. Steinunn had miljoenen opgestreken van de banken en investeringsmaatschappijen en deed een stap opzij toen die affaires de belangen van haar partij bij de gemeenteraadsverkiezingen leken te gaan schaden. Enkele andere leden van de Independence Party, van wie sommigen meer geld hadden ontvangen dan Steinunn, weigerden af te treden en bleven tijd rekken om niet bloot te hoeven geven wie hun gulle gevers waren. In juni 2010 zitten ze dan ook nog steeds stevig in het zadel.

Waarom al die geheimzinnigheid? Gezien vanuit het gezichtspunt van iemand die zich, met gebruik van zijn of haar ellebogen, al wringend naar de top van de IJslandse politiek of het bankwereldje heeft geworsteld, is dat heel logisch. Door de bank genomen danken zij hun posities niet aan persoonlijke kwaliteiten. Ze hebben bij hun partij of hun vrienden gewoon lang genoeg ja en amen gezegd om de volgende vrijkomende post te mogen gaan bekleden. Denk bijvoorbeeld maar aan de carrière van Bjorgvin G. Sigurdsson. Een bachelor in geschiedenis en filosofie aan de Universiteit van IJsland, journalist bij Vikubladid *en uitgever van* Studentabladid, *CEO van Reykjavik Utgafa (een bedrijfje dat je te klein is om te kunnen*

googelen) en daarna CEO werd van de Social Democrats en campagnelei-
der voor die partij in Zuid-IJsland en Arborg. Vervolgens parlementslid,
later minister van Handel met als belangrijkste portefeuilleonderdelen de
financiële markten, de valuta, mededingingszaken, handel, de Centrale
Bank en ga zo maar verder.

Hoe was Bjorgvin G. Sigurdsson in hemelsnaam op zijn taak voorbereid?
Hij was tijdens de economische crisis niet meer dan een angstig hert in de
schijnwerpers van een enorme bulldozer. Maar hij was wel verantwoorde-
lijk voor het accepteren van een baan waar hij noch de capaciteiten noch de
ervaring voor had. Het enige waar hij goed in was, was het poseren voor fo-
to's zoals die waarop hij Landsbanki de prijs voor het beste jaarrapport van
2007 overhandigt, een paar weken voor de val... In het uur van de waar-
heid had hij een collega-minister van Financiën die eigenlijk dierenarts
was (Arni Mathiesen), twee meesters in de rechten als premier en president
van de Centrale Bank, die buiten de bescherming van hun eigen partij
nog nooit iets wezenlijks hadden gepresteerd. Een grote verantwoordelijk-
heid is er ook voor Ingibjorg Solrun Gisladottir en Ossur Skarphedinsson
die gezorgd hebben dat Bjorgvin op zijn post terechtkwam. Bjorgvin moet
maar de slachtofferstatus claimen bij het onderzoek naar zijn nalatigheid;
het zou helemaal aansluiten bij zijn huidige imago van 'een kind in de
kleren van z'n vader'. En wat voert Bjorgvin aan voor zijn verdediging?
Hij gehoorzaamde alleen bevelen, speelde het spel in de slangenkuil mee,
hij had de regels niet bepaald. Hij had gewoon de pech gehad dat hij op het
verkeerde moment op de verkeerde plaats was.

Dit soort voorbeelden kom je overal tegen in de IJslandse politiek. Thorger-
dur Katrin Gunnarsdottir had na haar rechtenstudie een jaar op een ju-
ristenkantoor gewerkt toen ze werd uitgekozen om de programma-afdeling
van de RUV, de publieke omroep, te gaan leiden. Sinds die tijd hopte ze
van de ene naar de andere baan, steeds de belangen van de partij dienende.
Dat weerhield haar er niet van te roepen dat een financieel expert van
Merrill Lynch die een, naar later bleek bewezen en absoluut waar, rap-
port had uitgebracht, heropgevoed moest worden. Thorgerdur veegde op de
radio alle vragen weg over de miljarden die haar man van Kaupthing had
geleend om aandelen in die bank te kopen. Daar had zij niets mee te ma-
ken. Voor iemand die zich niet realiseert dat zij persoonlijk baat had bij
die leningen, heeft zelfs heropvoeding geen zin. Nooit heeft zij verantwoor-
delijkheid genomen, ze heeft alleen maar geprofiteerd. Een minister als Ka-
trin Juliusdottir heeft nooit gestudeerd, maar werd inkoopmanager bij een
klein bedrijf en toen projectleider bij een software-ontwikkelaar, daarna
parlementslid en toen minister van Industrie. Kristjan Moller studeerde
lichamelijke opvoeding en onderwijs, werd gymleraar, winkelier, kamerlid
en toen minister van Transport!

Hoe klein een land ook is, je kunt niet ongestraft iemand minister maken die daarvoor op geen enkele wijze geschikt is. Om geloofwaardig te zijn moeten de partijen hun politieke carrièrejagers aan de kant zetten. Met de aanstellingen van Gylfi Magnusson en Ragna Arnadottir als respectievelijk minister van Economische Zaken en Justitie, zetten de Social Democrats gelukkig een stap in de goede richting. Beiden worden op hun vakgebied gerespecteerd.

Het uiteindelijke doel zou moeten zijn om de uitvoerende en de wetgevende macht totaal te scheiden. Gylfi en Ragna waren volgens de peilingen begin 2010 dan wel de populairste ministers, maar de leiding van de Social Democrats stond onder hoge druk uit de lagere regionen om hen te vervangen. Die vonden dat het tijd werd dat die twee plaatsmaakten voor nieuwelingen; nieuwelingen die hun eigen capaciteiten óverschatten en het gewicht van de taak om een land te leiden ónderschatten.

Het indrukwekkende rapport van de Special Investigation Commission slaat in IJsland in als een bom. Er is nu geen enkele twijfel meer wie schuldig zijn aan het drama, waarbij een heel land met zijn bevolking in de afgrond is gestort.

Voor ons als spaarders een bevestiging van wat we al vermoedden. Alle reden dus om de rekening te gaan versturen voor zoveel onbenul. In een brief aan de minister-president van IJsland, Johanna Sigurdardottir, verzochten we als spaarders op 1 mei 2010 om een gesprek over de gevolgen van de conclusies van het rapport van de Truth Commission voor onze discriminatieclaim. Als dan zo duidelijk is dat de boel is belazerd, dan moeten wij daar als spaarders toch niet de dupe van zijn? Aan tafel dus!

Pas toen de tweede uitspraak van de EFTA over het DGS-geld er lag en we inmiddels de IJslandse pers hadden ingeschakeld, kregen we daadwerkelijk contact. Met dezelfde man die ons in juli 2009 had laten weten geen gesprek meer met ons te willen omdat minister Bos niet meer achter ons stond.

Na veel vijven en zessen vond dat gesprek op 9 juni 2010 plaats op het ministerie van Economische Zaken. Met maar liefst drie topambtenaren, van het kantoor van de minister-president, Economische Zaken en Buitenlandse Zaken – die volkomen ongevoelig bleken voor ons pleidooi om een regeling met ons als spaarders te treffen. Nee, er lagen dan wel die uitspraken van de EFTA, maar ze geloofden dat die voor ons, als spaarders, toch echt anders was. Dus, nee, het heeft geen zin om met elkaar te praten over compensatie. Een morele verplichting nu de Truth Commission toch duidelijk heeft gemaakt dat IJsland de boel heeft belazerd? Nee, dat zien we dan toch echt verkeerd.

IJsland en de EFTA

Het is buitengewoon merkwaardig dat de uitspraak van de Surveillance Authority van de EFTA op zich laat wachten. In IJsland werden we gewaar dat IJsland er alles aan doet die uitspraak in haar voordeel te beslechten en zo lang mogelijk op te houden, omdat het expliciet betekent dat IJsland álle Icesave-gelden dan zal moeten vergoeden en niet alleen het DGS-deel. Dan praat je, voor Nederland, over 300 miljoen euro die de banken hebben betaald (van € 20.887,- tot € 40.000,- met 10% risico), 106 miljoen euro die Bos heeft betaald voor de vergoeding tot € 100.000,- en ons spaargeld (circa 40 miljoen). Totaal zo'n 450 miljoen euro, die Nederland tot nog toe heeft laten liggen. Want ondanks de inktzwarte uitspraak van de IJslandse Truth Commission heeft niemand namens de banken, DNB of de Nederlandse regering inmiddels IJsland echt in gebreke gesteld. En dat terwijl er een brief ligt, getekend door Balkenende, van 10 oktober 2008 waarin de IJslandse toezichthouder aansprakelijk wordt gesteld voor alle schade.

Nu er iemand van Economische Zaken bij zit, kan ik het niet laten te vragen hoe het komt dat men niet voor een oplossing is gegaan in plaats van te blijven hangen in die lening. Verbaasde gezichten zijn het gevolg. Je gaat toch als IJsland je zwakten niet ter discussie stellen en vragen om hulp! Nee, dat is niet IJslands. En of ze niet die 25 miljoen van de reclamecampagne voor IJsland ('Inspired by Iceland') aan ons kunnen geven, dan zorgen wij wel voor die positieve reclame voor IJsland. Een grap die met kiespijn wordt ontvangen... Zeker als je weet dat we regelmatig in het nieuws zijn in IJsland en de IJslandse regering dat helemaal niet op prijs stelt. Kortom, weer een gesprek met ambtenaren dat tot nergens toe leidt.

Dat het aan de Nederlandse kant ook niet ging zoals het moest, wordt duidelijk gemaakt door de Commissie-De Wit. Deze commissie brengt namens de Tweede Kamer op 10 mei 2010 een rapport uit over de crisis en heeft daarbij ook Icesave bekeken. Wat de Commissie-De Wit betreft, had DNB wel degelijk iets kunnen doen bij de toelating van Icesave, eind mei 2008. Bijvoorbeeld eerst aandringen op die Algemene Maatregel van Bestuur, met voorwaarden waaronder banken toegelaten worden tot het toen aan de orde zijnde, aanvullende, DGS-deel (€ 20.887,- tot € 40.000,- met 10% risico). Uiteraard is Wellink er weer als de kippen bij om dat te ontkrachten. De conclusie over Icesave, dat DNB een aanwijzing had kunnen geven, klopt volgens Wellink gewoon niet. Die bevoegdheid had DNB alleen als Icesave niet aan de liquiditeitseisen zou voldoen. 'Ze hebben allemaal gelijk, als ze hadden kunnen aantonen dat wij op dat moment gegevens hadden dat die instelling niet aan de liquiditeitseisen voldeed. Dan heb je een bevoegdheid. Maar het punt is: Icesave voldeed daaraan.'

Wij weten inmiddels beter. Wellink had alle lengte om in detail naar Landsbanki te kijken, maar weigerde dat simpelweg. Ondanks het feit dat men bij DNB alle redenen had om dat wel te doen, zoals door de deelname van DNB aan de Working Party over liquiditeit in het kader van Basel II. Dat Wellink zijn eigen speech daarover van 28 april 2008 in Wenen volstrekt negeerde als het om Icesave gaat, zal wel altijd een raadsel blijven.

Verliezers? Nooit?
Wat er ook gebeurt, Nout Wellink noch het ministerie van Financiën hebben ook maar één fout gemaakt bij de hele Icesave-affaire. Op 22 juni 2010 kon het ministerie van Financiën het ANP ervan overtuigen dat niet DNB of het ministerie fouten hadden gemaakt, maar dat alle fouten in IJsland waren gemaakt. 'De IJslandse toezichthouder heeft De Nederlandsche Bank (DNB) consistent onjuiste dan wel onvolledige informatie verstrekt rondom de omgevallen internetspaarbank Icesave', luidde de kop van het persbericht. Men verwees (nota bene twee maanden nadat het rapport was verschenen) naar de conclusies van de Special Investigation Commission van de Althingi. Gemakshalve werd er op geen enkele wijze een link gelegd met het optreden van de Engelse toezichthouder, die veel alerter reageerde op het reilen en zeilen van Landsbanki in Engeland. Noch werd duidelijk gemaakt waarom DNB dan niet als de bliksem die IJslandse toezichthouder, de FME, voor de IJslandse rechter sleept. Het gaat om minimaal 700 miljoen euro die de banken (lees: hun klanten), Financiën (lees: de belastingbetaler), de lokale overheden (lees: de belastingbetaler) en de grotere spaarders zelf moesten ophoesten. Persvoorlichting met maar één hoofddoel: zichzelf vrijpleiten.

Overtuigd van hun gelijk geven de spaarders niet op. De klacht over de discriminatie die bij de waakhond van de EFTA is ingediend, loopt. Het zou wel heel vreemd zijn als die klacht werd afgewezen. Het is overduidelijk dat men in IJsland geweldig heeft geblunderd, bewijzen te over. Maar daar een rechtszaak over beginnen in IJsland is vrijwel zinloos, zeker voor particulieren die dat dan uit eigen zak moeten bekostigen en een heel lange adem moeten hebben (in een rechtssysteem waarover zelfs de IJslanders roepen dat het niet deskundig, overbelast en vooral opportunistisch is). Als laatste middel om hun geld terug te krijgen, hebben de spaarders de mogelijkheid over om De Nederlandsche Bank aansprakelijk te stellen; die heeft immers zowel voor de toelating van Icesave tot het aanvullende deel van het DGS als tijdens het functioneren van Icesave geweldige inschattingsfouten gemaakt.

Vooralsnog gaan de spaarders ervan uit dat de Tweede Kamer hen een helpende hand zal toesteken. De Kamerleden hebben eerder aangegeven dat de spaarders koste wat kost geholpen moeten worden met het terugkrijgen van hun geld.

Nu zo duidelijk is dat aan beide kanten van het water, bij zowel FME als DNB, (inschattings)fouten zijn gemaakt en het Europese systeem van toezicht gaten vertoonde, kan het niet zo zijn dat de spaarders daar de dupe van moeten worden. Zoals de Surveillance Authority van de EFTA dat zo mooi uitdrukte in haar eerste uitspraak (4-12-2009): "Het algemene vertrouwen van spaarders in het functioneren en de stabiliteit van banken waar ze hun geld hebben ondergebracht is een essentieel onderdeel en voorwaarde voor de stabiliteit van zowel het bank- als het financiële systeem. Gebrek aan vertrouwen door spaarders leidt zonder twijfel tot een run op de banken, zeer waarschijnlijk met ernstige gevolgen voor de stabiliteit van het financiële systeem." Als consumenten er al niet meer op kunnen vertrouwen dat hun simpele spaarcentjes veilig zijn bij een bank, is dat het einde van het financiële systeem.

De spaarders hebben een beroep gedaan op de Tweede Kamerleden om hun belofte gestand te houden om spaarders maximaal te steunen hun geld terug te krijgen. Wat de spaarders betreft, moet DNB het spaargeld maar voorschieten en zoekt DNB vervolgens maar met de IJslandse FME uit waar het nu allemaal fout is gegaan. Waar de conclusie zo duidelijk wijst naar het falen van beide toezichthouders, ligt dat voor de hand. De spaarders willen niks liever dan hun leven weer oppakken. De vele emoties die aan de Icesave-zaak kleven bij de individuele spaarder, die steeds machteloos heeft moeten toekijken, zijn spreekwoordelijk. Dat ze geschiedenis hebben geschreven en een unieke positie innemen, zal ze een worst zijn. Het terugkrijgen van hun zuurverdiende spaargeld staat voorop!

Het fotoboek *Found in Iceland* ligt klaar. Klaar om overhandigd te worden aan de minister die voldoende lef heeft om te erkennen dat het niet de spaarders zijn die de tol moeten betalen voor een falend toezicht op dertig IJslanders – die hun land meenden te kunnen verkwanselen om zo hun eigen zakken te vullen.

Twee jaar juridische strijd na een auto-ongeluk en weer het haasje!

"Ik had een eigen bedrijfje in de IT toen ik in 1995 een auto-ongeluk kreeg. Dat had helaas grotere gevolgen dan blikschade alleen: ik hield er chronische nek- en hoofdpijn aan over. De schuldige van het ongeluk gaf niet thuis en probeerde zich aan aansprakelijkheid te onttrekken.

Ik kon door de stress en onzekerheid niet meer werken en mijn zorgvuldig opgebouwde zaak ging ten onder. Een gerechtelijke procedure met verzekeringsmaatschappijen volgde. Die hele geschiedenis duurde maar liefst 13 jaar: 13 jaar van lichamelijke en geestelijke pijn, 13jaar van woede en een groeiend onrechtvaardigheidsgevoel. Mijn relatie was hier niet tegen bestand en zo kwam ik ook nog eens alleen te staan. Eindelijk deed de rechter in augustus 2008 uitspraak en kreeg ik een schadeloosstelling van € 200.000,-. Hier zou ik het tot aan mijn pensioen mee moeten doen, dus voorzichtigheid was geboden. Ik zette het zo zwaarbevochten bedrag op Icesave. Het heeft er een maand gestaan. Een maand!

Door een stel oplichters van bankiers ben ik nu voor de tweede keer het haasje. Ik zie er geen gat meer in, hoe moet ik hier tegen vechten? Ik ben moegestreden. Met mijn chronische pijn heb ik simpelweg de kracht niet meer om voor rechtvaardigheid te vechten. Ik vertrouw op de 'Vereniging Icesaving' om mijn belangen te behartigen. Het kan gewoon niet waar zijn dat ik, totaal buiten mijn schuld om, voor de tweede keer de boot in ga."

8. De lessen: morgen ú?

De nasleep

Na het zien van het rapport van het comité ben ik er volledig van overtuigd dat uit niets blijkt dat ik nalatig zou zijn geweest.

Geir Haarde, voormalig minister-president van IJsland, over zijn aandeel in de crisis, als commentaar op het rapport van de Special Investigation Committee (die opdracht had gekregen van de Althingi om alles boven water te krijgen over de schuldigen in de crisis)

Nog heel lang zal IJsland spreken in termen van 'ervoor' en 'erna': 6 oktober 2008. Maar laten we nu nog even teruggaan naar 2005 toen Inga Jona Thordardottir onder protest ontslag nam bij de FL Group. De FL Group was dat jaar ontstaan uit het 32-jaar oude Flugleider, de beheersmaatschappij van Icelandair, dé luchtvaartmaatschappij van het land. Toen de nieuwe bestuursvoorzitter Hannes Smarason aantrad, werd het bedrijf omgetoverd tot een investeringsmaatschappij. De luchtvaartmaatschappij onder de naam Icelandair was drie jaar eerder afgesplitst. Inga Jona en andere leden van de raad van bestuur stapten op omdat de voorzitter beslissingen nam zonder het fiat van zelfs uitvoerend directeur Ragnhildur Geirsdottir. Zo was er de geheimzinnige transactie van drie miljard kronen die het bedrijf overmaakte aan een rekening bij Kaupthing Luxemburg. Ragnhildur zei dat ze geen bevredigende verklaringen voor de transactie van Hannes had gekregen, maar dat ze wel iets had gezien waaruit je zou kunnen afleiden dat het geld bij de investeringsmaatschappij Fons terecht was gekomen. En Fons stond weer onder de controle van Palmi Haralsson, een van Hannes' grote zakenvrienden. Ragnhildur verliet hierna heel snel het bedrijf, met in haar tasje een vette envelop.

Vijf jaar lang vroegen de aandeelhouders van de FL Group en de IJslanders zich af wat zich daar had afgespeeld. Journalisten probeerden van alles om Inga Jona en Ragnhildur aan de praat te krijgen, maar zonder succes. Pas toen het rapport van de Special Investigation Committee verscheen, sprak Jona uiteindelijk op de radio over de verdwenen drie miljard en over de ernstige overtredingen van interne afspraken. Toen haar werd gevraagd waarom ze niet eerder met haar verhaal naar buiten was gekomen, antwoordde ze verontwaardigd dat journalisten haar dan maar hadden moeten bellen. De radioverslaggever zei dat dat herhaaldelijk was

197

geprobeerd en ze gelegenheden te over had gehad om haar verhaal te vertellen. Ze was tenslotte de vrouw van de minister van Financiën Geir Haarde…

In 2006 doneerde de FL Group, een paar dagen voordat een nieuwe wet van kracht werd op de financiering van politieke campagnes, een bedrag van 30 miljoen kronen (350.000 euro) aan de Independence Party. Onder de nieuwe wet zou het de Independence Party honderd jaar gekost hebben dat bedrag van de FL Group te krijgen. Net voor de deadline deed ook Landsbanki nog eens 25 miljoen kronen (275.000 euro) in de partijkas.

De gevaren voor de IJslandse gemeenschap komen uit verschillende hoeken, waarvan er een paar meestal ontkend worden. De wortels van de val liggen niet bij de internationale crisis van 2008. IJsland was het enige land waar het complete banksysteem onderuit ging. Er is niet één simpele reden, maar er is een hele serie complexe redenen. David Oddsson begon zijn carrière met het omvergooien van economische obstakels, om ze te vervangen door nieuwe – die hij zelf had opgeworpen. Het wordt het werk van de komende generaties om te analyseren wat er gebeurd is en er lessen uit te trekken. Op dit moment, zomer 2010, is er in IJsland een klassieke machtsstrijd aan de gang. De oude garde wil terug wat het heeft verloren, en is bereid veel geld te verliezen om David Oddsson de uitgever van *Morgunbladid* te laten zijn en samen met zijn volgelingen de geschiedenis in hun voordeel te herschrijven. Waarbij ze het de linkse regering flink moeilijk maken en onrust zaaien over internationale samenwerking, met name met de EU.

Geld en macht

Zowel de IJslandse regering als andere officiële instanties hebben bij herhaling gezegd dat het hun bedoeling is de verplichtingen van IJsland aangaande Icesave, na te komen. De democratisch gekozen Althingi stemde in 2009 vóór een deal. Waarom was het dan zo moeilijk die deal ook daadwerkelijk te sluiten?

De oppositie heeft elke poging om tot een slot te komen, krachtig verstoord. Voor een deel was dat populisme: IJslanders zijn fel tegen het meebetalen aan de schulden van de eigenaren en het management van Landsbanki. Maar wordt er achter de schermen een ander spelletje gespeeld? Een spel van geld en macht? De steun die David Oddsson en zijn Independence Party kregen van de visindustrie is geen toeval. Het vrijheidsidee en het anti-EU-standpunt hebben alles te maken met de nauwe band met de visserijmagnaten die de controle over de visrechten willen behouden en niets te maken willen hebben met de visserijpolitiek van de EU.

Ook de verkoop van aandelen à raison van 3,6 miljard kronen (20 miljoen euro), in de laatste dagen voor de val, door de weduwe van een visserij-magnaat van de Vestmann Eilanden, Gudbjorg Matthiasdottir, heeft niet de schijn van toeval. De verkoop kwam tot stand nadat 75% van de bank onder regeringscontrole was gekomen. Ze had nauwe banden met Glitnir, haar zoon werkte er bijvoorbeeld. Maar haar aankoop van het noodlij-dende Morgunbladid *van Glitnir begin 2009, nadat de bank meer dan 3 miljard kronen (16 miljoen euro) had afgeschreven, was nog veel curieuzer. De aanstelling van een hoogst discutabele David Oddsson als hoofdredac-teur verbaasde het hele land en iedereen vroeg zich af welke koers de krant onder zijn leiding zou gaan varen. De krant verloor 11.000 abonnees, een enorm aantal in zo'n klein land. Het betekende dat het moeilijk werd het bedrijf winstgevend te maken. Een paar maanden later werd duidelijk wat het doel van* Morgunbladid *was: de visserijpolitiek verdedigen, een anti-EU-sentiment zaaien en de regering op elk mogelijk punt bekritiseren.*

De nieuwe regering was van plan geweest de visquota te reorganiseren. De kapitalen die verdiend werden in de meest essentiële branche van het land, waren in de handen gekomen van zo'n kleine 200 bedrijven en families. Twintig jaar daarvoor waren dat er nog zo'n 1000. Ondanks dat de vis in het water gezien werd als publiek bezit, hadden de visbedrijven de rechten verkregen en hun quota aan binnenlandse en internationale banken weten te verpanden in ruil voor leningen. De regering stelde een commissie in die veranderingen in het systeem moesten voorbereiden en waarbij bijvoorbeeld de visquota langzaam zouden worden afgewaardeerd. Dit stuitte op hevige oppositie van de vislobby die in Morgunbladid *hun spreekbuis vonden.*

In de zomer van 2010 presenteerde Finnbog Vikar, één van de leden van de commissie en lid van het nieuwe The Movement, een geloofwaardige theorie. Op zijn blog vroeg hij zich af of de obstakels bij het doorvoeren van veranderingen bij het visquotasysteem en de stilte rondom Icesave mis-schien duidden op een in het geheim gesloten deal. De regering zou het systeem niet hervormen en in ruil daarvoor zou de oppositie stilzwijgend de afronding van Icesave accepteren. Op die manier zou de wederopbouw van de economie met geld van het IMF kunnen plaatsvinden, en konden de gesprekken over de toelating tot de EU verder gaan. Ook Jonas Bjarnason, een ingenieur met ervaring in de visindustrie en actief in de Independence Party, theoretiseerde op zijn blog over deze stelling en kwam tot de conclusie dat het een zware aanval op de democratie van IJsland zou zijn.

Zou het dus kunnen zijn dat de vertraging rondom Icesave in werkelijk-heid draait om de belangen van een paar groepen die hun macht en in-vloed in IJsland terug willen? Het zal bijzonder interessant zijn om de komende jaren de ontwikkelingen bij Icesave en de hervormingen van de visindustrie in IJsland te volgen.

Dan zijn er nog de Resolution Committees van de banken. Zij hebben een ongelofelijke en ongecontroleerde macht in handen; zij beslissen wat er met de boedel gebeurt en wiens leningen worden weggemoffeld. Het blijft te bezien hoeveel spoken uit het verleden de toekomst van IJsland zullen blijven bepalen.

De regering is na de economische ramp zwaar beschadigd. Je móet wel medelijden hebben met Bjorgvin G. Sigurdsson, de genegeerde minister van Handel. Niets uit het verleden van Bjorgvin rechtvaardigt dat hij, als jonge dertiger, de minister had mogen worden die de verantwoording zou dragen over het nationale banksysteem. De partijen zitten vol mensen die hun posities te danken hebben aan hun vasthoudendheid binnen de partij in plaats van gekozen te zijn vanwege hun probleemoplossend vermogen, het creëren van welvaart of het verbinden van mensen. En door het ontbreken van die competenties hebben ze weinig verandering gebracht. Bjorgvin wordt nu verdacht van nalatigheid omdat zijn ministerie verantwoordelijk was voor het gedrag van de banken. Maar Ingibjorg Solrun Gisladottir dan, zijn voorzitter die hem op die post zette en hem daarna niet vertrouwde? Heeft zij dan geen juridische verantwoordelijkheid? En Geir Haarde, maar ook de drie directeuren van de Centrale Bank: David Oddsson, Eirikur Gudnason en Ingimunder Fridriksson? En Jonas Fr. Jonsson van de Financial Authority, de FME? Ze zijn allemaal verdacht.

Geen vervolging

Openbaar aanklager Björn L. Bergsson heeft begin juni 2010 bekendgemaakt dat hij de vermeende hoofdschuldigen niet zal vervolgen. De conclusies van het rapport van de Special Investigation Committee dat ze allemaal hun taken zwaar hadden verwaarloosd, vindt hij geen reden voor vervolging. Wat niet wil zeggen dat ze niet voor andere feiten vervolgd kunnen, en zullen, worden. De bijzondere aanklager Hauksson, die alleen is aangesteld voor het vervolgen van de schuldigen van de crisis, heeft zijn werk nog lang niet af.

Stemmen op slechte politici is geen alleenrecht van IJsland, maar na de economische val waren er veelbelovende tekenen die op verandering duidden. De bijzondere aanklager (die is aangesteld om de schuldigen in de crisis te achterhalen en voor de rechter te brengen) en het Special Investigation Committee hebben velen verbaasd. Iedereen in IJsland was eraan gewend dat ambtenaren uit hun neus aten. In dit geval bleek dat niet zo te zijn. Het rapport van het comité over de oorzaken van de val is een naslagwerk dat nog heel lang geciteerd zal worden. Topbankiers en zakenlui moeten terecht bang zijn voor de bijzondere aanklager, die steun heeft gekregen van Eva Joly (Frans lid van het Europees Parlement dat IJsland ondersteunt bij de fraude-onderzoeken, haar specialiteit). De hoofdschuldigen zullen elkaar de komende jaren, zo niet decennialang, in het beklaagdenbankje tegenkomen om zichzelf tegenover elkaar en de crediteuren te verdedigen.

Het onderzoek

Toen de banken in 2008 gevallen waren, eiste de bevolking een onderzoek. Men wilde weten waar de boel was fout gelopen en of er wetten waren overtreden. Maar wie moest zo'n onderzoek gaan leiden?

De zoon van openbaar aanklager Valtyr Sigurdsson was in de race, maar was manager bij Exista (mede-eigenaar van Kaupthing) en kwam alleen al daarom niet in aanmerking. Valtyr Sigurdsson vroeg zijn voorganger Bogi Nilsson een rapport te schrijven over de ramp. Al snel kwam aan het licht dat Bogi's zoon als advocaat bij Stodir (voorheen de FL Group) nauw betrokken was geweest bij de val. Bogi hield de eer aan zichzelf en nam ontslag.

Bjorn Bjarnason, toenmalige minister van Justitie van de Independence Party, zocht naarstig naar een nieuwe aanklager en stelde eveneens een comité samen dat een onderzoeksrapport moest gaan schrijven. Er waren weinig kandidaten voor de baan van bijzondere aanklager en toen de onbekende Olafur Hauksson, een rechter uit een onbeduidend plaatsje, werd benoemd, vreesden velen al dat hij niet erg serieus genomen zou worden. Het comité (Special Investigation Committee, ook wel de Truth Commission genoemd) bestond uit lid van de Hoge Raad Pall Hreinsson, voormalig ombudsman van de Althingi Tryggvi Gunnarsson en de aan Yale afgestudeerde hoogleraar in de economie Sigridur Benediktsdottir. De kritiek barstte los. Op Tryggvi en Pall vanwege hun carrière en Sigridur werd door oud-voorzitter van de Financial Authority FME Jonas Fr. Jonsson, ongeschikt geacht voor haar taak omdat ze zich in de Yale Daily News kritisch over IJsland had uitgelaten.

Omdat de IJslandse samenleving zo van vriendjespolitiek aan elkaar hing (en hangt), ging de voorkeur van velen uit naar een buitenlands onderzoek. Tv-presentator Egill Helgason haalde in maart 2009 de Frans-Noorse rechter Eva Joly in zijn talkshow, bekend als onderzoeksrechter rond het schandaal van het Franse oliestaatsbedrijf Elf. Tijdens dat optreden raakte ze ervan overtuigd dat er voor haar een taak was weggelegd. Met haar als assistent van de openbaar aanklager zou het comité enorm aan gewicht winnen. Joly's betrokkenheid deed het vertrouwen in het onderzoek van het comité zowel lokaal als in het buitenland veel goed.

In 2009 werd de publicatie van het rapport telkens opnieuw uitgesteld en waren er geen tekenen van aanhoudingen of arrestaties. Het publiek werd

bang dat er weer niets zou gebeuren. Joly vroeg om kalmte, het zou jaren
duren om dit onderzoek af te ronden.
In april 2010 werd het rapport dan eindelijk, met veel bijval openbaar
gemaakt. In meer dan 2000 bladzijden werd de harde waarheid geschetst
over de situatie en de hoofdrolspelers die de crash hadden veroorzaakt. Kort
daarna arresteerde de bijzondere aanklager een paar prominenten van het
Kaupthing-managementteam en hield hen enkele dagen in hechtenis. De
voorzitter van de raad van bestuur van Kaupthing Sigurdur Einarsson
werd door Interpol gezocht.
Ziehier de moeilijke taak van bijzonder aanklager Hauksson. Juist omdat
het in IJsland is, moet hij er rekening mee houden dat door hem aangedra-
gen zaken waterdicht zijn. Anders loopt hij de kans dat slimme advocaten
of aarzelende rechters (met minimaal een verre familierelatie) de zaak af-
kraken en de beschuldigde er met een milde of geen straf van afkomt.
Het Resolution Committee van Glitnir daagde een stel vroegere grootaan-
deelhouders en topmanagers voor het gerecht in New York. Die van Lands-
banki eist meer dan 1,5 miljard euro terug van de eigenaren en het ma-
nagement van de voormalige bank. De afwikkeling van het faillissement
van de banken zal nog jaren naslepen. Er is nog lang geen einde aan de
reeks van beschuldigingen. Ook onderling zijn de eigenaren en managers
al bezig elkaar te beschuldigen. De IJslandse bankensoap gaat nog wel even
duren…

IJslandse kiezers hebben hun verantwoordelijkheid in ieder geval wel grotendeels geaccepteerd. Op 29 mei 2010 kregen de traditionele vier partijen een enorme rode kaart van de kiezers in Reykjavik en Akureyri (de
tweede grote plaats van IJsland). En, uit het niets, ontstonden twee nieuwe bewegingen die sleutelposities in de lokale politiek wilden innemen.
In de hoofdstad deed de populaire cabaretier Jon Gnart, met een lijst die
de oude partijen bespotte met hun mottige beloftes en standaardpraat-
jes, een gooi naar de stoel van de burgemeester. Velen waren gepikeerd.
Cabaret was er in IJsland niet om zaken aan de kaak te stellen. Inmiddels heeft zijn 'scherts'-partij ruim 30% van de stemmen gehaald en is
hij burgemeester van Reykjavik. Een functie die hij graag wilde hebben
'vanwege het salaris en het riante kantoor'. The People's List in Akureyri
is bloedserieus met het willen doorvoeren van veranderingen en kreeg
van de kiezers een ruime meerderheid van de stemmen. In de kleinere
steden en de buitengebieden heeft de aloude mentaliteit echter nog flinke
aanhang. De Independence Party, die aan de basis stond van de crisis,
leeft nog steeds en heeft aantrekkingskracht op tieners die te jong zijn om
te weten wat die partij allemaal heeft gedaan.

Ten opzichte van 2005 is het leven in IJsland fundamenteel anders geworden. In april 2010 heeft één op de vijf huishoudens moeite de eindjes aan elkaar te knopen. Dat is wel heel ver weg van de situatie vijf jaar daarvoor, toen banken de hypotheken niet aangesleept konden krijgen en er banen in overvloed waren. IJsland is het enige westerse land dat alle consumentenleningen verbindt aan de prijsindex, wat betekent dat ze gelijke tred houden met de inflatie. Veel gezinnen worstelen daardoor, ondanks de betaling van aflossing en rente, met een steeds hoger wordende schuld. IJsland heeft jonge gezinnen tot slaaf gemaakt omdat het geen andere manier zag om de kleine en kwetsbare valuta, de kroon, en de veel te lage belastingen te compenseren. Ook nu (augustus 2010) dringt het IMF aan op verhoging van de belastingen, zoals het ook al eerder heeft gedaan. Vroeger was dat om noodzakelijke IJslandse reserves op te kunnen bouwen. Nu om in staat te zijn de schulden af te lossen. Inflatie maakt diensten en producten duurder, daarop antwoorden bedrijven met prijsverhogingen en zo is de inflatiecirkel rond. Ook de lonen waren gekoppeld aan de indexcijfers, maar dat idee werd snel verlaten toen werkgevers luid begonnen te protesteren. Zij kunnen hun bedrijven niet runnen zoals consumenten hun financiën moeten managen. De schuldenlast van consumenten is de gevaarlijkste factor die IJsland moet zien te tackelen. Te veel consumenten hebben hun leningen hoger in plaats van lager zien worden. Als de zaken er over een paar jaar niet rooskleuriger voorstaan, zullen veel jongeren het land verlaten. Ze zullen hun heil zoeken in het buitenland, waar een zekerder toekomst te verwachten is.

De particuliere schuldenlast is nog steeds niet aangepakt, omdat de politici in IJsland zijn teruggekeerd naar waar ze zich het veiligst voelen: de loopgraven. De vicieuze cirkel waarin politici voor 2008 opereerden was toen al gevaarlijk, maar na de val werd dit oogkleppengedrag ronduit beschadigend. Door het Icesave-drama niet op te lossen, is het herstel van IJslandse huishoudens en het bedrijfsleven ernstig vertraagd.

Lessen

Maar wat zijn nu de échte lessen van het Icesave-drama? Duidelijk is dat een groot deel van IJsland z'n les nog lang niet heeft geleerd. De clanlijnen zijn in IJsland nog springlevend. Het is nog steeds zo dat politieke herkomst in grote mate bijdraagt aan je positie in de maatschappij. Dat is met de nieuwe regering niet veranderd. Het maakt zo'n onderdeel uit van de IJslanders, dat het vrijwel onmogelijk is het uit te roeien.

Dat het zo moeilijk zal zijn die claneffecten te veranderen, zal ongetwijfeld ook afhankelijk zijn van de vraag hoe snel IJsland weer op z'n benen zal staan. *Business as usual* omdat de 'business' inderdaad 'as usual' is. En dat ziet er wel naar uit. Oppassen geblazen dus. Dat de gewone IJslandse consument daar niet direct van profiteert, weten we inmiddels ook. Meer dan 30% knoopt de eindjes aan elkaar als gevolg van het banken drama.

De claneffecten zorgen er ook voor dat maar heel weinig mensen de verantwoordelijkheid nemen voor het falen. En zoals het er nu naar uitziet, gaat het nog jaren duren om de verantwoordelijke bestuurders te straffen. Als dat ooit gaat gebeuren.

De echte lessen vinden we in het functioneren van het (internationale) financiële systeem, dat is doordrenkt van hebberigheid. Een fundamentele menselijke eigenschap. Zodra er ook maar een mogelijkheid bestaat om zich te verrijken ten koste van anderen, dan zal dat gebeuren. Met kennis van dergelijk gedrag of een minst geringe neiging daartoe in je achterhoofd, weet je dat je altijd het systeem in de gaten zult moeten houden, altijd de vinger aan de pols houden, blíjven monitoren en altijd de aandacht erbij, nooit je aandacht laten verslappen. In het geval van Icesave was het preventieve toezicht deels zelf onderdeel van de hebberigheid. Hoeveel mensen van de IJslandse toezichthouder, de FME, geloofden niet oprecht in het succes van de IJslandse banken en hadden, direct of indirect, belangen bij het succes van die banken? Als je kijkt naar de lijst van politici die onverklaarbaar grote leningen konden krijgen, dan is dat maar het topje van de ijsberg. Dat toezicht heeft op Europees niveau ongelofelijk gefaald. Hoeveel meer signalen, en we hebben er een groot aantal gegeven in dit boek, moet je als toezichthouders hebben, om de handen ineen te slaan en gezamenlijk aan de slag te gaan? Zowel de Engelse, Nederlandse als Luxemburgse toezichthouders, maar ook de Europese Centrale Bank zelf hebben niet adequaat gehandeld. Van enig onderling overleg lijkt geen sprake te zijn geweest. Wij hebben het in ieder geval niet kunnen ontdekken, ondanks alle fraaie nota's, speeches en voornemens.

De meest kwalijke les is wel dat een gewone consument, zeker op Europees niveau, niet in staat is zijn recht te halen. De Nederlandse Icesave-spaarders blijken aan alle kanten genept te zijn, maar worden zelfs door hun eigen Nederlandse regering tegengewerkt om hun geld terug te krijgen.

> ### DSBacil
> En denk nu niet dat het in Nederland ook niet kan. Het faillissement van DSB is er een voorbeeld van. En weer is het maar de vraag of de consument zijn recht krijgt. Falend toezicht, hebberige bankbestuurders. Wie er in alle vertrouwen zijn of haar geld heeft ondergebracht heeft nu ernstige problemen. Wat niet van Bos, Zalm, Scheringa of Wellink kan worden gezegd!

De meest simpele vorm van vertrouwen in een bank, het onderbrengen van je spaarcentjes, is sinds 6 oktober 2008 zwaar beschadigd. Om die reden laten veel consumenten hun spaargeld maar staan bij hun grootbank en durven een hogere rente bij een strijdvaardige kleine bank niet aan. Tijd voor een bank die de winst van de klanten voorop zet? Door bijvoorbeeld een bonus aan spaarders te geven als de winst van de bank stijgt?

Waarom er geen beweging zit in het andere sparen om ook consumenten te laten meeprofiteren van de winsten in de internationale financiële markt, is een raadsel. Duitsland kent bijvoorbeeld een prima depositogarantiestelsel, waarbij je zelfs bij een kleine bank tot 5 miljoen euro je spaargeld 'verzekerd' hebt. Waarom daar niet op aangesloten?

Hoe verwrongen de situatie is, blijkt eens temeer op 16 augustus 2010. Demissionair minister De Jager, opvolger van Bos nadat deze opstapt als Balkenende IV in februari 2010 valt, stuurt een brief aan de Tweede Kamer met als bijlage een 'Plan van Aanpak cultuurverandering DNB'. De

Tweede Kamer dwong Wellink tot dit plan van aanpak na het verschijnen van het rapport-Scheltema over DSB. In de brief en het rapport komt het woord 'spaarders' overigens niet voor. De Jager geeft aan dat DNB veel meer had moeten 'doorbijten' in haar taak als toezichthouder. DNB zelf geeft in het plan van aanpak toe dat ze als toezichthouder indringender, kritischer, proactiever en vasthoudender had moeten zijn. In de voorgestelde maatregelen staat onder meer dat het groepstoezicht wordt versterkt:

Een les van de crisis is dat de internationale dimensie een zwaarder accent in het toezicht moet krijgen. Dit brengt de behoefte met zich mee om het groepstoezicht te intensiveren op banken en verzekeraars die grotendeels in het buitenland actief zijn. Vooruitlopend op internationale regelgeving verstevigt DNB voor zover mogelijk al het groepstoezicht op de voor Nederland relevante instellingen. Hiertoe haalt zij de contacten met de lokale toezichthouders aan door actief groepsbijeenkomsten te organiseren. Voor de dagelijkse communicatie maakt zij daarbij gebruik van een in eigen huis ontwikkeld instrument waarmee snel en veilig toezichtinformatie tussen toezichthouders kan worden verspreid.

Waar o waar zijn we dat toch eerder tegengekomen? O ja, in het interne DNB rapport over Icesave in mei 2008 (en in augustus 2008), toen werd beloofd met de Engelse toezichthouder af te zullen stemmen. Nooit gebeurd… En nu heeft DNB er een 'in eigen huis ontwikkeld instrument' voor! Laat me raden: een telefoon! Nee, ook nu weer wordt de put gedempt als de kalveren Icesave (en DSB) zijn verzopen; met mooie woorden en nietszeggende voornemens. Die natuurlijk betekenen dat DNB meer mensen nodig zal hebben, dus meer geld. Dit alles is onzin! Als het om toezicht gaat, is geen enkel systeem sluitend te maken, dat weten we nu wel. Zeker in internationaal perspectief is dat onmogelijk. De spaarder verdient volledige zekerheid dat zijn (of haar) geld veilig is. Dat kan alleen maar als hij via een goed (depositogarantie)stelsel die garantie heeft. En als het in Duitsland kan, dan kan het toch zeker ook in Nederland? Besteed daar het geld maar aan. Het is eigenlijk buitengewoon triest dat minister De Jager, op basis van alles wat er nu ligt over het onmiskenbare falen van DNB, niet alsnog erkent dat Icesave- en DSB-spaarders ten onrechte slachtoffer zijn geworden van het falen van DNB falen, en DNB dwingt een compensatieregeling te realiseren. En zo zijn we, in augustus 2010, weer bij terug bij af: je leest weer alles over hoge bonussen voor de managers, hoge winsten voor de aandeelhouders en een lage rente voor de klant. Een prima voedingsbodem voor een nieuwe Icesave-affaire, waar ook ter wereld.

Niets garandeert dan ook dat een Icesave-drama niet morgen weer aan de orde is. Alle ingrediënten zijn nog steeds aanwezig.
Je bent gewaarschuwd!

Met dank aan

Dit boek had niet tot stand kunnen komen zonder de onschatbare bijdrage van een groot aantal mensen, gewild of ongewild.

Onze oprechte en welgemeende dank gaat vooral uit naar iedereen in onze directe omgeving die heeft getolereerd dat we al sinds de val, op 6 oktober 2008, dag in dag uit met Icesave bezig zijn, met een gedrevenheid die heel veel energie vraagt, maar ook geeft.

Dank aan de leden van Icesaving, de vereniging voor gedupeerde Icesave > € 100.000,-spaarders en het bestuur daarvan: de immer beminnelijke en prettige voorzitter Joost de Groot, de uiterst deskundige en nooit aflatende Frank van 't Geloof en de immer betrouwbare dieselmotor van secretaris Henk de Boer.

Dank aan de Nederlandse pers voor hun permanente aandacht voor het fenomeen Icesave en de rol van de spaarders. Met een berichtgeving die langzamerhand steeds minder sceptisch werd – spaarders veranderden van 'rijke stinkerds' in 'slachtoffers'. Speciale dank aan *De Telegraaf* voor hun steun bij het verzamelen van informatie en het beschikbaar stellen van een speciale webpagina voor dit project, wat het boek toch ook is.

Dank aan díe Nederlandse politici die van 'we willen er niks van weten' langzamerhand veranderden in ware ondersteuners van de gedupeerde spaarders, doordat ze zich meer en meer realiseerden dat men enorme steken had laten vallen en dat de spaarders hier part noch deel aan hadden.

Ook al horen ze in ons woord van dank eigenlijk niet thuis, toch willen we de namen van Nout Wellink en Wouter Bos op deze plek noemen (voor een IJslandse versie zouden we de namen noemen van David Oddsson en Johanna Sigurdardottir). Zij hebben ons wakker geschud. Onder hun leiding is bij de beoordeling van de Icesave-operatie en bij de afhandeling van de zaak op zijn zachtst gezegd halfslachtig en onhandig geopereerd. Maar het is juist dit soort gebeurtenissen, die ons eens te meer doen beseffen dat we er – met z'n allen – alert op moeten zijn wie welke functie of welk ambt waar bekleedt: wat is hun achtergrond, wat is hun netwerk? Het zijn immers niet de banken, regeringen of instellingen die beslissingen nemen of juist niet nemen, het zijn de mensen daarachter die dat doen.

Ten slotte dank aan jullie, lezers, voor de bereidheid nieuwsgierig genoeg te zijn om samen met ons te leren van de lessen van Icesave. Lessen die voor altijd een impact zullen hebben op het sparen en de spaarders in Nederland.

PS Bij het ter perse gaan van dit boek was nog niet bekend hoe het voor de gedupeerde spaarders zou gaan aflopen. Of ze afhankelijk zouden blijven van de afwikkeling van de boedel van Landsbanki, de moeder van Icesave, of eindelijk konden rekenen op rechtvaardigheid door het krijgen van compensatie voor hun verloren spaargeld. Bijvoorbeeld op grond van hun discriminatieklacht gebaseerd op de Europese richtlijnen.

Wij hebben de overtuiging dat het spaargeld wel degelijk bij de mensen terug zal komen. De overweldigende bewijzen voor het falen van bankiers, regeringen, toezichthouders en politiek die in dit boek op een rijtje worden gezet, moeten op enig moment tot het besef leiden dat de spaarders niks te verwijten valt, behalve hun naïeve vertrouwen in zoiets simpels als sparen.

Over de auteurs

DADI RAFNSSON

Dadi's verhaal

Toen ik in 1999 in Amerika ging studeren, verwachtte ik niet dat ik na mijn studie terug zou gaan naar IJsland om te werken. Alleen jongeren van gegoede afkomst en met de juiste politieke connecties hadden kans op de betere banen. Die eerste had ik niet en die tweede wilde ik niet. In 2004 was die cultuur echter veranderd. Het IJsland waarin ik was opgegroeid met een tv-loze donderdag, waar bier verboden was en waar mensen op de knieën vielen voor hun bankdirecteur – dat IJsland bestond niet meer. Het land vibreerde op alle fronten, het werd internationaler, ambitieuzer en energieker. De geprivatiseerde banken leken de economie de *push* te geven die voor wonderen zorgde. Ik maakte een lijst van tien bedrijven waar ik me wel een paar jaar zag werken terwijl ik mijn studieschuld afbetaalde.

Ik solliciteerde bij Kaupthing en op 15 augustus werd ik onderdeel van de IJslandse droom. Gekleed in een donker pak en bordeauxrode das begon ik aan mijn baan als hoofd Verkoop van nieuwe producten van de bank. De baan betaalde niet goed, maar als beginneling nam ik de kans met beide handen aan. Het kantoor sidderde van de spanning. De banken groeiden razendsnel en toen ik een week aan het werk was, kondigde Kaupthing aan dat ze als eerste geprivatiseerde bank in IJsland hypotheken ging aanbieden tegen lagere rentes en een langere looptijd dan tot dan toe gebruikelijk. De reactie was ongelofelijk en in *no time* waren de stapels aanvragen onvoorstelbaar hoog. IJslanders sloten en masse hun hypotheken opnieuw af. De huizenprijzen stegen explosief en velen gebruikten de overwaarde om iets, of veel, te lenen en kochten er tweede huizen en SUV's van.

De verkoop van de nieuwe bankproducten was al net zo'n eclatant succes. We hadden een ambitieuze marketingcampagne die door de afdeling Verkoop goed werd opgevolgd. Eind 2006 hadden we twee jaar van ongelofelijke groei achter de rug. Kaupthing was hard op weg een van de honderd grootste banken ter wereld te worden. De groei van ons bedrijf ging zo snel dat de verkoopresultaten niet bij te houden waren. Bij

Verkoop zeiden ze het ene, bij de afdeling Consumenten het andere en peilingen kwamen met weer andere getallen.

Ik heb nooit kunnen begrijpen waarom een bedrijf dat zoveel geld uitgaf aan van alles en nog wat, haar eigen zaakjes niet op de rit kon krijgen. Maar dat was mijn probleem niet.

De afdeling Verkoop en Marketing waren met de belangrijkste campagne van 2006 bezig: de mensen aanmoedigen meer te sparen. Dat was broodnodig want de banken hadden financieringsproblemen en ontmoetten heftige kritiek in het buitenland. Onder die omstandigheden creëerde Landsbanki Icesave.

Wij bij Kaupthing krabden ons achter de oren – tot iemand op het hoofdkantoor de opdracht gaf vestigingen op te richten onder de naam Kaupthing Edge. Anders dus dan bij Icesave – dat niet was opgezet als vestigingen van de hoofdvestiging, maar als bijkantoor.

Ik kwam met mezelf in de knoop. De eerste twee jaar had ik het bij Kaupthing enorm naar de zin gehad, maar naarmate de bank groeide en we meer en meer succes hadden, raakte onze afdeling steeds verstarder en speelde de bedrijfsstrategie een steeds grotere rol. Er kwamen enorme personele en structurele veranderingen. De zaken gingen alleen over geld en macht en dat had zijn weerslag op de interne sfeer. Leidinggevenden en uitvoerenden moesten nauw samenwerken, maar werden totaal verschillend beloond. Sommigen van mijn collega's kregen astronomische salarissen en bonussen, terwijl ik daar helemaal niets van zag.

Ik had niets te maken met de mannen aan de top en wat ze uitspookten. Ik had schulden af te betalen en de daverende inflatie wurgde me. Tegen eind 2006 werd ik overgeplaatst naar R&D en maakte ik de grootste fout van mijn leven: ik liet me overreden dat ik op mijn leeftijd toch wel een eigen huis zou moeten hebben. Ik, die er altijd trots op was geweest geen materialist te zijn. Ik had mijn geld uitgegeven aan ervaringen, reizen en onderwijs en ging er prat op niet aan gouden kettingen vast te zitten. Ik reed een roestige goedkope oude VW Polo die ooit rood was geweest maar nu verbleekt roze en parkeerde die gewoon tussen de Mercedessen en de Landcruisers voor Kaupthings luxueuze hoofdkantoor.

Nu baadde iedereen om me heen zich in weelde. De bank waar ik voor werkte, deelde mensen zelfs in verschillende klassen in: zij die wel en zij die geen eigen huis hadden. Ik week van mijn eigen waarden en normen af en overtuigde mijn vriendin ervan dat dit een verstandig besluit was. Met drie bankleningen van in totaal 16,7 miljoen kronen (100.000 euro) kochten we een tweekamerappartement.

Begin 2010 hadden we de bank meer dan 4 miljoen kronen (25.000 euro) betaald en waren de leningen gestegen tot 20 miljoen. De maandelijkse kosten waren toen met 40% gestegen. Ik was tegen een vreemdevalutahypotheek geweest omdat die zo risicovol waren en mijn salaris in kronen werd uitbetaald. Maar hypotheken in IJslandse kronen waren gebonden aan de prijsindex waardoor de inflatie de betalingen en het kapitaal omhoog stuwden. Toen wij de lening aangingen, had ik op geen enkele manier verwacht dat binnen twee jaar er banken zouden vallen, dat mijn werkgever met een van de grootste faillissementen ooit, geschiedenis zou schrijven of dat ik in 2008 twee banen zou kwijtraken.

Ik had geen lol in mijn taken bij R&D. Mijn vriendin zat voor haar studie in Schotland en ik was er geestelijk slecht aan toe. In november 2007 kregen we op onze wekelijkse woensdagse bijeenkomst een meeslepende waarschuwing van het hoofd van de Zakelijke afdeling: "Jullie moeten stoppen met het uitlenen van geld." Daarna legde hij uit dat IJsland in 2008 door een economische storm geveld zou worden. Het was dan ook geen verrassing om in januari, een dag nadat ons was verteld dat er weinig geld was voor productontwikkeling, een ontslagbrief te ontvangen. Het was natuurlijk niet leuk, maar ik ging er meteen op uit om een andere baan te vinden.

Binnen een paar weken was ik verkoopleider voor de Apple-dealer in IJsland. Apple is nauwelijks geïnteresseerd in de kleine IJslandse markt, maar had dit bedrijf toch een licentie gegeven om haar producten te verkopen. Het eerste project was de marketing van de nieuwe MacBook Air. Hij werd in januari door Steve Jobs onthuld en het aantal voororders was bemoedigend. Maar toen de eerste levering in april binnenkwam, was de waarde van de kroon al gekelderd. De prijzen stegen en opeens bleef een gadget dat in het designer- en trendgevoelige IJsland eerst als warme broodjes over de toonbank ging, in het schap liggen. We verzonnen allerlei stunts, maar er waren maar weinig kopers. De winkels bleven leeg. De dag voor mijn contract in juni afliep en het voor zes maanden verlengd zou worden, zag ik voor het eerst de balans van het bedrijf. Het had overduidelijk te kampen met te hoge investeringen van de jaren ervoor. De schulden waren onoverbrugbaar en ik was dan ook niet verbaasd dat mijn contract niet verlengd werd. Vijf maanden later gingen zowel Kaupthing als de Apple-dealer failliet. Gelukkig had ik nog een baan in een totaal andere branche om op terug te vallen. Ik was al een paar jaar coach van een jeugdvoetbalteam en de club bood me nu een fulltime baan aan. Ik had mijn B-vergunning al en in winter erna haalde ik mijn A-vergunning. Toen in januari de potten-en-pannenrevolutie begon, was ik in Lilleshall in Engeland om mijn examen te doen.

Ik volgde de gebeurtenissen op de voet, want ik had toen al drie maanden een blog waarin ik de situatie tussen Engeland en IJsland aan de kaak stelde. Ik deed dat omdat ik mijn buitenlandse vrienden wilde uitleggen wat er aan de hand was en ik de orthodoxe media in deze tijden niet vertrouwde. Buitenlandse journalisten schrijven – als ze het over IJsland hebben – meestal over elfen, trollen en de midzomernachtzon. En dat is dan ook precies wat de IJslandse pr-machine buitenlanders wil laten geloven. Ik noemde de website *Economic Disaster Area* en hij werd populairder dan ik ooit had kunnen vermoeden. Er staan nu honderden, zo niet duizenden commentaren op de site die me in de meest interessante situaties hebben gebracht. Ik ben geïnterviewd door media van Japan tot Finland en Amerika. Ik heb allerlei soorten mensen ontmoet, van economen tot mensen die hun geld op de IJslandse banken hadden verloren en heb hun verhalen en zorgen aangehoord. Nadat ik me in de achtergronden van de economische val had verdiept, begon ik in de herfst van 2009 aan een masterstudie Internationale Betrekkingen aan de Universiteit van IJsland.

Sinds de herfst van 2008 ben ik geen vrolijke gast meer en dat is een afschuwelijk gevoel, want ik heb mezelf altijd als een grote optimist gezien. Ik zit nu met gevoelens van verlies, spijt en boosheid die, naarmate ik meer over de IJslandse val las en er meer over sprak, alleen maar sterker werden. Ik ben niet bitter om het feit dat ik in 2008 tot twee keer toe ontslagen werd; als voetbalcoach en als student heb ik veel plezier in deze bezigheden. Ik zit nu op de voor mij goede plek, maar ben tegelijkertijd woedend dat zoveel zaken in mijn land gebouwd waren op loze beloften en valse voorwendselen en dat wij weinig tot niets gedaan hebben om aan de rem te trekken. Het zegt veel over de ontgoocheling, ontkenning en over hoe we door onszelf in beslag genomen waren, dat twee jaar na de val een op de drie IJslanders het liefst van alles zou zien dat de Independence Party weer aan de macht kwam.

Het is wonderbaarlijk om te zien hoe paranoïde en nationalistisch veel mensen, na Icesave en de economische crisis, zijn geworden. De toekomst van veel jonge gezinnen is vol twijfel nu zelfs de linkse regering meer geeft om de kapitalisten dan om Jan Modaal. De laatste tien jaar heb ik ingezien dat IJsland veel kleiner is dan het denkt en veel zwakker dan het dacht te zijn. We hebben meer dan genoeg bronnen, maar hebben besloten die ongelijk te verdelen. We zouden internationaal, bijvoorbeeld in de EU, een stem kunnen hebben, maar kozen ervoor alleen op onszelf te focussen. Onze valuta ligt onderuit en ons systeem is erop gericht degene die weinig hebben verder uit te melken ten gunste van de rijken.

Sinds ik volwassen ben, heeft mijn leven gedraaid rond het betalen van rente in bedragen die voor elke andere Europeaan reden zou zijn om met spandoeken de straat op te gaan. Het financiële systeem van IJsland waarbij de staatsschuld is gekoppeld aan de prijsindex, is onrechtvaardig en onmenselijk – vooral als regeringen telkens weer veel te grote risico's nemen. Ik kwam in contact met Gerard van Vliet in december 2009 naar aanleiding van mijn blog. We hadden een ontmoeting en kwamen tot de ontdekking dat we beiden diep getroffen waren door slechte beslissingen van instituten die we vertrouwden. We besloten toen samen dit boek te schrijven.

Als ik terugkijk naar het IJsland van de laatste tien jaar en naar mijn eigen ervaringen bij de bank en de korte periode bij de Apple-winkel, is het me duidelijk dat ik, net als zo vele anderen hier, mijn ogen heb gesloten voor een apert slechte regering, een door en door corrupt systeem en idem private sector en een overvloed aan waarschuwende signalen. Ik was iemand die er trots op was dat hij zich nooit aan een politieke partij had overgegeven, maar ik zal nu moeten leven met de schande dat ik bij de Althingi-verkiezingen van 1999 en bij de gemeenteraadsverkiezingen in 2007 op de Independece Party heb gestemd. De reden dat ik niet in verzet ben gekomen, is denk ik dezelfde als voor zoveel anderen. Ten eerste zat ik tot over mijn oren in de schulden en de angst dat ik mijn baan zou verliezen maakte me passief.

Ten tweede is IJsland een klein land waar pestkoppen kunnen gedijen. Net zoals mishandelende vaders, moeders die aan de drank zijn of dreinende kinderen een gezin op den duur zo murw kunnen maken dat ze het gedrag toelaten en het zelfs vergoelijken. Er zullen waarschijnlijk nog heel wat boeken verschijnen over de IJslandse val en de IJslandse psyche.

In de lente van 2010 zei een oom tegen me dat het beter voor me zou zijn als ik zou stoppen met schrijven en me op de achtergrond hield. Ik zou het niet meteen doorhebben maar 'ze zouden me weten te vinden' als ik een keer een baan nodig had, een lening of een bouwvergunning. Zo hebben de vorige generaties IJslanders hun zaakjes voor elkaar gekregen. Door de partijlijn te volgen, te knikken en te negeren en dan te hopen dat er wat kruimels hun kant op zouden vallen.

Ik had in 2007 veel en veel kwader moeten zijn toen een filiaalhouder van Kaupthing, die op die post zat omdat hij zich loyaal gedragen had binnen de Centre Party, de medewerkers een hoogdravend verhaal vertelde na mijn presentatie over verkooptechnieken. Lachend vertelde hij zijn werknemers hoe hij als directeur van een veevoederfabriek de kunst van het presenteren had ontdekt; een onderwerp dat ik net had behandeld. Sommige boeren gaven aan bereid te zijn meer te betalen voor 'luxer' voer. Dus wat deed het bedrijf? Het gaf de mensen wat ze wilden: zakken met de opdruk 'luxe voer', waar hetzelfde voer in zat als in alle andere zakken maar wat wel duurder was. De jonge luisteraars staarden hem in verbijstering aan. Deze man had zojuist een misdaad bekend. Maar de verrukking van de malloot werd er niet door getemperd.

Er moeten veel dingen veranderen in IJsland. Hopelijk kunnen we verder kijken dan de opdrukken op de zakken en zien wat er écht in zit. Over tien jaar is IJsland of een trots soeverein land in de EU waar politieke hervormingen hebben plaatsgevonden, of het land zal tot een afgelegen buitenpost zijn verworden dat afhankelijk is van bilaterale samenwerking met veel grotere landen. Als die eerste optie werkelijkheid wordt, zullen mijn kinderen hopelijk in IJsland opgroeien. Als het de tweede wordt, moet ik emigreren, anders kan ik me geen kinderen veroorloven.

Biografie
Dadi werkte onder meer bij Kaupthing Bank in IJsland en geeft via zijn weblog Economicdisasterarea.com keer op keer scherpe kritiek op de gang van zaken in IJsland. Hij deed alle research naar de IJslandse feiten en het complete falen van alle betrokkenen in IJsland. Daarnaast is hij trainer van een aantal jeugdvoetbalelftallen in Reykjavik.

GERARD VAN VLIET

Gerards verhaal
Waarom iemand een groot deel van de afgelopen twee jaar van zijn leven heeft opgeofferd om 25 miljoen terug te krijgen voor 250 medegedupeerden? Dat wordt met name ingegeven door het rechtvaardigheidsgevoel denk ik. Vanaf het begin heb ik het onrechtvaardig gevonden dat de Engelsen wel hun geld kregen, de IJslanders de volgende dag weer bij hun geld konden en de Nederlanders weer een uitzondering moesten vormen. Met dank dus aan Wouter Bos, die 'zijn' PvdA geen 'rijke stinkerds' zag steunen. En aan Nout Wellink, die elk menselijk gevoel van zelfreflectie ontbeert.

Het is een fascinerende strijd. Het richting geven aan die strijd, samen met de andere bestuursleden van Icesaving, was leerzaam. Net als de kennis die ik al doende heb opgedaan, en niet te vergeten de kennissen. De vele honderden mensen die steun hebben ondervonden en daar keer op keer hun dankbaarheid voor kenbaar maakten, dat is wat je op de been houdt als je elke keer 'nee' hoort of genegeerd wordt. Maar ook de mensen die je dan op je pad tegenkomt, voor- en tegenstanders die je geest scherpen en stuk voor stuk een bijdrage leveren aan de uitdaging om door te gaan. Daar zijn er ook heel wat van in IJsland, een land dat me blijft boeien en dat ik nooit zal haten vanwege een dertigtal mensen, de Dirty Thirty, die geprobeerd hebben het land te verpatsen, om er zelf beter van te worden.

Een journalist gaf eens aan dat de hele Icesave-affaire geknipt was voor mij. Via een staking kwam ik de vakbeweging in, als vakbondsman heb ik stakingen geleid. Maatschappelijke actie is me niet vreemd, met als hoogtepunt het bezetten van alle wegen rondom Vianen (de mooiste file ooit veroorzakend, maar ook de versnelde aanleg van de tweede brug) als voorzitter van het actiecomité 'Vianen, Een Brug te Ver'. Mijn politieke activiteiten en actiewerk, maar ook het feit dat ik de weg weet in medialand door banen bij radio, tv en schrijvende pers – het heeft zeker geholpen, maar het kan niet zonder al die mensen die die strijd hebben gesteund. In welke vorm dan ook.

De verbetenheid kent wel zijn prijs. Dat valt niet te ontkennen. Je kunt je energie niet ergens anders aan besteden, net als de tijd, zodat het vaak ten koste gaat van de dierbare mensen om je heen.

De grootste opgave is het vinden van een antwoord op alle negatieve impulsen die op je afkomen. De woorden 'opgave' en 'opgeven' liggen niet voor niks zo dicht bij elkaar! Mijn winst in deze hele affaire is het absolute besef dat positief zijn een levenskunst is, die ik met veel verve probeer te delen met anderen.

Biografie

Gerard is woordvoerder van de Icesave-spaarders met meer dan € 100.000,- op hun rekening. Hij vervulde rollen als vakbondsbestuurder, hoofd P&O, interimmanager, lid van een raad van bestuur en is nu zelfstandig ondernemer. Hij studeerde P&O, Communicatiewetenschappen, Organisatiekunde en behaalde een MBA van Nyenrode. Met veel plezier is hij al weer 8 jaar raadslid voor de (lokale) Burger Partij Amersfoort (BPA), de grootste partij in Amersfoort.

Gerard heeft meerdere boeken op zijn naam staan over internet, e-commerce, crm, maar ook over vitaliteit (*Het Vitaliteit Boek* en *Een Vitale Organisatie*). Recentelijk heeft hij *De NetwerkBijbel* afgerond, die alle antwoorden geeft over de mystiek van succesvol netwerken en die het mogelijk maakt zelf je netwerk voor je te laten werken. Dit boek vormt de basis voor de The NetworKing Academy, waar hij co-founder en docent van is (zie www.TheNetworKingAcademy.com). Er staat een aantal boeken in de planning, waaronder een kinderboek.

De 4 P's uit de vitaliteitsboeken, die staan voor Passie, Plezier, Partners en Positieve kracht, hebben nu geleid tot www.gewellen.nl, een platform voor diegenen die het maximale uit het leven willen halen. Behalve boeken schrijven verzorgt hij graag presentaties en coacht hij als ervaren directeur/ondernemer andere ondernemers. Verreweg het meeste plezier ondervindt hij van het steeds weer ontmoeten van nieuwe mensen, met hun eigen verhaal en achtergrond, en van het samen het maximale uit het leven halen, zodat je vandaag alles doet om morgen geen spijt te hebben van gisteren. Want denk je eens in, je komt in het hiernamaals en Petrus vraagt aan je: "En, hoe was het in de hemel?" Dan wil je toch niet verbijsterd kijken?

Meer weten over Gerard? Kijk op www.gerardvanvliet.net.

Bijlage 1. Icesave in het kort

Dit boek bevat een lawine aan feiten, data en bronnen waardoor je al snel het spoor bijster zou kunnen raken. Daarom reiken we enkele handvatten aan, in de vorm van een beknopt chronologisch overzicht van 1993 tot en met 2010. De hierna beschreven momenten zijn de meest kenmerkende in de opkomst en ondergang van Icesave.

1993: De basis wordt gelegd voor een IJsland dat graag het financiële centrum van de wereld wordt. De Independence Party die aan de macht is, zet alle kaarten op een totale liberalisering van alle overheidsbelangen, waaronder de banken.

2002: In IJsland wordt Landsbanki, dat al sinds 1885 bestaat, geprivatiseerd en valt in handen van vader en zoon Bogulfor, die hun geld vooral hebben gemaakt in Rusland. Ze betalen de aandelen van de bank echter met geleend geld van een andere IJslandse bank.

2006: De eerste negatieve berichten en rapporten uit de financiële wereld verschijnen over IJsland. Er vindt ook een minicrisis plaats, waarbij de krona, de IJslandse munt, devalueert. In hetzelfde jaar, in oktober, start Icesave in Engeland.

2007: De negatieve berichten houden aan in de professionele kring van bankexperts. De credit default swap (CDS)-spread (soort van verzekeringspremie om je geld terug te krijgen) voor Landsbanki begint te stijgen. Reden voor Nederlandse banken om hun geld uit IJsland terug te trekken.

31 december 2007: In Engeland verwerft Icesave vijf miljard pond aan spaargeld.

Februari 2008: De Engelse toezichthouder, de Financial Services Authority (FSA), duikt bovenop Landsbanki in Engeland. De FSA wil dat ze een dochtervennootschap beginnen, in plaats van het bijkantoor dat ze tot nog toe voor Icesave hebben. Die dochter kan dan door de Engelse FSA in de gaten worden gehouden, in plaats van door de ernstig onderbezette IJslandse toezichthouder, de FME. Bovendien is dan de Engelse spaargarantie van toepassing.

Februari-april 2008: In Engeland krijgt Icesave veel negatieve publiciteit in de kritische pers. In korte tijd verdwijnt er 1 miljard pond aan spaargeld; spaarders nemen in paniek hun tegoed op. Het betekent op een haar na het faillissement van Landsbanki in IJsland.

23 mei 2008: Landsbanki krijgt, zonder veel verzet, van De Nederlandsche Bank de toestemming om deel te nemen aan de topping up, het tweede deel van de garantieregeling voor spaarders (van € 20.887,- tot € 40.000,- met 10% eigen risico). Een voorwaarde van Landsbanki om Icesave te introduceren in Nederland.

29 mei 2008: Icesave wordt op Nederlandse bodem geïntroduceerd. De pers reageert over het algemeen enthousiast. De lakse houding van de grote banken als het gaat om een redelijke rente is daar ongetwijfeld mede debet aan.

Begin juli 2008: Wellink, de president van De Nederlandsche Bank en gelouterd in de internationale financiële wereld, wordt nu echt wakker en wil Icesave een halt toeroepen naar aanleiding van berichten uit de kring van de Europese Centrale Bank.

15 juli 2008: In Engeland bereikt het scepticisme tegenover Landsbanki zijn hoogtepunt, o.a. door vragen in het parlement over het gebrek aan geld in het IJslandse garantiefonds. De pers noemt IJslandse banken de slechtste banken ter wereld om je geld bij onder te brengen.

5 augustus 2008: In de directievergadering van DNB worden ze zich bewust van hun vergissing om Icesave op de Nederlandse markt toe te laten. Juristen temperen echter wederom de neiging om per direct Landsbanki te verbieden nog langer spaarders aan te trekken.

14/15 augustus 2008: Medewerkers van DNB bezoeken IJsland en krijgen geen antwoord op hun voornaamste vragen aan het IJslandse garantiefonds en de IJslandse toezichthouder FME.

27 augustus 2008: Landsbanki bij Wellink in Amsterdam op het matje, die wil dat ze stoppen met het aantrekken van spaargeld. Ze luisteren welwillend en reageren laconiek met het voorstel om bij DNB meer zekerheden onder te brengen. Iets waar DNB niet op reageert.

2 september 2008: Wellink heeft de FME op bezoek, die zich ook ver-baasd toont over de bezwaren van Wellink: het gaat immers zeer goed met Landsbanki. Op hetzelfde moment is een grote IJslandse delegatie op bezoek bij Alistair Darling, de Britse minister van Financiën, die de IJslanders vraagt of ze de ernst van de situatie wel inzien en waar hij "de rekening voor zoveel onbenul naar toe kan sturen".

15 september 2008: Lehmann Brothers in de US vraagt surseance van betaling aan.

29 september 2008: De IJslandse regering neemt 75% van de aandelen van Glitnir over met geld van de Centrale Bank, die daarmee door zijn reserves heen is.

6 oktober 2008: Nederlandse spaarders kunnen niet meer bij hun spaar-geld. Die avond neemt het IJslandse parlement een noodwet aan, die in de maanden daarvoor al is voorbereid, om de eigen IJslandse belangen veilig te stellen.

8 oktober 2008: In Engeland verklaart de regering de antiterroristenwet van toepassing op IJsland en bevriest alle bezittingen van IJsland in En-geland, omdat IJsland weigert de Engelse spaarders de garantieregeling te betalen. Landsbanki meldt dat ze de financiële verplichtingen niet kan nakomen door liquiditeitsproblemen. IJsland nationaliseert hierop Landsbanki, evenals Kaupthing. De kroon stort in.

9 oktober 2008: Minister Wouter Bos (Financiën) zegt dat het spaargeld van Nederlandse spaarders tot € 100.000,- gegarandeerd is. Zij zullen hun geld "linksom of rechtsom" terugkrijgen. Wellink laat weten dat hij al veel langer wist dat het fout ging met Icesave, maar niks kon doen "om-dat er anders een run op de bank zou zijn ontstaan".

10 oktober 2008: De IJslandse FME splitst Landsbanki in een Old en New Landsbanki. In New worden alle IJslandse belangen ondergebracht. De IJslandse spaarders krijgen op die manier weer per direct toegang tot al hun spaargeld.

11 oktober 2008: Arni Mathiesen (minister van Financiën) van IJsland komt in Washington op een A4'tje met Bos overeen dat IJsland de eerste € 20.887,- aan de spaarders vergoed en dat Bos het voorschiet.

13 oktober 2008: De Amsterdamse rechtbank zet Landsbanki/Icesave onder curatele van een bewindvoerder.

20 november 2008: Het Internationaal Monetair Fonds (IMF) en enkele Europese landen lenen IJsland in totaal ruim 6,5 miljard euro. Met het geld moet IJsland schuldeisers van de banken terugbetalen. De leningen worden verstrekt op voorwaarde dat IJsland alle schulden aflost.

26 januari 2009: Premier Geir Haarde en zijn IJslandse regering treden af in de naweeën van de ineenstorting van het IJslandse financiële systeem. IJslanders protesteren wekenlang tegen de manier waarop de regering de crisis te lijf ging.

6 juni 2009: Nederland, Engeland en IJsland bereiken een akkoord over het terugbetalen van de tegoeden van de spaarders van Icesave. IJsland krijgt vijftien jaar de tijd om het volledige bedrag van 1,3 miljard euro terug te betalen aan Nederland.

25 juni 2009: De commissie Financiën van de Tweede Kamer debatteert over het rapport dat is verschenen over het optreden van DNB inzake Icesave. Men is unaniem van mening dat DNB steken heeft laten vallen. Minister Bos krijgt de opdracht de gedupeerde spaarders te helpen.

6 juli 2009: De gedupeerde spaarders, die in IJsland zijn om te onderhandelen over hun verdwenen spaartegoed, krijgen vlak voor hun beslissende gesprek van de IJslandse vertegenwoordigers te horen dat minister Bos aan zijn IJslandse collega per brief heeft laten weten de spaarders niet te steunen en dat dat voor IJsland aanleiding is de gesprekken niet te laten doorgaan.

23 juli 2009: IJsland dient formeel een aanvraag in voor het lidmaatschap van de Europese Unie (EU). Het gesteggel met Nederland en Groot-Brittannië vormt geen obstakel voor toetreding tot de EU.

28 augustus 2009: Het IJslandse parlement stemt in beginsel in met terugbetaling van 1,3 miljard euro aan Nederland. Maar de voorwaarden die aan de goedkeuring zijn gesteld, maken het onduidelijk of het geld binnen de afgesproken termijn terugkomt naar Den Haag.

22 september 2009: De gedupeerde spaarders dienen een klacht in bij de European Free Trade Association (EFTA) vanwege discriminatie van IJsland bij het wel toegang geven aan de IJslandse spaarders tot hun spaar-

geld en het niet compenseren van de buitenlandse spaarders op datzelfde moment. Europese regels verbieden deze ongelijkheid.

19 oktober 2009: Nederland, Engeland en IJsland tekenen in Reykjavik een aangepaste overeenkomst over de terugbetaling van de leningen. Daardoor zijn Nederland en Engeland ervan verzekerd dat de voorgefinancierde vergoedingen aan Icesave-spaarders door IJsland worden terugbetaald. IJsland kan daar ook tot na 2024 over doen.

30 december 2009: Het IJslandse parlement stemt in met de nieuwe wet, die compensatie van Icesave-gelden aan Nederland en Groot-Brittannië mogelijk maakt.

5 januari 2010: President Grimsson van IJsland weigert de wet die terugbetaling van Icesave-gelden moet regelen, te tekenen, waardoor een referendum nodig wordt.

5 maart 2010: Het referendum over de Icesave-overeenkomst wordt door ruim 90% van de IJslanders verworpen. De IJslandse regering staat voor het blok en besluit weer opnieuw naar Nederland en Engeland terug te gaan voor overleg. Door de verkiezingen in Engeland en Nederland blijft dat liggen tot na die verkiezingen.

12 april 2010: Het langverwachte rapport van de Truth Commission in IJsland komt uit: 2000 pagina's over de oorzaak van de crisis. De conclusie is vernietigend en de details over de hebberigheid van bankiers en nalatigheid van regering en toezichthouders ontluisterend.

10 mei 2010: De commissie-De Wit van de Tweede Kamer levert haar eerste rapport af over de kredietcrisis. Ze stelt dat DNB wel degelijk de geschiedenis van Icesave had kunnen beïnvloeden. Zo hadden voorwaarden gesteld kunnen worden aan de toetreding van Icesave in Nederland.

24 juni 2010: Een versgekozen commissie Financiën van de Tweede Kamer stelt vragen over het rapport van de commissie-De Wit. De gedupeerde spaarders hebben inmiddels aan de Kamer gevraagd te interveniëren en door DNB het geld te laten compenseren dat in IJsland is verdwenen. Het is dan aan DNB om bij de IJslandse collega FME en de IJslandse regering verhaal te halen.

29 juni 2010: De commissie Scheltema brengt het evaluatierapport over DSB uit en ook daarin wordt geconstateerd dat het toezicht van DNB

heeft gefaald. DSB had nooit een bankvergunning mogen krijgen. Ook die spaarders wachten ook in spanning af wat hun lot zal worden.

16 augustus 2010: Minister De Jager stuurt een brief naar de Tweede Kamer samen met het rapport van DNB met voornemens om de cultuur binnen DNB te veranderen: het moet preventiever en vasthoudender. De Jager geeft aan dat DNB veel meer had moeten 'doorbijten' bij het toezicht. In de brief en het rapport geen woord over spaarders, om wie het toch draait.

1 september 2010: De Nederlandse spaarders wachten nog steeds op een uitspraak over hun klacht bij de Surveillance Authority van de EFTA (ingediend 22 september 2009), inhoudende dat de Nederlandse spaarders ten onrechte zijn gediscrimineerd. De IJslandse spaarders hebben hun geld wel teruggekregen, de Nederlanders bij dezelfde bank niet. IJsland doet er alles aan de uitspraak in haar voordeel te beslechten.

Bijlage 2. IJsland, feiten en cijfers

bevolking
313.000. De meeste mensen (120.000) leven in en rondom de hoofdstad
Reykjavik. IJsland telt ongeveer net zoveel inwoners als de stad Utrecht.

etniciteit
Noorse en Keltische kolonisten

sinds
874 – Ingólfur Arnarsson was de eerste kolonist, afkomstig uit Noorwegen

godsdienst
Lutherse staatskerk

grootte
103.000 km^2 (Nederland 41.526 km^2)

staatsvorm
Republiek sinds 17 juni 1944
Onafhankelijk van Denemarken sinds 1 december 1918

valuta
ISK – IJslandse kroon, die kunstmatig in leven wordt gehouden

koopkracht 2007
US-dollar 40.100 (Nederland 38.600) per capita

bnp 2007
US-dollar 12 miljard (Nederland 636 miljard dollar)

werkenden
180.000

lid van
UN – EEA – Wereldbank – IMF – NAVO – Scandinavische Raad

belangrijkste industrie
dienstverlening – visserij – landbouw

bekende IJslanders
Björk, zangeres – Eidur Gudjohnsen, voetballer – Olafur Eliasson, kunstenaar

bedragen
1,3 miljard euro is de hoogte van het bedrag dat Nederland probeert terug te krijgen van IJsland; dit is voorgeschoten als betaling voor het depositogarantiestelsel (tot € 20.887,-). Daarnaast staat er nog 700 miljoen euro open als gevolg van het faillissement van Landsbanki/Icesave (grofweg 300 miljoen euro die de banken gezamenlijk betalen voor de garantie tussen € 20.887,- en € 40.000,-, 106 miljoen betaald door minister van Financiën Bos voor de bedragen tot € 100.000,-, 40 miljoen voor de grotere spaarders boven de € 100.000,-, 250 miljoen van de lagere overheden).